Dolina
Ciszy

Tej samej autorki polecamy:

Klucz światła
Klucz wiedzy
Klucz odwagi
Skarby przeszłości
Błękitna dalia
Czarna róża
Szkarłatna lilia
Szczypta magii
Dotyk śmierci
Kwiat Nieśmiertelności
Sława i śmierć
Rozłączy ich śmierć
Śmiertelna ekstaza
Magia i miłość
Taniec Bogów
Wizje śmierci
Czarna ceremonia

NORA ROBERTS

Dolina Ciszy

Przełożyła
Xenia Wiśniewska

Prószyński i S-ka

Tytuł oryginału
VALLEY OF SILENCE

Projekt okładki
Elżbieta Chojna

Redakcja
Ewa Witan

Redakcja techniczna
Anna Troszczyńska

Korekta
Jolanta Kucharska

Łamanie
Ewa Wójcik

ISBN 978-83-7469-595-4

Wydawca
Prószyński i S-ka SA
02-651 Warszawa, ul. Garażowa 7
www.proszynski.pl

Druk i oprawa
Drukarnia Naukowo-Techniczna
Oddział Polskiej Agencji Prasowej SA
03-828 Warszawa, ul. Mińska 65

*Dla mojego własnego kręgu,
przyjaciół i rodziny*

Dobro i zło, które znamy, dojrzewają razem
i prawie nierozdzielnie na polach tego świata.

John Milton, „Areopagitica”

Nie sądź, że jestem tym, kim byłem.

William Szekspir, „Henryk IV”

Prolog

W płomieniach migotały obrazy. Smoki, demony i wojownicy. Dzieci zobaczą je tak samo jak on. Starzec wiedział, że bardzo młodzi i bardzo starzy często widzą to, czego inni dostrzec nie potrafią. Albo nie chcą. Wiele im już opowiedział. Rozpoczął opowieść od czarnoksiężnika, który został wezwany przez boginię Morrigan. Hoyt Mac Cionaoith otrzymał rozkaz od bogów, miał wyruszyć do innych światów i innych czasów, by zebrać armię, która stawi czoło królowej wampirów. Wielka bitwa między ludźmi a demonami odbędzie się w noc Samhainu w Dolinie Ciszy na ziemi Geallii.

Opowiedział im o bracie Hoyta czarnoksiężnika, zamordowanym i przemienionym przez podstępną Lilith, która egzystowała już prawie tysiąc lat jako królowa wampirów, zanim uczyniła Ciana podobnym sobie. Minęło niemal drugie tysiąclecie, nim Cian dołączył do Hoyta i czarodziejki Glenny. Razem utworzyli pierwsze ogniwo Kręgu Sześciorga. Następne stworzyło dwoje przybyszy z Geallii – jeden w wielu kształtach i uczona, którzy przybyli spoza tego świata. Ostatnia do Kręgu dołączyła wojowniczka, łowczyni demonów, krew z krwi rodu Mac Cionaoith.

Starzec snuł opowieść o walkach i odwadze, śmierci i przyjaźni. I o miłości. Miłości, która rozkwitła między czarnoksiężnikiem i czarodziejką, połączyła jednego w wielu kształtach i wojowniczkę, wzmocniła Krąg, jak tylko prawdziwa magia potrafi.

Ale miał jeszcze wiele do opowiedzenia. Zwycięstwa i straty, strach i męstwo, miłość i poświęcenie – to wszystko miało nadejść wraz z ciemnością i światłem.

Dzieci czekały na więcej, a starzec zastanawiał się, jak najlepiej rozpocząć opowieść.

– Było ich sześcioro – powiedział, wciąż wpatrując się w ogień, podczas gdy szepty dzieci cichły w pełnym napięcia oczekiwaniu. – I każde z nich miało wybór, mogło zgodzić się lub odmówić. Nawet gdy trzymasz w dłoniach losy światów, musisz zdecydować, czy stawisz czoło temu, co chce je zniszczyć, czy odwrócisz się plecami. A za tym wyborem – ciągnął – nadchodzi wiele innych.

– Byli bardzo odważni! – zawołało jedno z dzieci. – Chcieli walczyć! Starzec uśmiechnął się lekko.

– Właśnie tak postanowili. Jednak mimo to każdego dnia, każdej nocy musieli podejmować tę decyzję wciąż na nowo, bezustannie dokonywać wyborów. Pamiętajcie, że jeden z nich nie był już człowiekiem, lecz wampirem. Każdy dzień, każda noc przypominały mu, że nie należy do świata ludzi. Był jak cień pośród tych, których zdecydował się bronić.

I tak – powiedział starzec – wampir śnił.

1

Śnił. A we śnie wciąż był człowiekiem. Młodym, pewnie głupim, niewątpliwie zbyt pewnym siebie. I pojawiła się tam ona, kobieta o wyjątkowej urodzie i sile przyciągania.

Miała na sobie piękną suknię w kolorze głębokiej czerwieni, z szerokimi, długimi rękawami, o wiele zbyt wytworną jak na wiejską karczmę. Otulała jej postać, rozświetlając białą skórę niczym dobre wino. Złote loki lśniły, wymykając się spod czepka.

Suknia, sposób, w jaki kobieta ją nosiła, klejnoty błyszczące na jej palcach i szyi powiedziały mu, musi być wielką damą.

Pomyślał, że jest niczym płomień rozświetlający półmrok karczmy.

Dwóch służących przygotowało dla niej osobną izbę, by mogła spokojnie zjeść posiłek, i na sam jej widok ucichły wszystkie rozmowy i muzyka. Jednak jej oczy, błękitne jak letnie niebo, pochwyciły wzrok Ciana. I tylko jego.

Nie wahał się ani przez chwilę, gdy jeden ze sług podszedł do niego i powiedział, że dama prosi, by się do niej przyłączył.

Dlaczego miałby się wahać?

Skwitował uśmiechem dobroduszne komentarze mężczyzn, z którymi pił, i opuścił kompanów bez zastanowienia.

Stała w blasku ognia i świec, już nalewając wino do dwóch kielichów.

– Tak się cieszę – powiedziała – że zgodziłeś się do mnie przyłączyć. Nie cierpię jadać samotnie, a ty? – Podeszła do niego. Ruchy miała tak pełne gracji, że wydawała się niemal płynąć. – Nazywam się Lilith. – Podała mu kielich.

W jej sposobie mówienia było coś egzotycznego, jakaś kadencja, która przywodziła mu na myśl gorący piasek i oszałamiająco dojrzałe winogrona. Już był na wpół uwiedziony i absolutnie oczarowany.

Spożyli prosty posiłek, choć Cian nie miał apetytu na jedzenie. To jej słowa pochłaniał. Opowiadała o krainach, które widziała, a o których on tylko czytał. W świetle księżyca spacerowała między piramidami, jeździła konno po wzgórzach Rzymu i stała w zrujnowanych świątyniach Grecji.

On nigdy nie wyjeżdżał poza Irlandię i jej słowa, obrazy, które przywoływała, były niemal tak samo ekscytujące jak ona sama.

Pomyślał, że jest młoda jak na tak wiele podróży, ale gdy jej o tym powiedział, tylko uśmiechnęła się znad brzegu pucharu.

– Jaki byłby pożytek ze świata – zapytała – jeśli z niego nie korzystasz? Ja czerpię z życia pełnymi garściami. Wino jest po to, by się upić, jedzenie, by je smakować, obce kraje, by zwiedzać. Jesteś zbyt młody – dodała z leniwym uśmiechem – by wystarczyło ci tak niewiele. Nie chciałbyś zobaczyć więcej, niż już widziałeś?

– Myślałem, że może wyruszę na rok w świat, kiedy będę mógł.

– Na rok? – Ze śmiechem strzeliła palcami. – To jest rok. Nic, mrugnięcie oka. Co byś zrobił, gdybyś miał wieczność? – Pochyliła się ku niemu, a jej oczy przypominały bezdenne błękitne oceany. – Co byś wtedy zrobił?

Nie czekając na odpowiedź, wstała i podeszła do małego okna.

– Ach, noc, jest taka miękka. Jak dotyk jedwabiu na skórze. – Odwróciła się z błyskiem w niebieskich oczach. – Jestem nocnym stworzeniem. Myślę, że ty też. Oboje jesteśmy najlepsi w ciemności.

Wstał razem z nią i teraz, gdy do niego podeszła, jej zapach i wino przyprawiły go o zawrót głowy. I jeszcze coś ciężkiego jak dym, co przyćmiło mu myśli niczym narkotyk.

Uniosła głowę, odchyliła ją lekko, a potem przykryła wargami jego usta.

– A dlaczego, skoro jesteśmy najlepsi w ciemności, mielibyśmy spędzić te ciemne godziny samotnie?

I wtedy też wszystko było jak we śnie, niewyraźne i zamglone. Pędził w jej powozie, pieścił obfite białe piersi, czuł jej usta, gorące i spragnione, na swoich wargach. Roześmiała się, gdy zaczął zmagać się z jej spódnicą, i rozłożyła nogi w uwodzicielskim zaproszeniu.

– Silne dłonie – wymruczała. – I ładna twarz. Tego właśnie potrzebuję, a zawsze biorę to, czego chcę. Zostaniesz moim sługą? – Ze śmiechem skubnęła go w ucho. – Zostaniesz? Zostaniesz, młody, piękny Cianie o silnych dłoniach?

– Tak, oczywiście, tak. – Nie mógł myśleć o niczym innym, tylko żeby się w niej zatopić. Gdy wreszcie to zrobił, powóz trząsł się jak szalony, a ona odrzuciła ulegle głowę.

– Tak! Tak! Tak! Tak twardy, taki gorący. Daj mi jeszcze i jeszcze. A ja zabiorę cię dalej, niż kiedykolwiek marzyłeś.

Zagłębiał się w nią raz po raz, oddech miał coraz krótszy, zbliżał się do szczytu, kiedy ona nagle uniosła głowę.

Jej oczy nie były już niebieskie i jasne, lecz czerwone, dzikie. Zszokowany Cian próbował się odsunąć, ale jej ramiona zacisnęły się wokół niego nierozerwalne jak żelazne łańcuchy, nogi otoczyły uda, więżąc go w sobie. Walczył z jej niewyobrażalną siłą, a Lilith uśmiechnęła się, błyskając w ciemności kłami.

– Kim ty jesteś? – Nie odmawiał w myśli żadnych modlitw, strach nie pozostawił na nie miejsca. – Kim jesteś?

Jej biodra wciąż unosiły się i opadały, ujeżdżała go tak, że wbrew własnej woli zbliżał się do spełnienia. Zacisnęła dłoń na jego włosach i szarpnęła głowę do tyłu, odsłaniając szyję.

– Wspaniała – powiedziała. – Ja jestem wspaniała i ty też będziesz.

Zaatakowała, kły przebiły mu gardło. Usłyszał własny wrzask, przeciskający się przez szaleństwo i ból. Rana straszliwie go paliła, ogień przeszył skórę, wnikając do krwi i dalej, do kości. A mieszała się z nim potężna, ogromna, potworna rozkosz.

Osiągnął jej szczyt w drżącej, rozśpiewanej ciemności, zdradzony przez własne ciało nawet w chwili, gdy balansował na granicy życia i śmierci. Jednak wciąż walczył, jakaś jego część trzymała się światła, walczyła o życie, choć ból i rozkosz wciągały go głębiej w otchłań.

– Ty i ja, mój piękny chłopcze. Ty i ja. – Oparła się, tuląc go teraz w ramionach. Własnym paznokciem rozcięła lekko skórę na piersi, aż zaczęła kapać krew, tak samo jak kapała z jej ust. – Teraz pij. Pij mnie i staniesz się wieczny.

Nie. Jego usta nie mogły ułożyć się w słowo, ale w głowie rozbrzmiewał krzyk. Czując, jak życie powoli go opuszcza, walczył desperacko ostatkiem sił. Walczył, nawet gdy przyciągnęła jego głowę do swojej piersi.

I wtedy posmakował bogatego i oszałamiającego trunku, który z niej płynął. Buzującego w nim życia. I jak niemowlę u piersi matki wypił własną śmierć.

Obudził się w absolutnej ciemności, w absolutnej ciszy. Tak jak każdego zmierzchu od przemiany wiele lat temu, gdy nawet bicie jego serca nie mąciło idealnego spokoju.

Pomimo że śnił ten sen niezliczoną ilość razy, wciąż budził się poruszony własnym upadkiem. Widok siebie samego takim, jaki był, swojej twarzy – której na jawie nie widział od tamtej nocy ani razu – denerwował go i niepokoił.

Nie użalał się nad swoim losem, to nie miało sensu. Akceptował i korzystał z tego, czym był, i przez całą wieczność gromadził bogactwa i kobiety, zapewniając sobie wygodę i wolność. Czego innego mógłby pragnąć człowiek?

Patrząc z szerszej perspektywy, brak tętna nie był wygórowaną ceną. Serce, które biło, starzało się i słabło, aż w końcu i tak zatrzymywało się jak zepsuty zegarek.

Ile widział przez tych dziewięćset lat ciał, które słabły i umierały? Nie potrafił ich zliczyć. I chociaż nie mógł zobaczyć odbicia swojej twarzy, wiedział, że jest w tym samym wieku co owej nocy, gdy zabrała go Lilith. Kości miał wciąż mocne, skórę sprężystą, miękką i bez zmarszczek, wzrok bystry i jasny. W jego włosach nie było – i nigdy nie będzie – nitek siwizny, nie obwisną mu policzki.

Czasami, siedząc sam, w ciemności, próbował wyczuć palcami swoją twarz. Wysokie, mocno zarysowane kości policzkowe, płytki dołek w brodzie, głęboko osadzone oczy, o których wiedział, że są błękitne. Proste wzniesienie nosa, mocny rysunek ust.

Taki sam. Zawsze taki sam. Ale i tak pozwalał sobie na małą chwilę przyjemności, przypominając sobie o tym.

Wstał w ciemności – nagie ciało miał smukłe i muskularne – i odgarnął czarne włosy, które okalały mu twarz. Urodził się jako Cian Mac Cionaoith, lecz od tamtej pory używał wielu imion. Wrócił do Ciana – sprawka jego brata. Hoyt nie chciał nazywać go inaczej, a skoro wojna, w której zgodził się walczyć, mogła zakończyć jego egzystencję, Cian uznał, że powinien nosić imię, pod którym się urodził.

Wolałby przetrwać. Jego zdaniem tylko szaleńcy i bardzo młodzi uważali śmierć za przygodę. Ale jeśli takie było jego przeznaczenie, w tym miejscu i czasie, przynajmniej odejdzie z klasą. I jeśli na świecie istnieje jakakolwiek sprawiedliwość, uda mu się zabrać Lilith ze sobą.

Wzrok miał tak samo wyostrzony jak inne zmysły, z łatwością więc poruszał się w ciemności. Podszedł do komody, gdzie w szufladzie trzymał przywiezioną z Irlandii krew. Najwidoczniej bogowie uznali, że krew – tak samo jak wampir, który jej potrzebował – może podróżować między światami przez kamienny krąg.

W końcu i tak była to tylko świńska jucha, Cian od setek lat nie pił ludzkiej krwi. Sam dokonał takiego wyboru, pomyślał, rozrywając torebkę i przelewając zawartość do kubka. Kwestia woli i cóż, właściwie manier. Żył wśród ludzi, robił z nimi interesy, sypiał, kiedy był w nastroju. Picie ich krwi wydawało się po prostu niegrzeczne.

W każdym razie uznał, że tak będzie mu łatwiej, wolał nie pchać się w oczy, zabijając co noc jakiegoś nieszczęśnika. Picie świeżej krwi zapewniało emocje i smak, z jakim nic nie mogło się równać, ale na ogół było dosyć brudnym zajęciem.

Przyzwyczaił się do dużo bardziej mdłego smaku świńskiej juchy i prostej przyjemności posiadania jej w zasięgu ręki, by uniknąć konieczności wychodzenia na łowy za każdym razem, gdy poczuł głód.

Pił krew tak, jak człowiek pije poranną kawę – z przyzwyczajenia i żeby się obudzić. Oczyszczała mu umysł, pobudzała do działania.

Do mycia nie zapalił ani świecy, ani ognia. Nie mógł powiedzieć, żeby był zachwycony warunkami mieszkaniowymi w Geallii. Zamek czy nie, czuł się tak samo nie na miejscu w tej średniowiecznej atmosferze jak zapewne Glenna i Blair.

Już kiedyś żył w tej epoce i jeden raz wystarczyłby każdemu. Cian wolał – i to o wiele bardziej – codzienne wygody, jakie zapewniała kanalizacja, elektryczność, a nawet cholerna chińszczyzna na wynos.

Brakowało mu samochodu, łóżka, piekielnej mikrofalówki. Tęsknił za życiem i dźwiękami miasta, i za wszystkim, co oferowało. Los dałby mu solidnego kopniaka, gdyby zakończył jego egzystencję tutaj, w epoce – jeśli nie w świecie – w której się urodził.

Ubrał się i wyszedł z pokoju, żeby zajrzeć do stajni, do swojego konia.

Po korytarzach kręcili się ludzie – słudzy, strażnicy, posłańcy – którzy mieszkali i pracowali w zamku. Większość z nich go unikała, odwracała oczy, przyśpieszała kroku. Niektórzy robili za plecami gest chroniący przed złem, ale to mu nie przeszkadzało.

Wiedzieli, czym był – i widzieli, do czego są zdolne takie potwory jak on, odkąd Moira, wojowniczka-uczona, zabiła jednego na oczach tłumu.

To był dobry pomysł, uznał teraz Cian, że Moira poprosiła go, by razem z Blair i Larkinem zapolowali na dwa wampiry, które zabiły jej matkę, królową. Moira rozumiała, jakie to ważne, żeby przyprowadzili wampiry żywe, tak by ludzie mogli zobaczyć, czym one naprawdę są, jak sama Moira z nimi walczy i zabija jednego, udowadniając, że jest wojowniczką.

Za kilka tygodni poprowadzi swój lud na wojnę. W kraju, w którym od zawsze panował pokój, potrzebny był silny przywódca, by zamienić rolników i kupców, służbę i zgrzybiałych doradców w żołnierzy.

Cian nie miał pewności, czy Moira jest gotowa na to wyzwanie. Na pewno nie brakowało jej odwagi, rozmyślał, wychodząc z zamku i przecinając dziedziniec. Była bardziej niż bystra i wyćwiczyła się w walce przez ostatnie dwa miesiące. Bez wątpliwości od urodzenia uczono ją etykiety i zasad protokołu, a umysł miała otwarty i lotny.

W czasie pokoju zapewne kierowałaby swoim małym światem całkiem sprawnie, ale podczas wojny król był nie tylko władcą, lecz przede wszystkim wodzem.

Gdyby to zależało od Ciana, pozostawiłby przy władzy jej wuja, Riddocka. Ale Cian na niewiele spraw miał teraz wpływ.

Usłyszał ją, jeszcze zanim ją zobaczył, a jeszcze wcześniej wyczuł jej zapach. Już miał odwrócić się na pięcie i ruszyć z powrotem w stronę, z której przyszedł. Kolejny powód do irytacji – wpadać na tę kobietę dokładnie wtedy, gdy o niej myślał.

Problem polegał na tym, że nazbyt często zaprzątała jego myśli.

Unikanie jej nie wchodziło w rachubę, skoro w tej wojnie byli nierozerwalnie ze sobą związani. Teraz mógł łatwo wymknąć się niezauważony, ale zachowałby się jak tchórz. Duma, jak zawsze, nie pozwoliła mu na wybranie prostszej drogi.

Umieścili jego konia w najodleglejszym krańcu stajni, dwie zagrody dalej od innych wierzchowców. Cian rozumiał i tolerował fakt, że stajenni i kowale nie chcieli zajmować się koniem demona. Wiedział, że to Larkin i Hoyt oporządzali i karmili jego ognistego Vlada.

Teraz okazało się, że Moira sama postanowiła rozpieścić zwierzę. Cian zobaczył, jak dziewczyna kładzie na ramieniu marchewkę i kusi Vlada, by ją zjadł.

– Wiesz, że tego chcesz – mruczała. – Jest taka smaczna. Wystarczy, że po nią sięgniesz.

Cian to samo myślał o karmicielce.

Miała na sobie suknię narzuconą na zwykłą, płócienną spódnicę, doszedł więc do wniosku, że na dziś skończyła już trening. W ogóle, jak na księżniczkę ubierała się skromnie, teraz w delikatny błękit z ledwie widoczną koronką u stanika. Na szyi nosiła srebrny krzyż, jeden z dziewięciu wykutych przez Glennę i Hoyta. Włosy miała rozpuszczone, lśniąca kasztanowa kaskada spływała jej aż do pasa, przytrzymywana jedynie wąskim książęcym diademem.

Nie była pięknością. Przypominał sam sobie o tym prawie równie często, jak o niej myślał. W najlepszym razie mogła uchodzić za ładniutką. Szczupła i drobna, o delikatnych rysach. Tylko te oczy. Ogromne, zdominowały całą jej twarz. Szare jak skrzydła gołębia, gdy była spokojna i zamyślona, rozżarzone niczym ogień, kiedy się złościła.

W swoim czasie Cian miał wiele piękności – jak każdy mężczyzna z odrobiną rozsądku i umiejętności, któremu dać do przeżycia kilka wieków. Moira nie była piękna, ale on w żaden sposób nie mógł przestać o niej myśleć.

Wiedział, że mógłby ją mieć, gdyby tylko spróbował ją uwieść. Była młoda, niewinna i ciekawa, przez co stanowiłaby łatwą zdobycz. I właśnie dlatego – a właściwie przede wszystkim dlatego – Cian wiedział, że raczej weźmie do łóżka którąś z jej dwórek, gdy będzie szukał zabawy, towarzystwa, ulgi.

Już dawno temu przestał brukać niewinność, tak jak zaniechał picia ludzkiej krwi.

Jednak jego koń nie miał tak silnej woli. Minęło ledwie kilka sekund, a Vlad już pochylił głowę i skubnął marchewkę z ramienia Moiry.

Dziewczyna roześmiała się i pogłaskała wierzchowca po uszach.

– No widzisz, to nie było takie trudne, prawda? Jesteśmy przyjaciółmi, ty i ja. Wiem, że czasami czujesz się samotny. Jak my wszyscy.

Uniosła drugą marchewkę, gdy Cian wynurzył się z cienia.

– Jak zrobisz z niego kucyka, to jaki koń bojowy będzie z niego w walce w Samhain?

Moira podskoczyła i zamarła, ale gdy odwróciła się do Ciana, twarz miała spokojną.

– Tak naprawdę nie masz nic przeciwko temu, prawda? On tak bardzo lubi, jak go rozpieszczać od czasu do czasu.

– Jak my wszyscy – wymruczał.

Jedynie leciutki rumieniec zdradzał jej zakłopotanie tym, że została podsłuchana.

– Ćwiczenia poszły dziś bardzo dobrze. Ludzie zjeżdżają z całej Geallii. Tak wielu chce walczyć, że postanowiliśmy wytyczyć drugi plac na ziemi mojego wuja. Tynan i Niall będą tam uczyli.

– Kwatery?

– To zaczyna być pewien problem. Umieścimy w zamku tak wielu, jak będziemy mogli, mój wuj także. Jest jeszcze gospoda, okoliczni rolnicy i kupcy już udzielili schronienia przyjaciołom i rodzinie. Nikt nie zostanie odesłany z kwitkiem. Znajdziemy jakiś sposób.

Mówiąc, bawiła się krzyżem, nie ze strachu, pomyślał Cian, ale z nerwowego przyzwyczajenia.

– Trzeba też pomyśleć o jedzeniu. Tylu ludzi musiało zostawić swoje zbiory i stada, żeby tu przybyć. Ale damy sobie radę. Jadłeś?

Zarumieniła się trochę mocniej, gdy tylko wypowiedziała te słowa.

– Chciałam tylko powiedzieć, że mogą podać w salonie kolację, jeśli...

– Wiem, co chciałaś powiedzieć. Jeszcze nie. Przyszedłem najpierw zobaczyć konia, ale widzę, że jest zadbany i nakarmiony. – Przy ostatnim słowie Vlad trącił łbem ramię Moiry. – I rozpuszczony – dodał Cian.

Moira zmarszczyła brwi jak zawsze, Cian to wiedział, gdy była zła lub zamyślona.

– To tylko marchewka, jest dla niego dobra.

– Skoro już mówimy o jedzeniu, w przyszłym tygodniu będę potrzebował krwi. Upewnij się, żeby nikt jej nie zmarnował, kiedy następnym razem będą zarzynali świnie.

– Oczywiście.

– Naprawdę nie jesteś taka twarda – zauważył z ironią.

Teraz na jej twarzy pojawiła się lekka irytacja.

– Bierzesz ze świni to, czego potrzebujesz. Ja nie kręcę nosem na plaster bekonu, prawda? – Wcisnęła ostatnią marchewkę Cianowi w ręce i ruszyła do wyjścia, nagle jednak się zatrzymała. – Nie wiem dlaczego tak łatwo tracę przy tobie opanowanie. – Uniosła dłoń. – I chyba nie chcę wiedzieć. Ale chciałabym z tobą pomówić o innych sprawach, jak będziesz miał chwilę lub dwie.

Nie, unikanie jej było niemożliwością, upomniał się w duchu Cian.

– Teraz mam chwilę lub dwie.

Moira rozejrzała się po stajni. W takich miejscach nie tylko konie miały uszy.

– Zastanawiam się, czy mógłbyś je poświęcić na spacer ze mną. Chciałabym, żeby to, co powiem, zostało między nami.

Cian wzruszył ramionami, dał Vladowi ostatnią marchewkę i wyszedł z Moirą ze stajni.

– Tajemnice stanu, wasza wysokość?

– Dlaczego musisz ze mnie drwić?

– Wcale nie drwiłem. Poirytowani dziś jesteśmy, co?

– Być może. – Odrzuciła włosy z ramienia. – W związku z wojną, końcem świata i praktycznymi problemami oprania i zaprowiantowania armii rzeczywiście mogę być lekko poirytowana.

– Rozdzielaj obowiązki.

– Rozdzielam, ale wciąż potrzeba mi czasu i namysłu, aby przekazać zadania w odpowiednie ręce, znaleźć właściwych ludzi, wytłumaczyć, jak wszystko powinno zostać zrobione. Ale nie o tym chciałam z tobą mówić.

– Siadaj.

– Słucham?

– Siadaj. – Wziął Moirę pod ramię, ignorując opór, i posadził ją na ławce. – Usiądź, daj odpocząć stopom, skoro nie możesz wyłączyć tego swojego zapracowanego mózgu nawet na pięć minut.

– Już nie pamiętam, kiedy ostatni raz mogłam spędzić godzinę sam na sam z książką. Nie, właściwie mogę. W Irlandii, w twoim domu. Tęsknię za tym – za książkami, za ciszą.

– Od czasu do czasu musisz robić sobie przerwę, inaczej zupełnie się wypalisz i na nic się nie przydasz ani sobie, ani nikomu innemu.

– Ręce mam tak pełne roboty, że aż bolą mnie ramiona. – Opuściła wzrok na dłonie, które złożyła na kolanach, i westchnęła. – I znowu się skarżę. Jak to mówi Blair? Kurna, kurna, kurna.

Roześmiał się zaskoczony, a Moira także uśmiechnęła się na widok jego wesołej miny.

– Pewnie Geallia jeszcze nigdy nie miała takiej królowej jak ty.

Jej uśmiech zniknął.

- Tak, masz rację. Wkrótce się przekonamy. Jutro, o świcie, wyruszymy do kamienia.

- Rozumiem.

- Jeśli podniosę miecz, tak jak moja matka, jej ojciec i wszyscy poprzedni władcy, Geallia będzie miała taką królową jak ja. - Popatrzyła ponad krzewami na bramę. - Geallia nie będzie miała żadnego wyboru. Ja też nie.

- Wolałabyś, żeby było inaczej?

- Nie wiem, co bym wolała, dlatego nie mam żadnych życzeń, poza tym, żeby to wszystko już się skończyło. Wtedy będę mogła zrobić... cóż, to, co trzeba będzie zrobić potem. - Odwróciła wzrok od tego, co stanęło jej przed oczami, i znów popatrzyła na Ciana. - Miałam nadzieję, że znajdziemy sposób, by przeprowadzić ceremonię w nocy.

Łagodne oczy, pomyślał, i takie poważne.

- To zbyt niebezpieczne odprawiać jakiekolwiek ceremonie poza murami zamku po zachodzie słońca.

- Wiem. Może przyjść każdy, kto zechce być świadkiem rytuału. Wiem, że ty nie będziesz mógł, i przykro mi z tego powodu. To nie wydaje się właściwe. Czuję, że nasza szóstka, nasz Krąg, powinien być razem w takiej chwili.

Jej dłoń znów uniosła się do krzyża.

- Wiem, że Geallia nie jest twoim krajem, ale ta chwila będzie miała ogromny wpływ na wszystko, co się wydarzy potem. Większy niż kiedykolwiek mogłam sobie wyobrazić. - Wzięła drżący oddech. - One zabiły mojego ojca.

- O czym ty mówisz?

- Muszę wstać. Nie mogę usiedzieć. - Podniosła się szybko i potarła ramiona, próbując odgonić chłód nocy i własnych myśli. Przeszli przez dziedziniec do jednego z ogrodów.

- Nikomu o tym nie mówiłam, tobie także nie zamierzałam powiedzieć, bo niby po co? Nie mam żadnego dowodu, tylko przeświadczenie.

- Co wiesz?

Rozmowa z nim przychodziła Moirze łatwiej, niż się spodziewała, był taki rzeczowy.

- Jeden z tych dwóch, które zabiły moją matkę, z którymi walczyłam. - Uniosła dłoń i Cian patrzył, jak stara się odzyskać równowagę. - Zanim go zabiłam, powiedział coś o moim ojcu, o tym, jak umarł.

- Pewnie chciał cię zdenerwować, odwrócić twoją uwagę.

- I udało mu się, ale widzisz, w tym było coś więcej. Czuję to, głęboko w sercu. - Spoglądając na niego, przycisnęła dłoń do piersi. - Wiedziałam już, kiedy na niego patrzyłam. Nie tylko moja matka, ale i ojciec. Myślę, że Lilith przysłała je teraz tutaj, bo wcześniej jej się powiodło. Kiedy byłam dzieckiem.

Szła dalej z głową pochyloną pod ciężarem myśli, drogocenny diadem błyskał w świetle pochodni.

- Myśleli, że zrobił to rozszalały niedźwiedź. Ojciec polował w górach. Zostali zabici, on i młodszy brat mojej matki. Wuj Riddock wtedy nie pojechał, bo ciotka była bliska rozwiązania. Ja... – Urwała, gdy rozległo się echo kroków i milczała, dopóki znów nie zapanowała cisza. – Ludzie, którzy ich znaleźli i przywieźli do domu, myśleli, że zrobiły to zwierzęta. I tak było – ciągnęła, lecz teraz w jej głosie zabrzmiał chłód stali – ale te chodzą na dwóch nogach jak człowiek. Rozkazała im go zabić, żeby nie było innego dziecka poza mną.

Odwróciła się do Ciana, a blask pochodni skąpał w czerwieni jej bladą twarz.

– Może wtedy wiedziała tylko, że władca Geallii będzie jednym z Kręgu. A może łatwiej jej przyszło zabić jego niż mnie, byłam jeszcze niemowlęciem i nie spuszczano mnie z oka. Miała mnóstwo czasu, żeby później nasłać na mnie zabójców. Ale one zamiast mnie zabiły moją matkę.

– Te, które to zrobiły, są martwe.

– Czy to jakieś pocieszenie? – zastanowiła się głośno Moira i pomyślała, że pewnie ze strony Ciana jest to właśnie próba pocieszenia. – Nie wiem, co mam czuć, ale wiem, że odebrała mi oboje rodziców. Zabiła ich, by powstrzymać to, czego powstrzymać się nie da. W Samhain stawimy jej czoło na polu bitwy, bo tak ma być. Jako królowa czy nie, będę walczyć. Zabiła ich na próżno.

– Nic, co mogłabyś zrobić, by jej nie powstrzymało.

Tak, pocieszenie, pomyślała znowu. Dziwne, ale jego zwięzłe stwierdzenie przyniosło jej ulgę.

– Modlę się, żeby to była prawda. Ale wiem, że przez to, co zostało zrobione, a co nie, co jeszcze musi się stać, jutrzejsze wydarzenie to dużo więcej niż rytuał. Ktokolwiek jutro uniesie ten miecz, poprowadzi lud na wojnę i pomści krew moich zamordowanych rodziców. Ona nie może tego zmienić. Nie może nas powstrzymać. – Odstąpiła krok w tył i wskazała do góry. – Widzisz flagi? Smok i *claddaugh*. Symbole Geallii, od samego początku jej istnienia. Zanim to dobiegnie końca, poproszę, żeby dodano jeszcze jeden.

Przebiegł w myślach wszystkie znaki, o których mogłaby mówić: miecz, kołek, strzała. I nagle wiedział. Nie broń, nie narzędzie wojny i śmierci, lecz symbol nadziei i przetrwania.

– Słońce. Żeby oblewało promieniami świat.

Twarz Moiry rozświetliło przyjemne zaskoczenie.

– Tak. Rozumiesz mój sposób myślenia i zamiar. Złote słońce na białej fladze, znak światła, jutra, o które walczymy. To słońce, złote jak zwycięstwo, będzie trzecim symbolem Geallii, ja jej go dam. I niech Lilith będzie przeklęta. Ona i to, co tu ze sobą przywlokła.

Zarumieniona wzięła głęboki oddech.

– Umiesz słuchać... a ja zbyt dużo mówię. Chodźmy do środka, wszyscy pewnie już zebrali się na kolację.

Cian dotknął ramienia Moiry, by ją zatrzymać.

– Wcześniej sądziłem, że nie będziesz dobrą królową na czas wojny. Teraz myślę, że to jeden z tych rzadkich przypadków, kiedy się myliłem.

– Jeśli ten miecz jest mój – odpowiedziała – to się myliłeś.

Gdy ruszyli w stronę wejścia, Cian zdał sobie sprawę, że właśnie odbyli najdłuższą rozmowę od dwóch miesięcy, czyli od chwili, kiedy się poznali.

– Musisz powiedzieć innym. Musisz opowiedzieć im, co według ciebie stało się z twoim ojcem. Jeśli mamy stanowić Krąg, to nie powinno być w nim tajemnic, które mogłyby go osłabić.

– Masz rację. Tak, masz całkowitą rację.

Z wysoko uniesioną głową i jasnymi oczami poprowadziła go do zamku.

2

*M*oira nie spała. Jak kobieta mogłaby spać w ostatnią noc swojego dotychczasowego życia? Jeśli rano przeznaczenie pozwoli jej unieść miecz, zostanie królową Geallii. Jako królowa będzie rządziła, panowała i władała, do tych obowiązków przyuczano ją od dzieciństwa. Ale jako królowa, jutrzejszego ranka i każdego następnego, będzie prowadziła swój lud ku wojnie. Jeśli zaś nie było jej przeznaczeniem unieść ten miecz, z ochotą pójdzie za kim innym do bitwy.

Czy kilka tygodni ćwiczeń może przygotować kogokolwiek do takiego zadania, takiej odpowiedzialności? Dlatego ta noc była ostatnią, kiedy mogła być kobietą, jaką zawsze myślała, że będzie, nawet zostając królową, jaką miała nadzieję, że się stanie.

Cokolwiek przyniesie świt, Moira wiedziała, że już nic nie będzie takie samo jak przedtem.

Przed śmiercią matki sądziła, że na ten świt przyjdzie jej czekać jeszcze długie lata. Wierzyła, że ma przed sobą dziesięciolecia u boku matki, pocieszającej i służącej radą, lata spokoju i nauki, tak że kiedy nadejdzie właściwy czas, będzie nie tylko gotowa na przyjęcie korony, ale i jej godna.

W głębi duszy sądziła, że matka jeszcze długo będzie panowała, a ona, Moira, wyjdzie za mąż. W mglistej i odległej przyszłości zaś jedno z jej dzieci przejmie koronę zamiast niej.

Wszystko uległo zmianie w noc śmierci jej matki. Nie, poprawiła się Moira, wcześniej, dużo wcześniej, kiedy został zamordowany jej ojciec.

A może nic się zmieniło, tylko wszystko powoli stawało się jasne, w miarę, jak los zapisywał swą księgę.

Teraz Moira mogła tylko mieć nadzieję, że posiadła choć trochę mądrości matki, i musiała poszukać w sobie odwagi niezbędnej do uniesienia zarówno korony, jak i miecza.

Stała na murach zamku pod wąskim sierpem księżyca. Gdy nastanie pełnia, będzie już daleko stąd, na niegościnnej ziemi, gdzie czeka ich walka.

Przyszła na blanki, skąd widziała pochodnie oświetlające plac turniejowy, słyszała odgłosy nocnych ćwiczeń. Cian, pomyślała, wykorzystywał nocne godziny, by uczyć kobiety i mężczyzn, jak walczyć z czymś silniejszym i szybszym niż ludzie. Będzie ich szkolił, aż zaczną słaniać się na nogach, tak jak trenował ją i pozostałych członków Kręgu, noc po nocy, podczas ich pobytu w Irlandii.

Wiedziała, że nie wszyscy mu ufają. Niektórzy naprawdę się go bali, ale może to dobrze. Rozumiała, że Cian nie szukał tu przyjaciół, lecz wojowników.

Tak naprawdę to głównie dzięki niemu ona sama stała się wojowniczką. Wydawało jej się, że rozumie, dlaczego Cian się do nich przyłączył – a przynajmniej ma pewne pojęcie, czemu ryzykuje tak wiele dla ludzkości. Po części z dumy – bo nigdy nie poddałby się woli Lilith. Po części także, nieważne, czy sam by się do tego przyznał, czy nie, z lojalności wobec brata. A cała reszta, cóż, dotyczyła odwagi i jego własnych skomplikowanych uczuć.

Bo Moira wiedziała na pewno, że był zdolny do uczuć. Nie potrafiła sobie wyobrazić, jak musiały walczyć i kłębić się w nim po niemal tysiącletniej egzystencji. Jej własne emocje były tak poplątane i rozdarte tylko po dwóch miesiącach widoku krwi i śmierci, że z trudem poznawała samą siebie.

Jak on musiał się czuć po wszystkim, co widział i zrobił, co zyskał i stracił? Wiedział więcej o świecie niż ktokolwiek z nich, o jego przyjemnościach, bólu, perspektywach. Nie, nie mogła sobie wyobrazić, jak musiał się czuć, wiedząc to, co wiedział, a mimo to ryzykując wieczną egzystencję.

Dzięki temu, że ją ryzykował, nawet teraz, poświęcając czas i umiejętności na szkolenie oddziałów, zyskał u Moiry ogromny szacunek. A mimo to nie przestawała jej fascynować jego tajemnica, wszystkie „jak" i „dlaczego" dotyczące jego osoby.

Moira nie była do końca pewna tego, co Cian o niej myśli. Nawet wtedy, gdy ją pocałował – w tej jednej gorącej i szalonej chwili – nie była pewna. A zawsze chciała dotrzeć do sedna każdej sprawy.

Usłyszała kroki, odwróciła się i zobaczyła Larkina.

– Powinnaś być w łóżku – powiedział.

– Tylko bym się wpatrywała w sufit. Tutaj widok jest znacznie bardziej interesujący. – Wzięła go za rękę – swego kuzyna, najlepszego przyjaciela – i natychmiast poczuła ulgę. – A dlaczego ty nie jesteś w łóżku?

– Zobaczyłem ciebie. Blair i ja wyszliśmy na chwilę, żeby pomóc Cianowi. – Tak samo jak Moira obrzucił spojrzeniem plac. – Widziałem, że stoisz tu sama.

– Dziś w nocy jestem kiepską towarzyszką nawet dla samej siebie. Chciałabym tylko, żeby już było po wszystkim, i przyszłam tu na górę, aby nad tym podumać. – Oparła mu głowę na ramieniu. – Dzięki temu czas szybciej płynie.

– Moglibyśmy pójść do salonu rodzinnego. Pozwolę ci ograć się w szachy.

– Pozwolisz mi? Och, tylko go posłuchajcie! – Podniosła głowę, żeby popatrzeć w jego złotobrązowe oczy o ciężkich powiekach, tak bardzo podobne do jej własnych. Błyskający w nich uśmiech nie zdołał ukryć zatroskania Larkina. – I domyślam się, że pozwoliłeś mi wygrać te setki partii, które rozegraliśmy przez lata.

– Uznałem, że to pomoże twojej pewności siebie.

Roześmiała się, dźgając go palcem w ramię.

– Jestem absolutnie pewna, że mogę wygrać z tobą w szachy dziewięć razy na dziesięć.

– W takim razie zobaczymy.

– Nie zobaczymy. – Pocałowała go, odgarniając mu złote włosy z twarzy.

– Pójdziesz do łóżka, do swojej pani, nie będziesz spędzał nocy na poprawianiu mojego kiepskiego nastroju. Chodźmy do środka. Może oglądanie sufitu w moim pokoju znudzi mnie w końcu tak, że zasnę.

– Wystarczy, że do mnie zapukasz, jeśli będziesz potrzebowała towarzystwa.

– Wiem.

Tak jak wiedziała, że spędzi czas wyłącznie w swoim towarzystwie aż do świtu.

Ale nie zasnęła.

Zgodnie z tradycją dwórki zaczęły ubierać ją i przygotowywać na godzinę przed wschodem słońca. Moira odmówiła włożenia rytualnej czerwonej sukni, wiedziała dobrze, że w czerwieni jest jej nie do twarzy bez względu na to, jak królewski to kolor. Zamiast tego wybrała barwy lasu, suknię w kolorze głębokiej zieleni narzuconą na bladomiętową spódnicę.

Włosy będzie miała rozpuszczone, głowę odkrytą, dlatego siedziała wśród szczebiotania kobiet, pozwalając, by Dervil w nieskończoność szczotkowała pasmo za pasmem.

– Może chociaż odrobinkę, wasza wysokość?

Ceara, jedna z dwórek, po raz kolejny podsunęła jej talerz placuszków z miodem.

– Później – odpowiedziała Moira. – Potem będę spokojniejsza.

Wstała z wyraźną ulgą, gdy do pokoju weszła Glenna.

– Jak pięknie wyglądasz! – Moira wyciągnęła dłonie. Sama wybrała suknie zarówno dla Glenny, jak i Blair i teraz zobaczyła, że wybór był trafny. Zresztą, pomyślała, Glenna jest tak piękna, że nic nie ujęłoby jej urody.

Jednak granatowy aksamit podkreślał biel skóry i czerwony płomień włosów.

– Sama czuję się trochę jak księżniczka – powiedziała Glenna. – Bardzo ci dziękuję, Moiro. A ty wyglądasz jak stuprocentowa królowa.

– Naprawdę? – Odwróciła się do lustra, ale ujrzała tylko siebie. Uśmiechnęła się na widok wchodzącej Blair. Dla niej wybrała suknię w odcieniu rdzy i spódnicę w kolorze starego złota. – Nigdy nie widziałam cię w sukience.

– I to w takiej kiecce. – Blair popatrzyła na przyjaciółki, potem na siebie. – Wszystko jest zupełnie jak w bajce. – Przeczesała palcami krótkie, ciemne włosy, by ułożyły się na swoim miejscu.

– Zatem nie masz nic przeciwko? Tradycja wymaga nieco bardziej formalnego stroju.

– Lubię być dziewczyną. I nie przeszkadzają mi damskie stroje, nawet te z innej epoki. – Blair zauważyła placuszki i wzięła jeden. – Zdenerwowana?

– Niewyobrażalnie. Chciałabym zostać sama z lady Glenną i lady Blair

- powiedziała Moira do dwórek. Gdy wyszły w pośpiechu, opadła na fotel obok kominka. – Kręcą się koło mnie od godziny. To męczące.

- Wyglądasz na wyczerpaną. – Blair usiadła na poręczy fotela. – Nie spałaś.

- Nie mogłam uspokoić myśli.

- Nie wypiłaś napoju, który ci dałam. – Glenna westchnęła. – Powinnaś być dziś wypoczęta, Moiro.

- Musiałam pomyśleć. Zwykle tak się nie robi, ale chciałabym, żebyście wy obie, Hoyt i Larkin podeszli ze mną do kamienia.

- A nie taki był plan? – zapytała Blair z pełnymi ustami.

- Tak, mieliście iść w procesji, ale zgodnie z tradycją powinnam podejść do kamienia sama. I podejdę, ale za mną powinna stać tylko moja rodzina: wuj, ciotka, Larkin i inni kuzyni. Za nimi będą inni według rangi i funkcji. Chcę, żebyście szli razem z moją rodziną, bo wy także do niej należycie. Robię to dla siebie, ale także dla mieszkańców Geallii. Chcę, żeby zobaczyli, kim jesteście. Żałuję, że Cian nie może wziąć w tym udziału.

- Nie możemy odprawić ceremonii w nocy, Moiro. – Blair dotknęła jej ramienia. – To zbyt duże ryzyko.

- Wiem. Ale pomimo że Krąg nie będzie zamknięty przy kamieniu, w moich myślach będzie w komplecie. – Wstała i podeszła do okna. – Nadchodzi świt – wyszeptała. – A po nim dzień. – Odwróciła się plecami do ostatnich blednących gwiazd. – Jestem gotowa na to, co przyniesie.

Rodzina i dwór już czekali na dole. Moira wzięła płaszcz od Dervil i sama zapięła broszę w kształcie smoka.

Gdy podniosła wzrok, zobaczyła Ciana. Myślała, że przystanął na chwilę w drodze na spoczynek, ale zauważyła w jego rękach pelerynę, którą Hoyt i Glenna zaczarowali tak, by blokowała promienie słońca.

Odeszła od wuja i zbliżyła się do Ciana.

- Zrobisz to? – zapytała cicho.

- Rzadko mam okazję do porannych spacerów.

Mimo lekkości jego tonu Moira zrozumiała, co chciał jej powiedzieć.

- Dziękuję ci, że wybrałeś na przechadzkę właśnie ten poranek.

- Wstał świt – oznajmił Riddock. – Ludzie czekają.

Moira skinęła tylko głową i zgodnie z tradycją nasunęła na głowę kaptur, zanim wyszła w pierwsze promienie słońca.

Powietrze było chłodne i zamglone, poruszane jedynie lekkim powiewem. Pod unoszącą się kurtyną mgły Moira sama przecięła dziedziniec ku bramie, procesja ruszyła za nią. W wilgotnej ciszy poranka słyszała śpiew ptaków i szepty ludzi.

Myślała o matce, która kiedyś też tak szła w chłodny, mglisty poranek. I o wszystkich innych, którzy przed nią przechodzili przez zamkową bramę, w poprzek brązowej drogi, przez zieloną trawę tak mokrą od rosy, że Moira czuła się, jakby brodziła w rzece. Wiedziała, że inni idą za nią, kupcy i rzemieślnicy, harfiarze i bardowie. Matki i córki, żołnierze i synowie.

Niebo na wschodzie zabarwiło się na różowo, a mgła przy ziemi lśniła czystym srebrem.

Moira, owiewana zapachem rzeki i ziemi, szła dalej, na niewielkie wzniesienie, a rosa moczyła kraj jej sukni.

Kamień z mieczem stał na zaczarowanym wzgórzu, gdzie oferował schronienie mały gaj. Janowiec i mech, bladożółty i bladozielony, pokrywał skały wokół świętej studni.

Wiosną lilie rozkwitną tu radosnym pomarańczem, zatańczą główki orlików, a później słodkie iglice naparstnicy wychyną wszędzie tam, gdzie będą miały ochotę.

Na razie kwiaty spały, a liście drzew przybrały ten pierwszy rumieniec, który zapowiadał ich rychłą śmierć.

Sam kamień, leżący na starożytnym szarym dolmenie, był szeroki i biały niczym ołtarz.

Przez liście i mgłę przeświecały promienie słońca, przecinając biel kamienia i lśniąc na srebrnej rękojeści zatopionego w nim miecza.

Dłonie Moiry wydawały się takie zimne, wręcz lodowate.

Znała tę historię przez całe życie. Jak bogowie wykuli miecz z pioruna, z morza, ziemi i wiatru. Jak Morrigan przyniosła go, razem ze skalnym ołtarzem, na to miejsce. I tutaj zatopiła miecz aż po rękojeść w kamieniu, wypaliła napis swym ognistym palcem.

Wykuty rękami bogów,
Uwolniony dłonią śmiertelnika.
I dzierżąc ten miecz
Niech owa dłoń włada Geallią

Miora zatrzymała się u stóp wzgórza, by po raz kolejny przeczytać te słowa. Jeśli bogowie tak postanowili, to będzie jej dłoń.

Zamiatając suknią po zroszonej trawie, ruszyła przez słońce i mgłę na szczyt zaczarowanego wzgórza. I zajęła swoje miejsce za kamieniem.

Po raz pierwszy w życiu popatrzyła na nich i zrozumiała. Setki ludzi, jej ludzi, z oczami utkwionymi w niej, stało na polach aż do piaszczystej wstęgi drogi. Jeśli wyjmie miecz, będzie odpowiedzialna za każdego z nich. Jej zlodowaciałe dłonie zaczęły drżeć.

Próbowała się uspokoić, przesuwając wzrokiem po twarzach zgromadzonych, w oczekiwaniu, aż staną za nią trzej święci mężowie.

Spóźnialscy wciąż jeszcze pokonywali ostatnie wzniesienie, śpiesząc się, żeby nie stracić najważniejszej chwili. Moira nie chciała, by głos jej drżał, gdy się odezwie, dlatego odczekała jeszcze moment i popatrzyła w oczy tym, których najbardziej kochała.

– Pani – wyszeptał jeden ze świętych mężów.

– Tak. Chwila.

Powoli odpięła broszę i podała do tyłu płaszcz. Szerokie rękawy sukni opadły, odsłaniając ręce, ale Moira nie czuła chłodu na skórze. Czuła żar.

– Jestem sługą Geallii! – zawołała. – Jestem dzieckiem bogów. Przyszłam tu, by wypełnić ich wolę. Krwią, sercem i duszą!

Zrobiła ostatni krok dzielący ją od kamienia.

Wokół niej zapadła śmiertelna cisza. Wydawało się, że nawet powietrze wstrzymało oddech. Moira wyciągnęła rękę i zacisnęła palce na srebrnej rękojeści.

I poczuła jego żar, usłyszała w głowie dźwięk jego muzyki. Oczywiście, tak, oczywiście. Jest mój i zawsze był.

Z szeptem stali trącej o kamień Moira wyciągnęła miecz i uniosła go w górę.

Wiedziała, że ludzie wiwatują, niektórzy płaczą, że wszyscy przyklękli na jedno kolano, ale nie mogła oderwać oczu od czubka ostrza i strumienia światła, który wystrzelił z nieba.

Czuła to w sobie, takie samo światło, gejzer kolorów, żaru i siły. Nagle poczuła pieczenie na ramieniu, gdzie wypalony ręką bogów pojawił się znak *claddaugh*, by naznaczyć ją jako królową Gealli. Poruszona, podekscytowana, ale i pełna pokory opuściła wzrok na swój lud. I popatrzyła prosto w oczy Ciana.

W tej chwili wszystko inne przestało istnieć, był tylko on, jego twarz ocieniona kapturem peleryny i te oczy, tak błękitne i lśniące.

Jak to możliwe, zastanawiała się, że w chwili, w której trzyma w dłoni swoje przeznaczenie, widzi tylko jego? Dlaczego, patrząc mu w oczy, czuje się, jakby zaglądała jeszcze głębiej w swoje przeznaczenie?

– Jestem sługą Geallii – powiedziała, nie mogąc oderwać wzroku od oczu Ciana. – Jestem dzieckiem bogów. Ten miecz i wszystko, co on chroni, należy do mnie. Jestem Moira, wojowniczka, królowa Geallii. Powstańcie i wiedzcie, że was kocham.

Stała bez ruchu z mieczem wycelowanym ku niebu, a dłonie świętego męża nałożyły na jej głowę koronę.

Cianowi żadna magia nie była obca; ani biała, ani czarna, ale nigdy nie widział czegoś równie potężnego. Twarz Moiry, tak blada, kiedy dziewczyna zdejmowała płaszcz, rozbłysła, gdy wzięła w dłoń miecz, a oczy, poważne i smutne, zajaśniały tak samo jak ostrze.

I przebiły go na wylot, zabójcze niczym dwa miecze, gdy napotkały jego spojrzenie.

Stała tam, szczupła i krucha, a tak wspaniała jak Amazonka. Nagle królewska, nagle potężna i piękna.

Cian nie mógł sobie pozwolić na to, co poczuł w tej chwili.

Postąpił krok do tyłu i odwrócił się, żeby odejść, ale Hoyt położył mu dłoń na ramieniu.

– Musisz poczekać na nią, na królową.

Cian uniósł brew.

– Zapominasz, że ja nie mam królowej. I już wystarczająco długą męczę się pod tą cholerną peleryną.

Ruszył szybko przed siebie. Chciał zejść ze słońca, jak najdalej od zapachu ludzi, od mocy tych szarych oczu. Potrzebował chłodu, ciszy i ciemności.

Nie uszedł nawet mili, gdy podbiegł do niego Larkin.

– Moira prosiła, żebym zapytał, czy cię nie podwieźć.

– Nie trzeba, ale dziękuję.

– To było niesamowite, prawda? A ona... cóż, była wspaniała jak słońce. Zawsze wiedziałem, że to będzie ona, ale zobaczyć to na własne oczy to zupełnie inna sprawa. Stała się królową, w chwili gdy dotknęła tego miecza, to było widać.

– Lepiej, żeby zrobiła z niego dobry użytek, jeśli chce pozostać królową i mieć kim rządzić.

– I tak zrobi. No, Cian, to nie jest dzień na ponure przepowiednie. Mamy prawo do kilku godzin radości i świętowania. I ucztowania. – Larkin z uśmiechem trącił go łokciem. – Może to ona jest królową, ale obiecuję ci, że reszta z nas też będzie dziś jadła po królewsku.

– No cóż, armia podróżuje na swoich brzuchach.

– Naprawdę?

– W każdym razie tak twierdził... ktoś, kiedyś. Ucztujcie i świętujcie, ale jutro królowe, książęta i wieśniacy niech lepiej zaczną przygotowywać się do wojny.

– Czuję się, jakbyśmy nie robili nic innego. Oczywiście nie narzekam – ciągnął Larkin, zanim Cian zdążył się odezwać – tylko jestem już chyba zmęczony przygotowaniami i chciałbym, żeby walka wreszcie się zaczęła.

– Nie masz dość?

– Muszę im odpłacić za to, czego o mało nie zrobiły Blair. Żebra wciąż ją trochę bolą i męczy się szybciej, niż chce się przyznać. – Twarz miał poważną i surową, gdy przypomniał sobie tamto zdarzenie. – Rany szybko się goją, ale ja nigdy nie zapomnę, co jej zrobiły.

– Niebezpiecznie jest ruszać do walki z osobistych pobudek.

– Ach, bzdury. Każdy z nas ma z nimi jakieś porachunki. I nie powiesz mi, że nie pójdziesz do walki, nosząc w myślach i sercu obraz tego, co ta suka zrobiła Kingowi.

Cian nie mógł zaprzeczyć, więc zmienił temat.

– Czy ty... mnie eskortujesz, Larkin?

– Tak wyszło. Wspomniano coś o tym, żebym nakrył cię własnym ciałem i osłonił przed słońcem, jeśli magiczna peleryna przestanie działać.

– Fantastycznie. Wtedy obaj spłoniemy jak pochodnie – powiedział Cian, jak gdyby nigdy nic, ale musiał przyznać, że poczuł się lepiej, gdy wszedł w cień rzucany przez zamek.

– Mam cię też zaprosić do rodzinnego salonu, jeśli nie jesteś zbyt zmęczony. Zjemy tam śniadanie. Moira będzie wdzięczna, jeżeli poświęcisz nam choć kilka minut.

Moira marzyła o kilku chwilach samotności, tylko dla siebie, ale bez przerwy otaczali ją ludzie. Powrotny spacer do zamku był zamazanym wspomnieniem ruchów i głosów otulonych mgłą. Czuła ciężar miecza w dłoni i korony na głowie, gdy szła, otoczona rodziną i przyjaciółmi. Na polach i wzgórzach rozbrzmiewały wiwaty na cześć nowej królowej Geallii.

– Będziesz musiała się pokazać – powiedział Riddock – na królewskim balkonie. Wszyscy na to czekają.

– Tak. Ale nie wyjdę sama. Wiem, że zawsze tak było – ciągnęła, zanim wuj zdążył zaprotestować – ale czasy się zmieniły. Mój Krąg będzie stał ze mną. – Popatrzyła na Glennę, Hoyta i Blair. – Ludzie zobaczą nie tylko swoją królową, ale także tych, którzy zostali wybrani, by dowodzić w tej walce.

– Ty decydujesz – odrzekł Riddock z lekkim ukłonem – ale w takim dniu Geallia powinna być wolna od cienia wojny.

– Aż do Samhainu ten cień nas nie opuści. Każdy Geallijczyk musi wiedzieć, że do tego dnia będę rządziła mieczem. I że jestem jedną z sześciorga, których wybrała bogini.

Gdy przechodzili przez bramę, położyła mu dłoń na ramieniu.

– Wyprawimy ucztę, będziemy świętować. Jak zawsze doceniam twoją radę, pokażę się i przemówię. Ale dziś bogowie wybrali mnie nie tylko na królową, ale i na wojowniczkę. I taka właśnie będę, to ofiaruję Geallii do ostatniego tchnienia. Nie przyniosę ci wstydu.

Riddock zdjął dłoń Moiry ze swego ramienia i uniósł do ust.

– Moja słodka dziewczynko, zawsze byłem i będę z ciebie dumny. Od dnia dzisiejszego aż do ostatniego tchnienia będę sługą królowej.

Służba już czekała i wszyscy uklękli, gdy królewski orszak wszedł do zamku. Moira znała ich twarze, imiona. Niektórzy służyli jej matce, jeszcze zanim ona sama przyszła na świat.

Ale teraz wszystko się zmieniło. Nie była już córką tego domu, lecz jego panią. I ich.

– Wstańcie – powiedziała – i wiedzcie, że jestem wdzięczna za waszą lojalność i służbę. Ja także będę lojalnie służyć Geallii tak długo, jak długo będę królową.

Później, pomyślała, ruszając schodami na górę, porozmawia z każdym z nich osobno. To bardzo ważne, ale na razie miała inne obowiązki.

W salonie ogień buzował na kominku, świeżo ścięte w ogrodzie i oranżerii kwiaty wypełniały wazony i misy. Stół nakryto najlepszym srebrem i kryształami, w których czekało wino na wzniesienie toastu na cześć nowej królowej.

Moira wzięła głęboki oddech, potem drugi, próbując znaleźć słowa – te pierwsze, by przemówić do ludzi, których kochała najbardziej.

Wtedy Glenna po prostu złapała ją w objęcia.

– Byłaś wspaniała. – Ucałowała Moirę w oba policzki. – Świetlista.

Napięcie w ramionach Moiry trochę zelżało.

– Czuję tak samo, ale też nie... Rozumiesz?

– Mogę sobie tylko wyobrażać.

– Dobra robota. – Blair podeszła do niej i szybko ją uścisnęła. – Mogę zobaczyć?

Jak wojowniczka z wojowniczką, pomyślała Moira i podała jej miecz.

– Wspaniały – powiedziała Blair miękko. – Dobra waga dla ciebie. Myślałam, że będzie wykładany drogimi kamieniami czy czymś. Dobrze, że nie jest. Dobrze, że to miecz do walki, a nie tylko symbol.

– Poczułam się tak, jakby rękojeść została wykonana specjalnie dla mojej dłoni. Gdy tylko go dotknęłam, poczułam, że jest... mój.

- Jest. – Blair oddała miecz. – Należy do ciebie.

Moira na chwilę odłożyła broń na stół, by przyjąć uścisk Hoyta.

– Moc w tobie jest ciepła i zrównoważona – powiedział z ustami tuż przy jej uchu. – To szczęście dla Geallii, że ma taką królową.

– Dziękuję. – Roześmiała się, gdy Larkin porwał ją w ramiona i obrócił z nią trzy razy wokół własnej osi.

– Popatrz tylko na siebie, wasza wysokość.

– Drwisz z mojego tytułu.

– Ale nigdy z ciebie, *a stór*.

Gdy Larkin postawił ją z powrotem na ziemi, Moira odwróciła się do Ciana.

– Dziękuję, że przyszedłeś. To bardzo wiele dla mnie znaczyło.

Nie objął jej ani nie dotknął, skinął jedynie głową.

– Nie mogłem stracić takiej chwili.

– Jeszcze ważniejszej dla mnie dzięki temu, że przyszedłeś. Że wszyscy tam byliście – ciągnęła, odwracając się, gdy mała kuzynka złapała ją za spódnicę. – Aideen. – Wzięła dziecko na ręce i przyjęła wilgotny pocałunek. – Czyż nie wyglądasz dzisiaj ślicznie?

– Slicnie – powtórzyła Aideen, podnosząc rączkę do wysadzanej kamieniami korony Moiry, po czym odwróciła się z nieśmiałym, ale łobuzerskim uśmiechem do Ciana. – Slicnie – powiedziała znowu.

– Bystra dama – zauważył Cian. Zobaczył, że wzrok dziewczynki padł na wisior, który miał na szyi, i bezwiednym ruchem uniósł go tak, by mała mogła dotknąć.

Dziewczynka zaczęła już wyciągać rączkę, gdy jej matka rzuciła się przez komnatę.

– Aideen, nie!

Sinann wyrwała córkę z objęć Moiry i przycisnęła małą mocno do dużego brzucha. Niedługo miała urodzić trzecie dziecko.

W pełnej szoku ciszy Moira mogła tylko wyszeptać imię kuzynki.

– Nigdy nie lubiłem smaku dzieci – powiedział Cian chłodno. – A teraz proszę mi wybaczyć.

– Cian. – Moira rzuciła Sinann potępiające spojrzenie i pośpieszyła za wychodzącym. – Proszę, poczekaj chwilę.

– Miałem już wystarczająco wiele tych chwil jak na jeden poranek. Chcę się położyć.

– Przyjmij moje przeprosiny. – Złapała go za ramię i trzymała tak długo, aż zatrzymał się i odwrócił. Jego oczy przypominały błękitne kamienie. – Moja kuzynka Sinann jest prostą kobietą. Pomówię z nią.

– Nie rób sobie kłopotu z mojego powodu.

– Panie. – Podeszła do nich Sinann, blada jak ściana. – Z całego serca proszę cię o wybaczenie. Obraziłam ciebie i moją królową, jesteś jej honorowym gościem. Proszę, przebacz matczynej głupocie.

Żałowała tego, że go obraziła, pomyślał Cian, ale nie samego odruchu. Dziecko siedziało teraz w ramionach ojca w najdalszym kącie pokoju.

– Przeprosiny przyjęte. – Ledwo na nią spojrzał. – A teraz, jeśli mogłabyś puścić moje ramię, wasza wysokość...

– Przysługa... – zaczęła Moira.

– Gromadzisz je w setki.

– I jestem twoją dłużniczką – odpowiedziała spokojnie. – Muszę wyjść na zewnątrz, na taras. Ludzie powinni zobaczyć swoją królową i, moim zdaniem, tych, którzy tworzą z nią Krąg. Będę wdzięczna, jeśli poświęcisz mi jeszcze kilka minut swego cennego czasu.

– W palącym słońcu.

Moira zdobyła się na uśmiech i uspokoiła, gdy zrozumiała, że frustracja w jego głosie oznacza zgodę.

– Kilka chwil. Potem będziesz mógł poszukać samotności, mając satysfakcję, że bardzo ci tej samotności zazdroszczę.

– W takim razie pośpieszmy się. Przyda mi się trochę samotności i satysfakcji.

Moira specjalnie ustawiła Larkina – którego Geallia kochała i szanowała – po swojej jednej, a Ciana po drugiej stronie. Obcego, którego wielu wciąż się bało. Miała nadzieję, że ustawiając ich w ten sposób, pokaże ludziom, że obu uważa za równych sobie i że obu ufa.

Tłum wiwatował i wykrzykiwał jej imię, a okrzyki zamieniły się w ryk, gdy Moira uniosła miecz. Także celowo podała go Blair, zanim zaczęła przemawiać. Ludzie powinni zobaczyć, że kobieta, z którą zaręczył się Larkin, jest godna, by trzymać symbol Geallii.

– Ludzie Geallii! – zawołała, ale wiwaty nie cichły. Okrzyki nadchodziły falami i umilkły dopiero, gdy Moira podeszła do kamiennej balustrady i uniosła ręce.

– Ludzie Geallii, przychodzę do was jako królowa, obywatelka, obrończyni. Stoję przed wami tak, jak moja matka, jej ojciec i inni przed nimi, ale ja stoję tu także jako ogniwo Kręgu wybranego przez bogów. Nie tylko kręgu władców Gealli, ale i wojowników.

Teraz rozłożyła ramiona, by wskazać piątkę, która ją otaczała.

– Z tymi, którzy tu stoją, tworzymy Krąg. Im ufam najbardziej, ich kocham. Jako Geallijka proszę was, byście obdarzyli ich lojalnością, zaufaniem i szacunkiem, którymi darzycie mnie. Jako królowa rozkazuję to wam.

Musiała przerywać co kilka chwil, gdy na nowo rozbrzmiewały wiwaty.

– Dziś nad Geallią świeci słońce. Ale nie zawsze tak będzie. To, co nadchodzi, szuka ciemności, a my wyruszymy, by stawić temu czoło. I zwyciężymy. Dziś świętujemy, ucztujemy, składamy bogom dzięki. Jutro na nowo podejmiemy przygotowania do wojny. Każdy Geallijczyk zdolny do noszenia broni weźmie ją w ręce. I pomaszerujemy do *Ciunas*, pójdziemy do Doliny Ciszy. Zalejemy tę ziemię naszą siłą i wolą i utopimy tych, którzy chcą nas zniszczyć, w świetle.

Wyciągnęła dłoń po miecz i znowu uniosła go w górę.

– Podczas mojego panowania ten miecz nie będzie, jak zawsze, wisiał chłodny i cichy. Zapłonie i zaśpiewa w mojej dłoni, gdy stanę do walki za was, Geallię i całą ludzkość.

Okrzyki aprobaty rozbrzmiały niczym grzmot.

Nagle rozległy się głosy, a w powietrzu świsnęła strzała.

Zanim Moira zdążyła zareagować, Cian powalił ją na ziemię. Wśród krzyków i hałasu słyszała jego ciche przekleństwa. I poczuła ciepło jego krwi na dłoni.

– Och Boże! O mój Boże, jesteś ranny.

– Nie trafiła w serce. – Mówił przez zaciśnięte zęby, twarz miał wykrzywioną z bólu, gdy odsunął się od Moiry, by usiąść.

Podniósł rękę, chcąc wyrwać strzałę, ale Glenna ukucnęła szybko i odepchnęła jego dłoń.

– Pozwól mi zobaczyć.

– Nie trafiła w serce – powtórzył jeszcze raz, złapał strzałę i wyrwał ją. – Do diabła z tym. Pieprzone cholerstwo.

– Do środka! – rzuciła Glenna ostro. – Zabierzcie go do środka.

– Poczekajcie. – Pomimo że jej dłoń drżała lekko, Moira schwyciła Ciana za ramię. – Możesz stać?

– Oczywiście, że mogę stać. Za kogo ty mnie, do cholery, masz?

– Proszę, pozwól, żeby cię zobaczyli. – Drugą dłonią musnęła jego policzek; przez ułamek sekundy Cian poczuł dotyk skrzydeł motyla. – Pozwól, żeby nas zobaczyli. Proszę.

Gdy splotła swoje palce z palcami Ciana pomyślała, że zobaczyła, jak coś drgnęło w jego oczach i poczuła identyczne drżenie w sercu.

I już zniknęło, a głos Ciana był szorstki ze zniecierpliwienia.

– W takim razie zrób mi trochę cholernego miejsca.

Moira wstała. Na dole panował chaos. Mężczyzna, który dokonał zamachu, został pochwycony. Zewsząd dosięgały go ciosy pięściami i kopniaki.

– Przestańcie! – wrzasnęła ile sił w płucach. – Rozkazuję wam przestać! Straże, zabierzcie tego człowieka do głównej sali! Ludu Geallii! Widzicie, że nawet w takim dniu, nawet gdy świeci nad nami słońce, ciemność próbuje nas zniszczyć. I przegrywa. – Złapała Ciana za rękę i uniosła ją wysoko do góry. – Przegrywa, bo na tym świecie są bohaterowie gotowi zaryzykować swoje życie dla innych.

Dotknęła boku Ciana, poczuła, jak drgnął, i podniosła zakrwawioną dłoń.

– On krwawi za nas. I za tę krew, którą wylał za mnie, za was wszystkich, mianuję go Sir Cianem, lordem Oiche.

– Och na litość boską – wymamrotał Cian.

– Bądź cicho – powiedziała Moira miękko, lecz tonem nieznoszącym sprzeciwu, nie odrywając oczu od tłumu.

3

To półwampir – obwieściła Blair, wchodząc do salonu. – Liczne blizny po ugryzieniach. Tłum też go nie oszczędził – dodała. – Normalny człowiek już by zszedł po takim laniu. On zresztą też nie czuje się najlepiej.

– Będzie można go opatrzyć, jak z nim porozmawiam. Teraz Cian wymaga opieki.

Blair popatrzyła nad ramieniem Moiry na Glennę, która bandażowała ranę Ciana.

– Jak on się czuje?

– Jest zły i oporny, więc powiedziałabym, że całkiem nieźle.

– Powinniśmy być mu wdzięczni za refleks. A ty świetnie sobie poradziłaś – dodała Blair, patrząc na Moirę. – Zachowałaś zimną krew, nie straciłaś panowania nad sobą. Ciężki pierwszy dzień w pracy, omal nie zginęłaś i w ogóle, ale wspaniale sobie poradziłaś.

– Nie na tyle dobrze, żeby przewidzieć atak w środku dnia. Zapomniałam, że nie wszystkie psy Lilith potrzebują zaproszenia, żeby wejść w obręb murów. – Pomyślała o krwi Ciana płynącej po jej dłoni – krwi czerwonej i ciepłej. – Drugi raz nie popełnię tego błędu.

– Nikt z nas nie popełni. Musimy wyciągnąć jak najwięcej informacji z tego dupka, którego posłała Lilith. Ale mamy problem. On albo nie może, albo nie umie mówić po angielsku. Ani po geallicku.

– Jest niemy?

– Nie, nie. Mówi, tyle że nikt nas go nie rozumie. Chyba jest z Europy Wschodniej, może z Czech.

– Rozumiem. – Moira zerknęła na Ciana. Był rozebrany do pasa, owinięty tylko bandażem. Złość bardziej niż ból zasnuła mu chmurą twarz, sączył jakiś napój z kielicha – Moira przypuszczała, że krew. Pomimo że nie był w najlepszym nastroju, musiała znowu go poprosić o przysługę.

– Daj mi chwilę – wyszeptała do Blair. Podeszła do Ciana, próbując się nie skurczyć pod jego wściekłym, błękitnym spojrzeniem. – Czy mogę zrobić coś jeszcze, żebyś poczuł się lepiej?

– Spokój, cisza, samotność.

Mimo że każde z tych słów przecięło powietrze jak bicz, Moira pozostała spokojna i uprzejma.

– Przykro mi, ale w tej chwili to towar raczej deficytowy. Zamówię je dla ciebie, jak tylko będę mogła.

– Mądrala – mruknął.

– W rzeczy samej. Mężczyzna, którego strzałę przyjąłeś, mówi w obcym języku. Twój brat powiedział mi kiedyś, że znasz wiele języków.

Cian pociągnął długi łyk, z premedytacją nie spuszczając wzroku z jej oczu.

– Czy nie wystarczy, że przyjąłem strzałę? Teraz chcesz, żebym przesłuchał twego niedoszłego zabójcę?

– Byłabym wdzięczna, gdybyś spróbował albo chociaż tłumaczył. Jeśli rzeczywiście znasz jego język. Najprawdopodobniej jest kilka rzeczy na świecie, o których nie masz pojęcia, więc być może na nic mi się nie przydasz.

W jego oczach błysnęło rozbawienie.

– Teraz jesteś niegrzeczna.

– Piękne za nadobne.

– Dobrze, dobrze. Glenno, moja piękna, przestań skakać wokół mnie.

– Straciłeś wiele krwi – zaczęła, ale Cian tylko uniósł kielich.

– Uzupełniam niedobory, nawet gdy rozmawiamy. – Podniósł się z lekkim grymasem. – Potrzebuję cholernej koszuli.

– Blair – zapytała spokojnie Moira – czy mogłabyś przynieść Cianowi cholerną koszulę?

– W tej chwili.

– Ratowanie mi życia weszło ci w nawyk – powiedziała Moira do Ciana.

– Najwyraźniej. Myślę jednak o porzuceniu tej profesji.

– Nie mogę cię winić.

– Trzymaj, bohaterze. – Blair podała mu świeżą białą koszulę. – Myślę, że facet jest Czechem lub Bułgarem. Znasz któryś z tych języków?

– Tak się składa, że znam.

Poszli do głównej sali, gdzie siedział zamachowiec, posiniaczony, zakrwawiony i skuty łańcuchami, pod strażą. Pilnowali go także Larkin i Hoyt, który podbiegł do wchodzącego Ciana.

– Lepiej się czujesz? – zapytał.

– Dam radę. I o niebo mi lepiej, jak widzę, że on jest w dużo gorszym stanie ode mnie. Odwołaj strażników – powiedział Moirze. – On nigdzie się nie wybiera.

– Wstań. Sir Cian tu dowodzi.

– Sir Cian. Co za brednie – wymamrotał pod nosem Cian, podchodząc do więźnia.

Obszedł go dookoła, przyglądając się mężczyźnie uważnie. Niedoszły zabójca był szczupłej budowy, miał na sobie proste ubranie rolnika lub pasterza. Jedno oko spuchło mu tak, że nie mógł go otworzyć, drugie mieniło się odcieniami czerni i błękitu. Stracił kilka zębów.

Cian warknął rozkaz po czesku. Mężczyzna podskoczył, w otwartym oku błysnęło zaskoczenie.

Ale się nie odezwał.

– Zrozumiałeś – ciągnął Cian w tym samym języku. – Spytałem, czy byli z tobą inni. Nie zapytam po raz drugi.

Kiedy odpowiedziała mu cisza, Cian uderzył go tak mocno, że więzień rąbnął o ścianę razem z krzesłem, do którego był przykuty.

– Za każde trzydzieści sekund milczenia sprawię ci ból.

– Nie boję się bólu.

– Och, zaczniesz. – Cian podniósł krzesło i przysunął twarz do twarzy więźnia. – Wiesz, czym jestem?

– Wiem, czym jesteś. – Mężczyzna pogardliwie wykrzywił zakrwawione usta. – Zdrajcą.

– To jeden punkt widzenia. Musisz jednak pamiętać, że mogę sprawić ci ból, którego nawet tacy jak ty nie potrafią znieść. Mogę trzymać cię przy życiu przez wiele dni, tygodni, jeśli już o tym mówimy. W ciągłej agonii. – Obniżył głos do syku. – Sprawi mi to przyjemność. Zatem zacznijmy jeszcze raz.

Nie zadał sobie trudu, by powtórzyć pytanie, tak jak ostrzegał.

– Mógłbym użyć łyżki – powiedział konwersacyjnym tonem. – To lewe oko wygląda dość nieprzyjemnie. Gdybym miał łyżkę, mógłbym elegancko wydłubać je z gałki. Oczywiście, mógłbym też użyć palców – ciągnął, gdy oko więźnia zaczęło drgać niekontrolowanie – ale wtedy ubrudziłbym sobie ręce, prawda?

– Rób, co chcesz. – Mężczyzna splunął, zaczął jednak lekko drżeć. – Nigdy nie zdradzę mojej królowej.

– Bzdury. – Drżenie i pot powiedziały mu, że więzień złamie się szybko i łatwo. – Zanim z tobą skończę, zdradzisz ją, śpiewając, jeśli tak ci każę. Ale zróbmy to szybko i sprawnie, skoro wszyscy mamy lepsze rzeczy do roboty.

Głowa mężczyzny odskoczyła, gdy Cian się poruszył. Lecz zamiast uderzyć jeńca w twarz, czego tamten oczekiwał, Cian sięgnął w dół, złapał mężczyznę za członek i ściskał tak długo, aż salę wypełniły wrzaski.

– Nie ma nikogo więcej! Jestem sam, jestem sam!

– Upewnijmy się. – Cian ścisnął go mocniej. – Dowiem się, jeśli kłamiesz. I wtedy zacznę ci to odcinać, kawałek po kawałku.

– Posłała tylko mnie. – Teraz więzień szlochał, łzy i smarki płynęły mu po twarzy. – Tylko mnie!

Cian rozluźnił trochę chwyt.

– Dlaczego?

W odpowiedzi usłyszał tylko, jak mężczyzna łapczywie chwyta powietrze. Znowu zacisnął palce.

– Dlaczego?

– Jeden może łatwo się przemknąć niezauważony. Nie... widoczny.

– Logika tego wytłumaczenia ocaliła cię, przynajmniej na razie, przed zostaniem eunuchem. – Cian poszedł po krzesło, postawił je przed więźniem i usiadł okrakiem. I przemówił spokojnym głosem, ignorując kwilenie mężczyzny. – Proszę, tak lepiej, prawda? Cywilizowana konwersacja. Jak skończymy, opatrzymy ci rany.

– Chcę wody.

– Nie wątpię. Przyniesiemy ci ją – potem. A na razie porozmawiajmy trochę o Lilith.

Minęło trzydzieści minut – i dwie następne sesje bólu – zanim Cian uznał, że więzień powiedział mu wszystko, co mógł.

Niedoszły zabójca szlochał spazmatycznie. Może z bólu, pomyślał Cian, a może z ulgi, że to już koniec.

– Kim byłeś, zanim cię zabrała?

– Nauczycielem.

– Miałeś żonę, rodzinę?

– Nadawali się tylko na posiłek. Byłem biedny i słaby, ale królowa dostrzegła we mnie potencjał. Dała mi siłę i cel. I kiedy zakatrupi ciebie i te... mrówki, które z tobą pełzają, zostanę nagrodzony. Dostanę piękny dom i wszystkie kobiety, jakie wybiorę, bogactwo i potęgę.

– To wszystko ci obiecała, co?

– To i jeszcze więcej. Powiedziałeś, że dostanę wody.

– Tak, powiedziałem. Pozwól, że zdradzę ci pewien sekret o Lilith. – Stanął za mężczyzną, którego dotąd nie zapytał o imię, i wyszeptał mu do ucha: – Ona kłamie. I ja też.

Zacisnął dłonie na jego głowie i jednym ruchem skręcił mu kark.

– Coś ty zrobił? – Śmiertelnie zszokowana Moira rzuciła się przed siebie. – Co zrobiłeś?

– To, co konieczne. Posłała tylko jednego – tym razem. Jeśli jego widok rani twoje delikatne uczucia, to rozkaż strażom, żeby go wynieśli, zanim przekażę wam, co powiedział.

– Nie miałeś prawa. Żadnego prawa. – Znowu żołądek podszedł jej do gardła, tak jak w pierwszej chwili, gdy Cian rozpoczął okrutne przesłuchanie. – Zamordowałeś go. Czym różnisz się od niego, skoro zabiłeś go bez osądu, bez wyroku?

– Czym się różnię? – Cian spokojnie uniósł brwi. – On wciąż był bardziej człowiekiem niż wampirem.

– Czy tak mało dla ciebie znaczy? Życie? Znaczy tak mało?

– Wręcz przeciwnie.

– Moira, on ma rację. – Blair stanęła między nimi. – Zrobił to, co musiał.

– Jak możesz tak mówić?

– Dlatego że ja zrobiłabym to samo. Facet był psem Lilith i gdyby uciekł, spróbowałby znowu. Jeśli nie mógłby dostać się do ciebie, zabiłby tego, kogo miałby pod ręką.

– Jeniec wojenny... – zaczęła Moira.

– W tej wojnie nie będzie jeńców – przerwała jej Blair. – Po żadnej ze stron. Gdybyś go zamknęła, zabiłby ludzi z placu ćwiczeń, z patrolu, ze straży. Był zabójcą, szpiegiem posłanym za linię wroga. A to, że był w połowie człowiekiem, znaczy bardzo wiele – dodała, zerkając na Ciana. – Nigdy nie wróciłby do człowieczeństwa. Gdyby na tym krześle siedział wampir, bez wahania przebiłabyś go kołkiem. Cian nie zrobił nic innego.

Po wampirze nie pozostałoby na ziemi zakrwawione ciało, wciąż przykute do krzesła, pomyślała Moira.

Odwróciła się do jednego ze strażników.

– Tynan, zabierzcie ciało więźnia. Zadbaj, żeby zostało pochowane.
– Tak jest, wasza wysokość.
Zauważyła spojrzenie, jakie Tynan rzucił Cianowi – i dostrzegła w nim aprobatę.
– Wróćmy do salonu – zaproponowała. – Nikt nic nie jadł... opowiesz nam wszystko podczas posiłku.

– Samotny strzelec – powiedział Cian, całym sercem tęskniąc za kawą.
– To ma sens. – Blair nałożyła sobie jajka i gruby plaster smażonej szynki.
– Dlaczego? – spytała Moira.
– One mają trochę półwampirów wyszkolonych do walki. – Skinęła głową w stronę Larkina. – Jak ci, z którymi Larkin i ja zmierzyliśmy się w jaskiniach. Ale trzymanie ich w niewoli wymaga czasu i wysiłku.
– A jeśli uda się je wyrwać?
– Szaleństwo – powiedziała Blair krótko. – Absolutna porażka. Słyszałam o półwampirach, które odgryzały sobie rękę, żeby się uwolnić i wrócić do swojego pana.
– Jego los został przesądzony, jeszcze zanim tu przyszedł – wyszeptała Moira.
– Tak, od chwili, w której Lilith położyła na nim swoje łapy. Myślę, że to miała być szybka misja kamikadze. Po co tracić więcej niż jednego? Jeśli wszystko poszłoby sprawnie, jeden by wystarczył.
– Tak, jeden człowiek, jedna strzała. – Moira zastanowiła się nad tym.
– Gdyby miał wystarczająco dużo talentu i szczęścia, Krąg zostałby przerwany, a Geallia pozbawiona władcy w kilka chwil po koronacji. To byłby dobry i skuteczny cios.
– No widzisz.
– Ale dlaczego czekał, aż wrócimy? Dlaczego nie próbował zabić mnie przy kamieniu?
– Nie dotarł tam na czas – odrzekł Cian. – Źle ocenił odległość, jaką musiał pokonać, i przyjechał, gdy było już po wszystkim. W drodze powrotnej byłaś otoczona ludźmi i nie miał czystej linii strzału. Więc dołączył do orszaku i czekał na okazję.
– Zjedz coś. – Hoyt nałożył Moirze sporą porcję na talerz. – Zatem Lilith wiedziała, że Moira pójdzie dziś do kamienia.
– Trzyma rękę na pulsie – potwierdził Cian. – Nie wiadomo, czy wcześniej planowała wysłanie kogoś, żeby zabił Moirę, ale po starciu Blair z Lorą była wściekła. Szalała, jak powiedział nasz zmarły nieopłakany łucznik. Tak jak już mówiłem, jej związek z Lorą jest dziwny i skomplikowany, ale bardzo głęboki i szczery. Rozkazała posłać tego łucznika, gdy wciąż szalała z wściekłości. Żeby zjawił się tu szybciej, dała mu konia – a nie mają wielu wierzchowców.
– I jak się czuje nasz francuski rogalik? – zaciekawiła się Blair.
– Wrzeszczała cała poparzona, kiedy wyjeżdżał. Lilith sama się nią opiekowała.

– A co ważniejsze – wtrącił Hoyt – gdzie jest Lora i cała reszta?

– Nasz informator, choć dobrze radził sobie z łukiem, nie był zbyt uważny ani spostrzegawczy. Z tego, czego się dowiedziałem, baza Lilith może się znajdować jakieś pięć kilometrów od pola bitwy. Opisał małą osadę z dużym gospodarstwem, kilkoma chatami i wielkim kamiennym domem, w którym pewnie mieszkali właściciele tej ziemi. Teraz ona go zajęła.

– Ballycloon. – Larkin popatrzyła na Moirę i zobaczył, że była bardzo blada, ciemne oczy miała szeroko otwarte. – To musi być Ballycloon i ziemia O'Neillów. To ta rodzina, której pomogliśmy z Blair tego dnia, gdy sprawdzaliśmy pułapki, zanim Lora ją zaatakowała. Jechali z Dromberg, to na zachód od Ballycloon. Pojechalibyśmy dalej na wschód, sprawdzić ostatnią pułapkę, ale...

– Zostałam ranna – dokończyła Blair. – Doszliśmy tak daleko, jak mogliśmy. I nasze szczęście. Jeśli ona już wtedy urządziła sobie tam bazę, to mielibyśmy kłopoty.

– Już bylibyście martwi – dodał Cian. – Wprowadziły się noc przed twoim starciem z Lorą.

– Tam wciąż musieli być ludzie, tam albo na drogach. – Na myśl o tym Larkin poczuł ucisk w żołądku. – I sami O'Neillowie. Nie wiem, czy bezpiecznie dojechali. Jak możemy się dowiedzieć, ilu...

– Nie możemy – powiedziała Blair bez wyrazu.

– Ty, ty i Cian uważaliście, że powinniśmy wszystkich zabrać, jeśli będzie trzeba – siłą, ze wsi i gospodarstw wokół placu bitwy. Spalić za nimi domy i chaty, żeby Lilith ze swą armią nie znalazła schronienia. Uważałem, że to bezduszne i okrutne. A teraz...

– Nie możemy tego zmienić. I ja nie mogłabym, nie rozkazałabym – poprawiła się Moira – ludziom, żeby spalili swoje domy. Może tak byłoby mądrzej, lepiej, ale ci, których domy zostałyby zniszczone, straciliby serce do walki. Dlatego tak zostanie.

Nie miała ochoty na jedzenie, ale podniosła kubek herbaty, żeby ogrzać dłonie.

– Blair i Cian znają się na strategii tak jak Hoyt i Glenna na magii. Ale ty i ja, Larkin, znamy Geallię i jej mieszkańców. Złamalibyśmy im serca i ducha.

– One same zniszczą to, czego nie potrzebują lub nie chcą – ostrzegł Cian.

– Tak, ale to nie nasza dłoń zapali pochodnię. To ważne. A zatem sądzimy, że wiemy gdzie one są. A wiemy, ile ich jest?

– Zaczął od setek, ale kłamał. Nie wiedział – odrzekł Cian. – Bez względu na to, ilu śmiertelników ma Lilith, nigdy nie dopuściłaby ich zbyt blisko siebie ani nie powierzyłaby im planu walki. Są pożywieniem, służbą, rozrywką.

– Możemy poszukać – po raz pierwszy odezwała się Glenna. – Hoyt i ja, teraz, jak już znamy z grubsza położenie, możemy rzucić czar. Może uda nam się ustalić jakieś szczegóły, przybliżone liczby. Po wycieczce Larkina do jaskiń wiemy, że mają arsenał dla tysiąca lub więcej.

– Poszukamy. – Hoyt przykrył ręką dłoń Glenny. – Ale Cian chyba chce powiedzieć, że nieważne, ile ona ma żołnierzy czy broni, i tak będzie tego więcej. Lilith miała dekady, może wieki, żeby zaplanować ten moment. My mieliśmy kilka miesięcy.

– I tak wygramy.

Na te słowa Moiry Cian uniósł brew.

– Bo wy jesteście dobrzy, a oni źli?

– Nie, tu nic nie jest aż tak proste. Ty sam jesteś tego dowodem, nie jesteś ani taki jak ona, ani jak my, ale jeszcze inny. Wygramy, bo będziemy mądrzejsi i silniejsi. I dlatego, że ona nie ma przy sobie nikogo takiego jak nasza szóstka. – Odwróciła się do jego brata. – Hoyt, ty byłeś pierwszy. Ty nas zebrałeś.

– Morrigan nas wybrała.

– Ona albo los. Pomimo wszystkich naszych różnic musimy stanowić jedność. Dlatego szukajmy w sobie nawzajem tego, co nam potrzebne. Ja nie jestem najsilniejszym wojownikiem, a moja magia to ledwie cień. Nie mam talentów Larkina ani nie potrafię zabijać z zimną krwią. Posiadam za to wiedzę i autorytet i to ofiaruję.

– Masz więcej – zaprotestowała Glenna. – Znacznie więcej.

– Będę miała, zanim to się skończy. Muszę coś zrobić. – Wstała. – Wrócę do swoich obowiązków, jak tylko będę mogła.

– Zupełnie po królewsku – zauważyła Blair, gdy Moira wyszła.

– Dźwiga na barkach wielki ciężar. – Glenna zwróciła się do Hoyta: – Jaki jest plan?

– Najpierw obejrzymy jak najdokładniej wroga. Potem ogień. To wciąż jedna z naszych najskuteczniejszych broni, więc myślę, że powinniśmy zaczarować więcej mieczy.

– Wkładanie mieczy w dłonie niektórych z naszych uczniów to wystarczające ryzyko – wtrąciła Blair – nie mówiąc już o płonących.

– Masz rację. – Hoyt pomyślał chwilę i skinął głową. – W takim razie my będziemy musieli zadecydować, kto dostanie ten rodzaj broni. Dobrzy wojownicy powinni zostać umieszczeni jak najbliżej bazy Lilith. Po zmierzchu będą potrzebowali bezpiecznego schronienia.

– Masz na myśli koszary. Oczywiście są tam domy i chaty. – Larkin, zamyślony, zmrużył oczy. – W dzień możemy stworzyć inne kryjówki. Jest też młyn, między jej bazą a najbliższą osadą.

– Może pojedziemy to obejrzeć? – Blair odsunęła talerz. – Ty i Glenna możecie poszukać na swój sposób, a my z Larkinem pofruniemy. Masz dość siły na smoka?

– Mam. – Uśmiechnął się. – Zwłaszcza, kiedy ty mnie ujeżdżasz.

– Seks, seks, seks. Ten facet to maszyna.

– W takiej sytuacji – powiedział Cian sucho – idę do łóżka.

Hoyt ścisnął Glennę za rękę.

– Jedna chwila – szepnął i wyszedł za bratem.

– Chcę zamienić z tobą słowo.

Cian ledwo na niego spojrzał.

– Wyczerpałem już mój limit słów na jeden poranek.

– Będziesz musiał wysłuchać jeszcze kilku. Moje pokoje są bliżej, jeśli pozwolisz. Wolałbym, żeby to zostało między nami.

– Skoro i tak szedłbyś za mną trop w trop do mojego pokoju i nękał tak długo, aż będę miał ochotę wyrwać ci język, twoje pokoje wystarczą.

W korytarzach między salonem a sypialniami krzątali się służący. Przygotowania do uczty, pomyślał Cian i zastanowił się, czy to słowa Hoyta o ogniu przywiodły mu na myśl Nerona i jego skrzypce.

Hoyt wszedł do komnaty i natychmiast wyciągnął rękę, by zatrzymać brata.

– Słońce – powiedział tylko i podszedł szybko do okien, żeby zaciągnąć zasłony.

Pokój pogrążył się w mroku. Hoyt, nie myśląc, skierował dłoń w kierunku dwóch świec. Zapłonęły knoty.

– Całkiem przydatna sztuczka – zauważył Cian. – Wyszedłem z wprawy i ciężko mi idzie posługiwanie się krzesiwem i hubką.

– To podstawowa umiejętność, którą sam byś zyskał, gdybyś kiedykolwiek poświęcił trochę czasu i serca na pielęgnowanie swoich zdolności.

– To nudne. Czy to whisky? – Cian wziął karafkę i nalał. – Och, taka powaga i dezaprobata. – Czytał z twarzy brata jak z książki, smakując pierwszy łyk. – Przypominam ci, że mój dzień chyli się ku końcowi... a właściwie już dawno powinien się skończyć, jeśli już o tym mówimy.

Rozejrzał się dookoła i zaczął spacerować po pokoju.

– Pachnie kobietą. Kobiety, takie jak Glenna, zawsze zostawiają coś za sobą, żeby mężczyzna o nich pamiętał. – Opadł na fotel, rozparł się i wyciągnął nogi. – No to czym tak bardzo pragniesz mnie zanudzić?

– Był czas, że moje towarzystwo sprawiało ci przyjemność. Nawet sam go szukałeś.

Ramiona Ciana poruszyły się w geście zbyt leniwym, by nazwać go wzruszeniem.

– To chyba oznacza, że dziewięćsetletnia nieobecność nie zbliża ludzi.

Na twarzy Hoyta odbił się żal, zanim odwrócił się, by dołożyć torfu do ognia.

– Czy ty i ja znowu mamy się kłócić?

– Ty mi to powiedz.

– Chciałem pomówić z tobą sam na sam o tym, co zrobiłeś z tym więźniem.

– Kolejny wykład o humanitaryzmie. Tak, tak, powinienem był pogłaskać go po głowie, żeby mógł stanąć przed sądem czy trybunałem, czy jakkolwiek nazywa się tutaj wymiar sprawiedliwości. Powinienem był odwołać się do cholernej Konwencji Genewskiej. Cóż, bzdury.

– Nie znam tej konwencji, ale w takiej sprawie i w takich warunkach nie mogłoby być żadnej rozprawy, żadnego sądu. To chcę ci powiedzieć, ty cholerny, irytujący idioto. Wykonałeś egzekucję na mordercy, ja zrobiłbym to samo, chociaż z większym taktem i, cóż, mniej publicznie.

– Ach, więc ty wśliznąłbyś się do jakiejś klatki, w której by go zamknęli, i wbił mu nóż między żebra. – Cian uniósł brwi. – W takim razie w porządku.

– Nie jest w porządku. Nic tu nie jest w porządku. To cholerny koszmar i my wszyscy go śnimy. Mówię, że zrobiłeś to, co musiałeś. Sam bym mu to zrobił za to, że próbował zabić Moirę, którą kocham jak własne siostry, i że ugodził cię strzałą. Nigdy nie zabiłem człowieka, bo to, co zabijaliśmy w ostatnich tygodniach to nie byli ludzie, lecz demony, ale zabiłbym tego łotra, gdybyś ty mnie nie uprzedził.

Hoyt przerwał i wziął głęboki oddech.

– Chciałem ci to powiedzieć, żebyś wiedział, co o tym myślę. Ale wygląda na to, że zmarnowałem twój i swój czas, bo ciebie w ogóle nie obchodzi moje zdanie.

Cian nawet nie drgnął, przeniósł tylko wzrok z wściekłej twarzy brata na szklankę whisky, którą trzymał w dłoni.

– Tak się składa, że bardzo mnie obchodzi twoje zdanie. Wolałbym, żeby było inaczej. Poruszyłeś we mnie struny, które uciszyłem tak dawno temu, że już nie pamiętam kiedy. Rzuciłeś mi w twarz rodzinę, Hoyt, kiedy ja już ją pochowałem.

Hoyt przeciął pokój i usiadł w fotelu naprzeciwko brata.

– Jesteś mój.

Teraz oczy Ciana ziały pustką.

– Jestem niczyj.

– Może tak było od twojej śmierci do chwili, gdy cię odnalazłem, ale to już nieprawda. Więc jeśli obchodzi cię moje zdanie, mówię ci, że jestem dumny z tego, co robisz. Wiem, że trudniej ci to przychodzi niż któremukolwiek z nas.

– Najwidoczniej, jak już udowodniłem, zabijanie ludzi i wampirów nie sprawia mi trudności.

– Myślisz, że nie widzę, jak służba cię unika? Że nie widziałem, jak Sinann pobiegła wyrwać ci dziecko, jak gdybyś mógł skręcić mu kark, tak jak temu mordercy? Te wszystkie incydenty nie umykają mojej uwagi.

– Niektórym nie przeszkadza, że budzę lęk. To nie ma znaczenia. Naprawdę – przekonywał Cian, widząc zaciętą minę Hoyta. – Dla mnie to tylko chwila. Nawet mniej. Gdy to wszystko dobiegnie końca, o ile nikt nie przebije mi serca kołkiem, pójdę swoją drogą.

– Mam nadzieję, że ta droga zaprowadzi cię, od czasu do czasu, do mnie i Glenny.

– Bardzo możliwe. Lubię na nią patrzeć. – Cian uśmiechnął się leniwie. – I kto wie, może ona wreszcie pójdzie po rozum do głowy i zobaczy, że wybrała niewłaściwego brata. Mam mnóstwo czasu.

– Ona za mną szaleje. – Hoyt, rozluźniony, wyjął Cianowi szklankę z dłoni i pociągnął łyk.

– Musi być szalona, skoro związała się z tobą, ale kobiety to dziwne stworzenia. Masz szczęście, że znalazłeś taką żonę, Hoyt. Zapomniałem ci o tym wcześniej powiedzieć.

– Teraz ona jest moją magią. – Hoyt oddał bratu szklankę. – Bez niej nie miałbym nic. Mój świat się obrócił, gdy ona w niego weszła. Chciałbym, żebyś ty...

– Los nie zapisał tego w mojej księdze. Poeci mogą mówić, że miłość jest wieczna, ale to zupełnie inna kwestia, gdy ty masz przed sobą całą wieczność, a kobieta nie.

– Czy kiedykolwiek kochałeś jakąś kobietę?

Cian zapatrzył się w whisky i pomyślał o przeżytych stuleciach.

– Nie w sposób, o jakim myślisz. Nie tak, jak ty Glennę. Ale zależało mi wystarczająco, bym wiedział, że nie wolno mi dokonać takiego wyboru.

– Miłość jest wyborem?

– Wszystko jest. – Cian wychylił resztę whisky i odstawił pustą szklankę. – Teraz wybieram powrót do łóżka.

– Dzisiaj postanowiłeś przyjąć tę strzałę zamiast Moiry – powiedział Hoyt, gdy Cian ruszył w stronę drzwi.

Cian zatrzymał się i popatrzył czujnie na brata.

– Tak.

– Moim zdaniem dokonałeś bardzo ludzkiego wyboru.

– Tak sądzisz? – Wzruszył ramionami. – Mnie się wydaje impulsywny i bolesny.

Wyszedł na korytarz i ruszył do swojego pokoju w północnym skrzydle zamku. Impuls, pomyślał, i sam musiał się do tego przyznać, chwila panicznego strachu. Gdyby dostrzegł strzałę sekundę później lub odrobinę wolniej zareagował, Moira byłaby martwa.

I w tej przerażającej chwili ujrzał ją martwą. Strzała wciąż drżała w jej ciele, życie uciekało wraz z krwią, która płynęła na ciemnozieloną suknię i twarde, szare kamienie.

Bał się tego, bał się jej końca, chwili, w której Moira znajdzie się poza jego zasięgiem. Pójdzie do miejsca, gdzie on nie będzie mógł jej zobaczyć ani dotknąć. Tą strzałą Lilith odebrałaby mu ostatnią osobę, na której mu zależy, ostatnią wartość, której już nigdy nie mógłby odzyskać.

Cian okłamał brata. Kochał kobietę, mimo najlepszych – lub najgorszych – intencji, kochał świeżo koronowaną królową Geallii.

To śmieszne i niemożliwe i z czasem mu przejdzie. Dziesięciolecie lub dwa i już nie będzie dokładnie pamiętał odcienia tych szarych oczu. Jej delikatny zapach nie będzie drażnił jego zmysłów. Zapomni o melodii jej głosu i tym powolnym, poważnym uśmiechu.

Takie rzeczy blakną, zapewniał sam siebie. Trzeba tylko im na to pozwolić.

Wszedł do pokoju i zamknął drzwi na rygiel.

Okna były zasłonięte, nie płonęło żadne światło. Wiedział, że Moira wydała bardzo dokładne rozkazy, w jaki sposób służący powinni dbać o jego pokój. Tak, jak specjalnie wybrała tę komnatę, daleko od innych, z oknami na północ.

Mniej słońca, pomyślał. Troskliwa gospodyni.

Rozebrał się w ciemności i pomyślał przelotnie o muzyce, której lubił słuchać przed zaśnięciem i tuż po przebudzeniu. Muzyka, pomyślał, która wypełniała ciszę.

Ale w tych czasach nie mieli odtwarzaczy CD ani radia, ani żadnej cholernej rzeczy w tym rodzaju.

Nagi rozciągnął się na łóżku. I w absolutnej ciszy, absolutnej ciemności, zapadł w sen.

4

*M*oira ukradła trochę czasu dla siebie. Uciekła od dwórek, wuja, od swoich obowiązków. Już czuła się winna, już się martwiła, że zawiedzie jako królowa, bo tak bardzo potrzebowała samotności.

Oddałaby dwudniowe posiłki lub dwie noce snu za jedną godzinę sam na sam z książkami. Jesteś samolubna, powiedziała do siebie, oddalając się w pośpiechu od zgiełku, ludzi, pytań. Zachowywała się samolubnie, dbając o własne potrzeby, kiedy stawka była tak wysoka.

Nie mogła schować się z książką w jakimś słonecznym kącie, ale postanowiła poświęcić czas na tę wizytę.

Tego dnia, gdy została królową, potrzebowała matki. Podkasała spódnice i zbiegła tak szybko, jak mogła, ze wzgórza, po czym prześlizgnęła się przez wąską szczelinę w otaczającym cmentarz murze.

Niemal natychmiast poczuła w sercu spokój.

Najpierw poszła do kamienia, który kazała ustawić zaraz po powrocie do Geallii. Położyła już jeden dla Kinga w Irlandii, na rodzinnym cmentarzu Ciana i Hoyta, ale wtedy przysięgła, że ustawi drugi tutaj ku pamięci przyjaciela.

Położyła na ziemi bukiet kwiatów i stanęła, by przeczytać słowa, które kazała wyryć na wygładzonym kamieniu.

King
Dzielny wojownik nie spoczywa w tej ziemi,
Lecz w dalekim kraju.
Oddał swe życie w obronie Geallii
I całego ludzkiego rodzaju.

– Mam nadzieję, że to by ci się spodobało, nagrobek i słowa. Wydaje mi się, że upłynęło tyle czasu, a jednocześnie jakby tylko mgnienie oka. Przykro mi, muszę ci powiedzieć, że Cian został dzisiaj ranny, kiedy mnie ratował. Ale czuje się już lepiej. Wczoraj wieczorem rozmawialiśmy niemal jak przyjaciele, Cian i ja. A dzisiaj, cóż, już nie tak przyjacielsko. Trudno powiedzieć. – Położyła dłoń na kamieniu. – Teraz jestem królową. To także trudne. Mam nadzieję, że nie masz nic przeciwko temu, że postawiłam kamień tutaj, gdzie leżą członkowie mojej rodziny. Dla mnie byłeś jednym z nich, przez ten krótki czas, który został nam dany. Byłeś moją rodziną. Mam nadzieję, że znalazłeś spokój.

Odstąpiła krok, po czym znowu szybko podeszła do kamienia.

– Och, miałam ci powiedzieć, że trzymam lewą gardę, tak jak mnie uczyłeś. – Uniosła ręce w pozycji boksera. – Dlatego dziękuję ci za każdy cios, który nie dosięgnie mojej twarzy.

Z pozostałymi kwiatami w zgięciu ramienia ruszyła przez wysoką trawę, między kamieniami, do grobu swoich rodziców.

Położyła kwiaty u stóp nagrobka ojca.

– Panie, ledwo cię pamiętam, a i tak myślę, że większość wspomnień, które mam, przekazała mi matka. Tak bardzo cię kochała i często o tobie mówiła. Wiem, że byłeś dobrym człowiekiem, inaczej nie mogłaby cię kochać. A wszyscy mówią, że byłeś silny, uprzejmy i skory do śmiechu. Żałuję, że nie pamiętam, jak brzmiał twój śmiech.

Spojrzała ponad nagrobkami na pagórki i majaczące w oddali góry.

– Dowiedziałam się, że nie umarłeś tak, jak zawsze myśleliśmy, lecz zostałeś zamordowany. Ty i twój młodszy brat. Zamordowany przez demony, które nawet teraz są w Geallii, przygotowują się do wojny. Tylko ja po tobie pozostałam i mam nadzieję, że to wystarczy.

Teraz uklękła między grobami, by podarować ostatni bukiet matce.

– Tęsknię za tobą każdego dnia. Musiałam pojechać daleko stąd, jak wiesz, żeby stać się silniejszą, *Mathair*. – Zamknęła oczy, wypowiadając te słowa, i matka stanęła jej przed oczami jak żywa. – Nie zapobiegłam temu, co się z tobą stało, i wciąż widzę tę noc jak przez mgłę. Te, które cię zabiły, zostały ukarane, jeden zginął z mojej ręki. Tylko tyle mogłam dla ciebie zrobić. Mogę jedynie walczyć i poprowadzić mój lud do bitwy. Niektórych na spotkanie śmierci. Noszę koronę i miecz Geallii. Nie przyniosę im wstydu.

Siedziała przez chwilę wsłuchana w szum wiatru w wysokiej trawie, ogrzewana promieniami słońca.

Gdy wstała i odwróciła się, by wrócić do zamku zobaczyła na murze swoją boginię, Morrigan.

Bogini była dziś ubrana na niebiesko, spowita w delikatne, miękkie szaty z ciemniejszym obramowaniem. Jej rozpuszczone włosy opadały na ramiona płonącą kaskadą.

Moirą ruszyła jej na spotkanie przez wysoką trawę, z pustymi dłońmi i ciężkim sercem.

– Pani.

– Wasza wysokość.

Moira, zaskoczona ukłonem Morrigan, złożyła dłonie, by ukryć ich drżenie.

– Czy bogowie uznają królów?

– Oczywiście. My stworzyliśmy ten kraj i wyznaczyliśmy twoją rodzinę, by nim władała i mu służyła. Jesteśmy z ciebie zadowoleni, córko. – Położyła lekko dłonie na ramionach Moiry i ucałowała ją w oba policzki. – Dajemy ci nasze błogosławieństwo.

– Wolałabym, żebyś pobłogosławiła mój lud i zapewniła mu bezpieczeństwo.

– To twoje zadanie. Wyjęłaś miecz z kamienia. Już gdy go wykuwaliśmy, wiedzieliśmy, że pewnego dnia zaśpiewa w bitwie. To także należy do ciebie.

– Ona już rozlała geallijską krew.

Oczy Morrigan były głębokie i spokojne niczym tafla jeziora.

– Moje dziecko, krew, którą rozlała Lilith, mogłaby utworzyć ocean.

– A moi rodzice są jedynie kroplą w morzu?

– Każda kropla jest cenna i każda ma swój cel. Czy uniosłaś miecz jedynie w imię swojej zemsty?

– Nie. – Moira wskazała ręką. – Stoi tu także inny kamień, dla przyjaciela. Uniosłam miecz także dla niego i jego świata. Wszyscy jesteśmy częścią siebie nawzajem.

– To ważna świadomość. Wiedza jest ogromnym darem, a jej głód jeszcze większym. Użyj wszystkiego, co wiesz, a Lilith nigdy was nie zwycięży. Głowa i serce, Moiro. Nie jesteś stworzona do tego, by przywiązywać większą wagę do pierwszego niż do drugiego. Twój miecz będzie płonął, obiecuję ci, a korona rozbłyśnie. Ale to, co masz w głowie i w głębi serca, to jest prawdziwa moc.

– Wydaje mi się, że są pełne lęku.

– Bez lęku nie ma odwagi. Zaufanie i wiedza. I miecz u boku. To twojej śmierci ona pragnie najbardziej.

– Mojej? Dlaczego?

– Ona nie wie. Wiedza to twoja potęga.

– Pani... – zaczęła Moira, ale bogini już zniknęła.

Uczta wymagała jeszcze jednej sukni i kolejnej godziny krzątaniny dwórek. Moira miała tak wiele spraw na głowie, że pozostawiła kwestię garderoby ciotce i była mile zaskoczona uroczą suknią w bladoniebieskim odcieniu. Piękny strój i odrobina czasu spędzonego na zadbaniu o swój wygląd sprawiły przyjemność nowej królowej.

Ale wydawało jej się, że ciągle ubierano ją w nową suknię, gdy tylko się obróciła, a kobiety szczebiotały i rozpływały się nad nią przez pół dnia.

Musiała przyznać, że tęskniła za swobodą, którą dawały dżinsy i luźne koszulki, które nosiła w Irlandii. Od jutra, bez względu na to, jak bardzo zaszokuje swe dwórki, będzie się ubierała w strój najwygodniejszy dla wojownika szykującego się do bitwy.

Ale dziś wieczorem włoży aksamity, jedwabie i biżuterię.

– Cearo, jak się mają twoje dzieci?

– Dobrze, pani, dziękuję. – Stojąc za Moirą, Ceara zaplatała włosy pani w jedwabiste warkocze.

– Twoje obowiązki i ćwiczenia trzymają cię z dala od nich dłużej niżbyś chciała.

Ich oczy spotkały się w lustrze. Moira wiedziała, że Ceara jest rozsądną kobietą, w jej opinii najbardziej rozważną ze wszystkich trzech, które jej usługiwały.

– Zajmuje się nimi moja matka i czyni to z radością. Dobrze wykorzystuję czas, który spędzam z dala od nich. Wolę stracić tych kilka godzin z nimi niż widzieć je martwe.

– Glenna mówi, że jesteś bardzo zaciekła w walce wręcz.

– Jestem. – Ceara uśmiechnęła się gorzko. – Nie radzę sobie tak dobrze z mieczem, ale mam jeszcze czas. Glenna jest dobrą nauczycielką.

– Surową – wtrąciła się Dervil. – Nie tak surową jak lady Blair, ale i tak wymagającą. Codziennie biegamy i bijemy się, robimy przewroty i ciskamy kołkami. I każdego dnia mamy obolałe nogi, siniaki i drzazgi.

– Lepiej być zmęczoną i posiniaczoną niż martwą.

Dervil zarumieniła się na spokojną uwagę Moiry.

– Nie chciałam okazać braku szacunku, wasza wysokość. Bardzo wiele się nauczyłam.

– I słyszałam, że władasz mieczem jak demon. Jestem z ciebie dumna. A ty, Isleen, podobno masz dobre oko do łuku.

– Mam. – Isleen, najmłodsza z trzech dwórek, zarumieniła się, słysząc komplement. – Wolę to niż walkę za pomocą pięści i stóp. Ceara zawsze mnie powala.

– Każdy by cię powalił, skoro piszczysz jak mysz i machasz rękami – wytknęła jej przyjaciółka.

– Ceara jest wyższa i ma dłuższe ramiona niż ty, Isleen. A zatem – powiedziała Moira – uczycie się, bo chcecie być szybsze i bardziej zwinne. Jestem dumna z was wszystkich, z każdego siniaka. Jutro i każdego następnego dnia będę ćwiczyła z wami, nie mniej niż godzinę dziennie.

– Ależ, wasza wysokość – zaprotestowała Dervil – nie możesz...

– Mogę – przerwała jej Moira. – I będę. I oczekuję, że zarówno wy i, jak i wszystkie inne kobiety zrobicie, co w waszej mocy, żeby mnie powalić. A to nie będzie łatwe. – Wstała. – Ja także wiele się nauczyłam. – Podniosła koronę i włożyła ją na głowę. – Wierzcie mi, że mogę powalić was trzy naraz i każdego innego, płasko na dupę.

Obróciła, się olśniewająca w błękitnym aksamicie.

– A kto mnie powali na moją lub zwycięży gołymi rękami czy jakąkolwiek inną bronią, dostanie jeden z tych srebrnych krzyży, które zaczarowali Glenna i Hoyt. To mój największy dar. Przekażcie to pozostałym.

Cian czuł się, jakby grał rolę w sztuce. Wielka sala, ozdobiona girlandami, pełna kwiatów, rozświetlona świecami i płonącym w kominku ogniem, przypominała scenę. Książęta, lordowie i damy wystąpili w najlepszych strojach. Wytworne kubraki i suknie, biżuteria, złoto. Cian zauważył na stopach kilku kobiet i mężczyzn buty o spiczastych, zakręconych ku górze noskach, które były w modzie za jego życia.

A zatem, pomyślał, nawet godne pożałowania mody są takie same w różnych światach.

Podano tak wiele jedzenia i picia, że stoły uginały się pod ciężarem półmisków i dzbanów. Salę wypełniał perlisty śpiew harfy, akompaniował mu szum rozmów. Moda, polityka, plotki na temat seksu, flirt i finanse.

Podobnie jak w jego nocnym klubie w Nowym Jorku. Kobiety były tam, oczywiście, bardziej skąpo odziane, a muzyka głośniejsza, ale istota pozostała ta sama przez wieki. Ludzie wciąż lubili spotykać się przy jedzeniu, piciu i muzyce.

Znowu pomyślał o klubie i zapytał sam siebie, czy za nim tęsknił. Nocna gorączka, dźwięki, tłum ludzi. I zdał sobie sprawę, że nie, ani trochę. Zapewne i tak wkrótce by się znudził, stał niespokojny i postanowiłby się przeprowadzić. Podróż Hoyta w czasie, zakończona lądowaniem na jego progu, tylko przyśpieszyła bieg wydarzeń.

Jednak bez Hoyta i jego misji od bogów wyprowadzka oznaczałaby zmianę imienia, nazwiska i miejsca, przeniesienie funduszy. Skomplikowane, czasochłonne – i interesujące. Cian używał już ponad stu nazwisk, miał ponad sto domów i nigdy nie znudziło go zakładanie nowych.

Gdzie mógłby pojechać? – zastanawiał się. Do Sydney albo do Rio. A może Rzym albo Helsinki. To była naprawdę jedynie kwestia wetknięcia szpilki w mapę. Niewiele zostało już miejsc, których nie widział, a na świecie nie było żadnego, w którym nie mógłby zamieszkać.

W każdym razie w jego świecie. Geallia to inna sprawa. Żył już kiedyś w takiej kulturze i nie miał ochoty się powtarzać. Jego rodzina należała do szlachty i w swoim czasie bywał na wielu wystawnych ucztach.

Podsumowując, wolałby szklaneczkę brandy i dobrą książkę.

Nie miał zamiaru siedzieć tu długo i zjawił się tylko dlatego, że gdyby został w pokoju, ktoś na pewno by po niego przyszedł. Oczywiście bez problemu mógłby wywieść w pole każdego, kto by go szukał, ale nigdy nie uniknąłby przemówienia, które Hoyt wygłosiłby jutro na ten temat.

Rozsądniej było pojawić się na chwilę, wznieść toast na cześć nowej królowej i wymknąć się niepostrzeżenie.

Kategorycznie odmówił jednak włożenia eleganckiego kubraka i dodatków, które przyniesiono do jego pokoju. Może i utknął w średniowieczu, ale nie miał zamiaru ubierać się zgodnie z obowiązującą modą.

Dlatego wybrał czerń, spodnie i sweter. Akurat na tę wycieczkę nie zabrał garnituru i krawata.

Uśmiechnął się jednak ciepło do Glenny, która sunęła w jego stronę w szmaragdowej zieleni, odziana w coś, co w jego czasach nazwano by zapewne *robe deguisee*. Bardzo odświętna, bardzo elegancka, ukazywała w niskim, półokrągłym dekolcie wzgórki przepięknych piersi Glenny.

– Oto widok, który wolę od widoku każdej bogini.

– Czuję się prawie jak bogini. – Rozłożyła ramiona, aż załopotały długie, rozszerzane rękawy sukni. – Ale to ciężkie. Chyba z pięć kilogramów materiału. Widzę, że ty wybrałeś nieco lżejszy strój.

– Chyba wolałabym przebić się kołkiem niż wbić znowu w którąś z tych kaftanów.

Musiała się roześmiać.

– Nie mogę cię winić, ale Hoyt bardzo mi się podoba taki wystrojony. Dla mnie, może też dla ciebie po tych wszystkich latach, ta impreza przypomina bal kostiumowy. Moira wybrała czerń i złoto dla domowego czarnoksiężnika. Pasuje do niego, tak jak ten twój bardziej współczesny ubiór do ciebie. Cały ten dzień przypomina bardzo dziwny sen.

– Mnie raczej bardzo dziwną sztukę.

– Tak, masz rację. No cóż, dzisiejsza uczta jest krótkim i kolorowym przerywnikiem. Udało się nam dziś trochę poszpiegować, Hoyt i ja magicznie, Larkin i Blair z powietrza. Opowiemy ci, kiedy...

Przerwała, bo rozległ się dźwięk trąb.

Do sali wkroczyła Moira, płynął za nią tren sukni, korona błyszczała w płomieniach setek świec.

Olśniewała tak, jak powinna królowa, jak potrafiła kobieta.

Serce ścisnęło się w piersi Ciana i pomyślał: cholera, pieprzona cholera.

Nie miał wyboru, musiał dołączyć do pozostałych, siedzących przy stole na podwyższeniu. Wcześniejsze wyjście byłoby jawnym afrontem – nie żeby Cian tym się przejmował – ale przede wszystkim zwróciłoby na niego uwagę.

Moira siedziała na środku, z Larkinem i wujem po bokach. Cian miał przynajmniej obok siebie Blair, która była zabawną i dobrze poinformowaną towarzyszką.

– Lilith jeszcze nic nie spaliła, co było dla mnie sporym zaskoczeniem – zaczęła opowiadać. – Pewnie była zbyt zajęta pielęgnowaniem Fifi. Och, mam pytanie. Ta francuska suka jest w obiegu od jakichś czterystu lat, prawda? A ty ponad dwa razy dłużej. Jak cudem oboje wciąż mówicie z akcentem?

– A dlaczego Amerykanie uważają, że wszyscy powinni mówić tak jak oni?

– Punkt dla ciebie. Czy to dziczyzna? Chyba dziczyzna. – Ugryzła kęs. – Całkiem nieźle.

Miała na sobie krwistoczerwoną suknię, obnażającą jej silne ramiona. W krótkich włosach nie lśniły żadne ozdoby, ale z uszu Balir zwisały kunsztowne, złote krążki wielkości niemowlęcej pięści.

– Jak udaje ci się trzymać prosto głowę z tymi kolczykami?

– Cierpię w imię mody – odpowiedziała lekko. – A wiesz, mają konie – ciągnęła – kilka tuzinów na różnych łąkach. Może więcej w stajniach. Pomyślałam, że Larkin mógłby zanurkować w dół i je rozgonić, tylko tak, żeby narobić trochę zamieszania. Może, gdyby mi się udało go do tego namówić, rozniciłby kilka ognisk. Wampiry zostają w środku – płoną, wychodzą – też płoną.

– Dobry pomysł. Oczywiście, o ile nie ustawiła w środku strażników z łukami.

– Tak, wiem, też o tym pomyślałam. Wykombinowałam, że wystrzelę w dół kilka płonących strzał, żeby odwrócić ich uwagę. Wybrałam cel, domek obok największej łąki. Musiały tam jakieś siedzieć. Wyobraź sobie moje zaskoczenie i złość, kiedy strzały odbiły się od powietrza jak od ściany.

Cian popatrzył na Blair zmrużonymi oczami.

– Chcesz mi powiedzieć, że mają pole siłowe? Co to jest, cholerny „Star Trek"?

– Tak właśnie powiedziałam. – Blair dała mu przyjacielskiego kuksańca w ramię. – Ona ma tego swojego czarnoksiężnika, Midira, który pewnie pracuje bez wytchnienia. I ich baza jest otoczona ochronną tarczą. Larkin podfrunął bliżej, żebyśmy mogli się temu przyjrzeć, i aż nas kopnęło. Zupełnie jak prąd. Wkurzające.

– Tak, domyślam się.

– I wtedy z tego wielkiego domu wyszedł sam magik we własnej osobie. Mówię ci, na jego widok skóra mi ścierpła. Łopocząca czarna szata, burza siwych włosów. On tak stoi, my patrzymy z góry na niego, on na nas. W końcu połapałam się, o co chodzi. Sytuacja patowa. My nie możemy przebić się do nich, ale one nie mogą wyjść! Kiedy tarcza jest podniesiona, one są zamknięte w środku, a my na zewnątrz. Jak piekielna forteca, nawet lepsza.

– Lilith wie, jak najlepiej wykorzystać swoich ludzi – zauważył Cian.

– Na to wygląda. Pozostały mi więc tylko obraźliwe gesty, żebyśmy tak zupełnie nie zmarnowali czasu. Ona pewnie każe opuszczać tarczę w nocy, prawda?

– Prawdopodobnie. Nawet jeśli mają ze sobą wystarczająco dużo jedzenia, polowanie leży w naturze tych bestii. Nie pozwoliłaby, żeby jej żołnierze rozleniwili się czy zrobili nerwowi.

– W takim razie może spróbujemy zaatakować w nocy. Nie wiem, musimy nad tym pomyśleć. To *haggis**, prawda? – Zmarszczyła nos. – To sobie daruję. – Nachyliła się do Ciana i ściszyła głos. – Larkin mówi, że już się rozeszło, jak potraktowałeś tego gościa, który próbował zabić Moirę. W tej sprawie zdobyłeś pełne poparcie i zamkowych strażników, i książąt.

– To ma niewielkie znaczenie.

– Wiesz dobrze, że nie masz racji. Zyskałeś nie tylko akceptację, ale i szacunek wśród pierwszych szeregów tej armii, sir Cianie.

Skrzywił się boleśnie.

– Przestań.

– To galaretowate coś trochę trzeszczy w zębach. Wiesz, co to jest?

Cian celowo odczekał, aż odgryzła drugi kęs.

– Organy wewnętrzne w galarecie. Prawdopodobnie świńskie.

Blair się zakrztusiła, a Cianowi śmiech sam wyrwał się z piersi.

To taki dziwny dźwięk, pomyślała Moira, jego śmiech. Dziwny, trochę demoniczny i niezwykle czarujący. Popełniła błąd, posyłając mu ubranie, Cian był zbyt przywiązany do swoich czasów, żeby włożyć kostium z jej epoki.

Jednak przyszedł, a ona do końca nie była pewna, czy się pojawi. Nie żeby chociaż raz się do niej odezwał. Ani jednego słowa. Zabił dla niej, pomyślała, ale nie zamierzał z nią rozmawiać.

Wobec tego ona także wyrzuci go z myśli, tak jak on najwidoczniej wyrzucił ją.

Tak bardzo chciała, żeby ten wieczór dobiegł już końca. Marzyła o łóżku, była wyczerpana. Chciała zrzucić ciężkie aksamity i zanurzyć się – choć na jedną noc – w błogiej ciemności.

---

* *Haggis* – szkocka potrawa narodowa z baranich podrobów (przyp. tłum.).

Ale musiała jeść, choć nie miała apetytu, i przynajmniej udawać, że słucha, co do niej mówiono, choć oczy same jej się zamykały.

Wypiła zbyt dużo wina, było jej gorąco. A minie jeszcze kilka godzin, zanim będzie mogła złożyć głowę na poduszce.

Oczywiście musiała przerwać rozmowę, uśmiechnąć się i napić wina za każdym razem, gdy podchodził do niej któryś z książąt, by wznieść toast. A podchodzili w takim tempie, że obawiała się, czy doniesie tę głowę na poduszkę.

Poczuła ogromną ulgę, gdy wreszcie mogła ogłosić rozpoczęcie tańców.

Musiała wstać do pierwszego, tego od niej oczekiwano, i nawet poczuła, że jest jej lepiej w ruchu, przy dźwiękach muzyki.

On oczywiście nie tańczył, tylko siedział. Jak cierpiący na niestrawność król, pomyślała, głupio poirytowana, bo chciała z nim zatańczyć. Jego dłoń na jej dłoni, skrzyżowane spojrzenia.

Ale on tylko siedział, przyglądając się ludziom, i sączył wino. Moira okręciła się z Larkinem, skłoniła wujowi, dotknęła dłoni Hoyta.

A gdy znów się obejrzała, Cian już zniknął.

Potrzebował powietrza i nocy. Noc wciąż była jego porą. To, co kryło się pod maską człowieka, zawsze będzie jej pożądać i szukać.

Wspiął się po schodach i wyszedł na mury, w gęstą ciemność, gdzie muzyka z sali dobiegała jedynie srebrzystym echem. Chmury zakryły księżyc i gwiazdy. Przed nadejściem świtu spadnie deszcz, Cian już czuł jego zapach.

W dole pochodnie oświetlały dziedziniec, przy bramie i na murach czuwali strażnicy.

Usłyszał, jak jeden z nich kaszlnął i splunął, słyszał łopotanie flag nad głową w nagłym podmuchu wiatru. Gdyby nadstawił ucha, usłyszałby chrobotanie myszy w norkach między kamieniami lub papierowy szelest skrzydeł nietoperza.

Słyszał to, czego nie mogli usłyszeć inni.

Czuł zapach ludzi – słoną skórę i tętniącą pod nią krew. Zawsze jakaś cząstka w nim płonęła z pożądania. Żeby polować, zabijać, karmić się.

Ten strumień krwi w ustach, w gardle. Czysty smak życia, którego nigdy nie znajdzie w tym, co mu dostarczano w chłodnych torebkach z plastiku czy też w zimnych kielichach. Gorący, pamiętał, pierwszy łyk zawsze jest gorący. Ogrzewał wszystkie te miejsca, które były zimne i martwe, i przez tę jedną chwilę życie – lub jego cień – budziło się w środku zimna i śmierci.

Dobrze było przypomnieć sobie od czasu do czasu tę niewypowiedzianą rozkosz, pamiętać, z czym zmagała się jego silna wola i czego pragnęli wrogowie, z którymi będą walczyć.

Ludzie nie mogli tego pojąć. Nawet Blair, która rozumiała więcej niż inni.

Jednak i tak będą walczyć i ginąć, a po nich przyjdą następni, by walczyć i umierać. Oczywiście niektórzy uciekną – zawsze tak było. Innych sparaliżuje strach i będą po prostu stali jak króliki schwytane w światło reflektora.

Ale większość z nich nie ucieknie, nie będzie się chować, nie osłupieje ze strachu. Po tych wszystkich latach patrzenia na ludzkie życie i śmierć Cian wiedział, że ludzie przyparci do muru walczą jak demony.

Jeśli wygrają, podkolorują całą tę historię, będą układać opowiadania i pieśni. Za wiele lat starcy usiądą przy ogniu, opowiadając o dniach chwały i pokazując swoje blizny.

A inni będą się budzili zlani zimnym potem ze snu pełnego horrorów wojny.

Jeśli przeżyje, to jak będzie wspominał ten czas? Jako dni chwały czy koszmar? Ani jedno, ani drugie, bo nie był na tyle człowiekiem, żeby tracić czas na rozmyślanie o tym, co minęło.

Jeśli Lilith go zabije, cóż, prawdziwa śmierć będzie całkiem nowym doświadczeniem. Może okazać się interesująca.

Usłyszał odgłos kroków na kamiennych schodach. Kroków Moiry – znał jej chód równie dobrze jak zapach.

Już miał ukryć się w cieniu, ale zbeształ sam siebie od tchórzy. Ona była tylko kobietą, tylko człowiekiem. Nie mogła być – i nie będzie – dla niego nikim więcej.

Wyszła na mury i westchnęła głęboko, jakby właśnie zrzuciła z ramion ogromny ciężar. Podeszła do kamiennej balustrady, odchyliła głowę, zamknęła oczy. I oddychała.

Twarz miała zarumienioną od bijącego z kominka ciepła i tańca, ale pod oczami widział ciemne kręgi zmęczenia.

Ktoś zaplótł cienkie warkoczyki w jej długich włosach; przetykały lśniącą kasztanową kaskadę złotymi nitkami.

Dostrzegł chwilę, w której zdała sobie sprawę, że nie jest sama. Nagłe zesztywnienie ramion, dłoń wsunięta między fałdy sukni.

– Jeśli masz tam kołek – powiedział – wolałabym, żebyś nie celowała nim we mnie.

Ramiona dalej miała napięte, ale jej ręce opadły luźno, gdy się odwróciła.

– Nie zauważyłam cię. Chciałam odetchnąć świeżym powietrzem. W środku jest tak ciepło, a ja za dużo wypiłam.

– Raczej za mało zjadłaś. Zostawię cię z twoim powietrzem.

– Och, zostań. Zaraz stąd pójdę i będziesz mógł mieć całe cholerne powietrze tylko dla siebie. – Odgarnęła włosy i przechyliła głowę.

Teraz mógł dokładnie się jej przyjrzeć i pomyślał, że mała królowa rzeczywiście jest bardzo wyczerpana.

– Wyszedłeś tutaj, żeby porozmyślać w samotności? Nie mogę się zdecydować, czy głębokie myśli wymagają takiej przestrzeni jak tu, czy lepiej oddawać się im w zamknięciu. Ty zapewne masz mnóstwo refleksji po tym wszystkim, co widziałeś.

Potknęła się lekko i zaśmiała, gdy złapał ją za ramię. I natychmiast cofnął dłoń.

- Tak bardzo się pilnujesz, żeby mnie nie dotknąć - zauważyła. - Chyba że ocalasz mnie od śmierci lub zranienia. Albo dajesz łupnia na treningu. To mi się wydaje bardzo interesujące. Ty lubisz interesujące kwestie, co o tym myślisz?

- Nic.

- Poza tym jednym razem - ciągnęła, jak gdyby Cian w ogóle się nie odzywał, i zbliżyła do niego o krok. - Tym jednym razem, gdy dotknąłeś mnie porządnie i właściwie. Czułam twoje dłonie i usta. Zastanawiałam się nad tą sytuacją.

Cian prawie postąpił krok w tył, ale sama myśl o tym go przeraziła.

- Chciałem dać ci nauczkę.

- Jestem uczoną i uwielbiam pobierać lekcje. Daj mi jeszcze jedną.

- Wino odebrało ci rozum. - Zirytował go własny oficjalny i nadęty ton. - Powinnaś wracać do środka, niech twoje dwórki zaprowadzą cię do łóżka.

- Odebrało mi rozum. Jutro będę tego żałowała, ale cóż, to dopiero jutro, prawda? Och, co to był za dzień. - Obróciła się powoli, zamiatając kamienie skrajem spódnic. - Czy to dopiero dziś rano podeszłam do kamienia? Jak to mogło być dzisiaj rano? Czuję się tak, jakbym cały dzień nosiła ze sobą ten miecz razem z kamieniem. Teraz je odkładam, do jutra. Zachowuję się okropnie po alkoholu i co z tego?

Podeszła jeszcze bliżej, a duma nie pozwoliła Cianowi się cofnąć.

- Miałam nadzieję, że zatańczysz ze mną dziś wieczorem. Miałam nadzieję i zastanawiałam się, jak to będzie, kiedy dotkniesz mnie inaczej niż w walce lub przez pomyłkę.

- Nie miałem nastroju do tańca.

- Och, te twoje humory! - Przyglądała mu się z uwagą, z jaką zapewne studiowała kolejne stronice swoich ksiąg. - Ja pewnie też miewam swoje. Byłam zła, gdy mnie wtedy pocałowałeś. I trochę się bałam. Teraz nie jestem ani zła, ani przestraszona. Ale myślę, że ty tak.

- Teraz mówisz naprawdę od rzeczy.

- W takim razie udowodnij. - Pokonała dzielący ich dystans i uniosła twarz. - Daj mi nauczkę.

Nikt nie mógł go za to potępić. Już dawno był potępiony. Nie był delikatny ani czuły. Przycisnął ją do siebie i niemal uniósł nad ziemię, zanim wpił się wargami w jej usta.

Poczuł smak wina i ciepło - i szaleństwo, którego się nie spodziewał. To, wiedział, był jego błąd.

Tym razem była na niego gotowa. Wplotła palce w jego włosy, usta miała otwarte i zachłanne. Nie skuliła się przed nim poddańczo ani nie drżała z obawy przed atakiem. Walczyła o więcej.

Zapłonęło w nim pożądanie, jeszcze jeden torturujący go demon.

Moira zastanawiała się, czy powietrze między nimi dymi, dlaczego oboje nie stanęli w płomieniach. Czuła w sobie ogień, w ciele, we krwi, w kościach.

Jak mogła żyć bez tego przez tyle lat?

Nawet gdy ją puścił i odepchnął od siebie, płomień pozostał w niej niczym gorączka.

– Czułeś to? – Jej szept był pełen zdziwienia. – Czułeś?

Miał teraz w sobie jej smak i wszystko w nim błagało o więcej, dlatego nie odpowiedział, nie odezwał się ani słowem. Zniknął w ciemności, zanim Moira zdążyła wziąć następny oddech.

5

*M*oira obudziła się wcześnie, pełna energii. Przez cały wczorajszy dzień dźwigała ogromny ciężar, jakby ktoś przykuł jej go do nogi. Teraz łańcuch został zerwany. Nie miało znaczenia, że z ołowianego nieba lał się deszcz, nie było ani promienia słońca. Ona znów miała w sobie światło.

Ubrała się w to, co nazywała swoim irlandzkim strojem, w dżinsy i sweter. Minął czas ceremonii i blichtru i do diabła z delikatnymi uczuciami, dopóki nie będzie miała znowu na nie czasu.

Może i została królową, pomyślała, zaplatając włosy w długi warkocz, ale będzie królową pracującą.

Będzie wojowniczką.

Zawiązała buty, przypasała miecz. Rozpoznawała i lubiła kobietę, którą zobaczyła w lustrze. Kobietę z misją, siłą i wiedzą.

Odwróciła się i rozejrzała po pokoju. Komnata królowej, pomyślała. Kiedyś sypialnia matki, teraz jej. Łóżko było szerokie, z pięknie udrapowanym granatowym aksamitem i pienistą śnieżnobiałą koronką. Na grubych słupach z polerowanego geallickiego dębu wyryto symbole jej kraju. Obrazy wiszące na ścianach także przedstawiały Geallię, jej pola, wzgórza i lasy.

Na stoliku przy łóżku stał mały portret w srebrnych ramach. Ojciec Moiry co noc strzegł jej matki – teraz będzie pilnował córki.

Popatrzyła na drzwi, które prowadziły na balkon królowej. Kotary wciąż były szczelnie zaciągnięte i zamierzała je tak zostawić. Przynajmniej na razie. Nie była gotowa, żeby otworzyć te drzwi, wyjść na kamienie, które spłynęły krwią matki.

Zamiast tego będzie wspominała szczęśliwe godziny, spędzone z nią w tej komnacie.

Wyszła na korytarz i ruszyła w stronę pokoju Hoyta i Glenny. Zapukała do drzwi. Nie otwierali przez dłuższą chwilę i wtedy Moira zdała sobie sprawę, która godzina. Już miała odejść w nadziei, że nie usłyszeli jej pukania, gdy drzwi się otworzyły.

Hoyt dopinał jeszcze koszulę, długie włosy miał zmierzwione, oczy zaspane.

– Och, bardzo was przepraszam – zaczęła. – Nie pomyślałam...

– Czy coś się stało? Jakiś wypadek?

– Nie, nie, nic. Zapomniałam, jak jest wcześnie. Proszę, wracaj do łóżka.

– Co się stało? – Glenna pojawiła się za jego plecami. – Moira? Masz jakieś kłopoty?

– Tylko ze swoimi manierami. Wstałam bardzo wcześnie i nie pomyślałam, że inni mogą być jeszcze w łóżku, zwłaszcza po wczorajszej uroczystości.

– Nic się nie stało. – Glenna położyła Hoytowi dłoń na ramieniu, dając mu znak, żeby się odsunął. – Czego sobie życzysz?

– Chciałabym porozmawiać z tobą na osobności. Tak naprawdę chciałam cię poprosić, żebyś zjadła ze mną śniadanie w salonie mojej matki... w moim salonie, żebyśmy mogły spokojnie porozmawiać.

– Daj mi dziesięć minut.

– Jesteś pewna? Możemy przełożyć to na później.

– Dziesięć minut – powtórzyła Glenna.

– Dziękuję. Każę przygotować posiłek.

– Ona wygląda... na gotową do czegoś – zauważył Hoyt, gdy Glenna podeszła do miednicy, żeby się umyć.

– Ciekawe, do czego. – Skupiona Glenna zanurzyła palce w misce. Nie mogła wziąć prysznica, ale na pewno nie zamierzała myć się w zimnej wodzie.

Zrobiła, co mogła, w tak spartańskich warunkach, podczas gdy Hoyt rozniecał ogień. Na koniec, ulegając próżności, dodała mały czar na piękność.

– Może chce po prostu pomówić o dzisiejszym rozkładzie ćwiczeń. – Glenna włożyła kolczyki, o których zdjęciu będzie musiała pamiętać przed walką. – Mówiłam ci, że wyznaczyła nagrodę – jeden z naszych krzyży – dla kobiety, która rozłoży ją dziś na łopatki.

– Dobrze, że wyznaczyła nagrodę, ale nie wiem, czy to będzie najlepsze zastosowanie dla krzyża.

– Było ich dziewięć – przypomniała mu Glenna, ubierając się. – Pięć dla nas, plus jeden dla Kinga, razem sześć. Zgodziliśmy się podarować dwa matce Larkina i jego ciężarnej siostrze. Dziewiąty też ma jakiś cel. Może właśnie taki.

– Zobaczymy, co przyniesie dzień. – Uśmiechnął się, gdy Glenna wciągnęła przez głowę szary sweter. – Jak to się dzieje, *a ghrá*, że każdego poranka wyglądasz piękniej?

– To miłość w twoich oczach. – Wtuliła się w jego ramiona, gdy do niej podszedł, i popatrzyła tęsknie na łóżko. – Deszczowy poranek. Miło by było zakopać się na godzinkę w pościeli, żebym mogła do cna cię wykorzystać. – Uniosła twarz do pocałunku. – Ale wygląda na to, że czeka mnie śniadanie z królową.

Gdy Glenna weszła do komnaty, Moira siedziała, jak miała w zwyczaju, przy ogniu, z książką na kolanach. Podniosła wzrok i uśmiechnęła się przepraszająco.

– Powinnam się wstydzić, że wyrwałam cię z objęć męża i z ciepłego łóżka o takiej porze.

– Przywilej królowej.

Moira ze śmiechem wskazała Glennie fotel.

– Zaraz przyniosą jedzenie. Pewnego dnia, jeśli zakiełkują nasiona, które przywiozłam i posadziłam, będę mogła pić rano sok pomarańczowy. Brakuje mi jego smaku.

– Ja mogłabym zabić za kawę – przyznała się Glenna. – I właściwie tak robię. Za kawę, szarlotkę, wideo i wszystkie ludzkie przyjemności. – Usiadła i przyjrzała się Moirze. – Dobrze wyglądasz – pochwaliła. – Na wypoczętą i, jak to Hoyt powiedział, gotową.

– Jestem. Wczoraj miałam tyle spraw na głowie i w sercu, że przez cały dzień czułam ich ciężar. Miecz i korona należały do mojej matki i przeszły w moje ręce tylko dlatego, że ona nie żyje.

– A ty tak naprawdę nie miałaś czasu, żeby ją opłakać.

– Nie, nie miałam. Jednak wiem, że ona by wolała, abym właśnie tak postąpiła, niż żebym zamknęła się gdzieś, by za nią płakać. Wczoraj też się bałam. Jaką królową okażę się dla Geallii i to w takich czasach.

Moira popatrzyła z pewną satysfakcją na swoje spodnie i buty.

– Cóż, teraz już wiem, jaką postaram się być królową. Silną, nawet gwałtowną. Nie ma czasu na siedzenie na tronie i dyskusje. Polityka i protokół będą musiały poczekać, prawda? Odprawiliśmy naszą ceremonię, świętowaliśmy, bo tak było trzeba. Ale teraz pora na pot i brud.

Wstała, gdy wniesiono posiłek. Przemówiła do młodego chłopca – wciąż trochę zaspanego – i do służki, która przyszła wraz z nim.

Rozmawiała z nimi swobodnie, zauważyła Glenna. Zwracała się do obojga po imieniu, gdy rozkładali potrawy i talerze. I chociaż oboje wyglądali na zdziwionych strojem królowej, Moira wydawała się absolutnie tym nie przejmować. Odprawiła ich z podziękowaniem i poleceniem, by jej nie przeszkadzano.

Gdy usiadły do stołu, Glenna zobaczyła, że Moira, która od kilku dni tylko skubała jedzenie, jadła z apetytem równym apetytowi Larkina.

– Na placu będzie dziś błoto – zaczęła Moira – i myślę, że to dobrze. Dobry trening. Chciałam ci powiedzieć, że chociaż też będę teraz ćwiczyła, prawdopodobnie codziennie, ty i Blair nadal prowadzicie treningi. Chcę, żeby wszyscy zobaczyli, że ja ćwiczę tak samo jak każdy. Że brudzę się i zbieram siniaki.

– Zabrzmiało to zupełnie, jakbyś nie mogła się doczekać.

– Na bogów, nie mogę. – Moira wzięła sporą porcję jajek, które kazała kucharzom przyrządzić tak, jak to często robiła Glenna. Jajecznicę z kawałkami szynki i krążkami cebuli. – Pamiętasz, jak Larkin i ja przeszliśmy przez Taniec do Irlandii? Dziewięć na dziesięć razy umiałam posłać strzałę prosto do celu, ale każdy bez wysiłku mógł rozłożyć mnie na łopatki.

– Zawsze wstawałaś.

– Tak, zawsze wstawałam. Ale teraz już nie tak łatwo mnie rozłożyć. I chcę, żeby wszyscy to zobaczyli.

– Pokazałaś im, jaką jesteś wojowniczką, kiedy zabiłaś tego wampira.

– Pokazałam. Teraz chcę pokazać żołnierza, który nie boi się siniaków i zadrapań. I jest jeszcze coś, o co chciałam cię prosić.

- Tak myślałam. - Glenna dolała im obu herbaty. - Wykrztuś to z siebie.
- Nigdy nie studiowałam magii, jaką posiadam. Sama widziałaś, że nie mam jej wiele. Trochę daru leczenia i pewien rodzaj mocy, którą może otworzyć ktoś potężniejszy, jak zrobiliście to ty i Hoyt. Sny. Studiowałam sny, czytałam książki o ich znaczeniu. I, oczywiście, książki o samej magii. Ale zawsze myślałam, że moja moc nie ma żadnego prawdziwego zastosowania, może oprócz złagodzenia komuś bólu. Lub zdecydowania, którą drogą pójść, by znaleźć na polowaniu jelenia. Drobne rzeczy.
- A teraz?
- A teraz - Moira skinęła głową - myślę, że znam już cel i widzę zadania. Czuję, że potrzebuję wszystkiego, co mam, kim jestem. Im więcej wiem, o tym, co mam w sobie, tym lepiej mogę to wykorzystać. Poczułam to, gdy chwyciłam miecz, kiedy dotknęłam dłonią rękojeści. Wiedziałam, że jest mój, że zawsze należał do mnie. I jego moc, silna jak wiatr, wpłynęła we mnie, a raczej przez mnie. Rozumiesz?
- Bardzo dobrze.
Moira znowu pokiwała głową i wróciła do jedzenia.
- Zaniedbywałam to, bo nigdy nie widziałam prawdziwego sensu. Chciałam czytać, uczyć się, polować z Larkinem, jeździć konno.
- Robić to, co sprawia młodej kobiecie przyjemność - wtrąciła Glenna.
- Dlaczego nie miałaś robić tego, co lubiłaś? Nie wiedziałaś, co przyniesie przyszłość.
- Nie, nie wiedziałam. Zastanawiam się, czy byłoby inaczej, gdybym spojrzała w głąb siebie.
- Nie mogłaś uratować matki, Moiro - powiedziała Glenna łagodnie.
Moira podniosła na nią jasny wzrok.
- Tak łatwo czytasz w moich myślach.
- Chyba dlatego, że na twoim miejscu myślałabym tak samo. Nie mogłaś jej ocalić. Co więcej...
- Tak miało się stać - dokończyła Moira. - Usiłuję to pojąć. Ale gdybym zajrzała w głąb tego, co mam, może jednak zobaczyłabym przyszłość. Nie żeby to zrobiło jakąś różnicę. Tak jak Blair widziałam w snach pole bitwy. Ale inaczej niż ona, ja na nim nie stanęłam. Odwróciłam się. To też już się stało. Ja nie... poczekaj. - Szukała właściwego słowa. - Nie biczuję się za to? Tak?
- Tak, tak się mówi.
- Nie biczuję się za to, ale postaram się to zmienić. Dlatego chciałabym cię zapytać, czy znajdziesz czas, żeby pomóc mi w wyćwiczeniu tego, co we mnie jest, tak jak wyćwiczyłam się w walce.
- Znajdę. Z radością.
- Jestem ci wdzięczna.
- Nie ma za co. To będzie ciężka praca. Magia to sztuka i rzemiosło. I dar. Ale twoje porównanie z fizycznym treningiem jest bardzo celne, bo magia przypomina mięsień. - Glenna położyła dłoń na swoim bicepsie. - Musisz ją ćwiczyć i budować. Praktykowanie magii, jak medycyny, wymaga ciągłej nauki.

- Każda broń, którą zabiorę do walki, będzie kolejnym ciosem we wroga. - Moira uniosła brwi i zgięła ramię. - Dlatego zbuduję tamten mięsień tak, jak budowałam ten, aż będzie naprawdę silny. Ja chcę ją zmiażdżyć, Glenno. Nie tylko pokonać, ale zetrzeć na proch. Z tak wielu powodów. Za moich rodziców, Kinga, Ciana - dodała po krótkiej przerwie. - Nie spodobałoby mu się to, że myślę o nim jako o ofierze, prawda?

- On nie patrzy na siebie w ten sposób.

- Nie. Dlatego na swój sposób kwitnie. Znalazł... nie mogę powiedzieć, spokój, bo to niespokojny duch, prawda? Ale zaakceptował swój los. Nauczył się z niego korzystać.

- Myślę, że każdy by się przyzwyczaił po tylu latach.

Moira zawahała się, z uwagą przesuwając po talerzu resztki jedzenia.

- On znowu mnie pocałował.

- Och. Och! - jęknęła Glenna. I po chwili jeszcze raz: - Och.

- Zmusiłam go.

- Nie chciałabym umniejszać twojej mocy i czaru, ale nie sądzę, żeby komukolwiek udało się zmusić Ciana do zrobienia czegoś, na co nie miałby ochoty.

- Może i miał, ale nie zamierzał tego robić, dopóki go nie zmusiłam. Trochę za dużo wypiłam.

- Hm.

- Nie byłam taka okropna - powiedziała Moira z lekko nerwowym śmiechem. - Naprawdę. Tylko trochę mniej zasadnicza w kwestii manier, że tak powiem, i nieco bardziej zdeterminowana. Chciałam zaczerpnąć powietrza, potrzebowałam ciszy, więc poszłam na górę, na mury obronne. I on tam był.

Znowu miała przed oczami jego postać.

- Mógł pójść dokądkolwiek i ja też mogłam iść gdzie indziej, ale żadne z nas tego nie zrobiło i oboje znaleźliśmy się w tym samym miejscu, o tej samej porze. Nocą - mówiła cicho. - Muzyka i światła ledwo do nas docierały.

- Romantyczne.

- Chyba tak. W powietrzu pachniał już deszcz, który zaczął padać przed świtem, a cienki sierp księżyca odcinał się bielą na niebie. Cian nosi w sobie tajemnicę, którą chcę odkrywać, aż znajdę wszystkie części układanki.

- Nie byłabyś człowiekiem, gdybyś nie uważała tego za fascynujące - uznała Glenna. Obie wiedziały o tym, czego nie powiedziała na głos. On nie był. Nie był człowiekiem.

- Był taki sztywny i oficjalny, jak to on potrafi w mojej obecności, i uznałam to za irytujące. I cóż, muszę przyznać, za wyzwanie. A jednocześnie... Czuję to czasami, kiedy z nim jestem. Coś we mnie budzi się do życia.

Przycisnęła dłoń do brzucha i przesunęła ją ku sercu.

- Coś... rodzi się we mnie, w środku. Nigdy nie czułam nic takiego do mężczyzny. Niewinne flirty, wiesz? Bezpieczne i interesujące uczucia, ale nic tak gorącego i silnego. W nim jest coś, co mnie zniewala. On jest taki...

- Seksowny - dokończyła Glenna. - I to nieprzyzwoicie.

– Chciałam wiedzieć, czy będzie tak jak za pierwszym razem, jedynym razem, kiedy oboje byliśmy tacy wściekli i on mnie złapał. Powiedziałam mu, żeby to powtórzył, i nie przyjmowałam do wiadomości odmowy. – Przechyliła głowę, jakby sama się sobie dziwiąc. – Wiesz, chyba denerwował się przy mnie. Widziałam, jaki jest podniecony i jak bardzo stara się z tym walczyć i ten widok był jeszcze bardziej oszałamiający niż wino.

– Boże, tak. – Glenna, wzdychając głęboko, sięgnęła po herbatę. – Musiał być.

– A kiedy mnie pocałował, było tak, jak wtedy, i jeszcze lepiej. Bo na to czekałam. W tej jednej chwili on był równie oczarowany jak ja. Widziałam to.

– Czego od niego oczekujesz, Moira?

– Nie wiem. Może tylko tego żaru, tej siły. Przyjemności. Czy to źle?

– Nie umiem powiedzieć. – Ale to ją zmartwiło. – On nigdy nie będzie mógł dać ci więcej, musisz zrozumieć. On by tu nie został, a nawet jeśli tak, to tylko na jakiś czas, nigdy nie moglibyście ułożyć sobie razem życia. Stąpasz po niebezpiecznym gruncie.

– Każdego dnia do Samhainu stąpamy po niebezpiecznym gruncie. Wiem, że to, co mówisz, jest rozsądne, ale w duszy i sercu ja wciąż chcę. Muszę się uspokoić, zanim zdecyduję, co powinnam teraz zrobić. Wiem jednak, że nie chcę iść do bitwy, odwracając się od uczuć tylko dlatego, że boję się tego, co mogłoby się stać, a co nie mogło.

Glenna pomyślała chwilę, po czym znowu westchnęła.

– Może to rozsądne, ale bardzo wątpię, żebym zastosowała się do własnej rady, gdybym była na twoim miejscu.

Moira sięgnęła przez stół i ujęła jej dłoń.

– Rozmowa z drugą kobietą tak bardzo pomaga. Dobrze powiedzieć przyjaciółce, co kłębi się w mojej duszy i sercu.

W innej części Geallii, w domu o oknach zasłoniętych nawet przed słabym światłem deszczowego dnia, inne dwie przyjaciółki siedziały i rozmawiały.

Ich dzień dobiegał końca, gdy dzieliły cichy posiłek.

Cichy, bo mężczyzna, którego krew piły, nie miał już sił na protesty i walkę.

– Miałaś rację. – Lora oparła się wygodniej i delikatnie otarła usta lnianą serwetką. Mężczyzna został przykuty do stołu między nimi, bo Lilith chciała, by jej ranna towarzyszka usiadła do jedzenia, zamiast leżeć w łóżku, popijając z kielicha krew. – Wstałam i dobrze mi to zrobiło, potrzebowałam cywilizowanego zabójstwa.

– No widzisz. – Lilith uśmiechnęła się zadowolona.

Lora wciąż była mocno poparzona. Święcona woda, którą ta suka, łowczyni, chlusnęła jej w twarz, dokonała potwornych zniszczeń. Jednak Lora czuła się coraz lepiej, a dobry, świeży posiłek pomoże jej odzyskać siły.

– Chciałabym, żebyś zjadła jeszcze trochę.

– Zjem. Byłaś dla mnie taka dobra, Lilith. A ja cię zawiodłam.

– Nie zawiodłaś. To był dobry plan i prawie się udał. To ty zapłaciłaś tak wysoką cenę. Nie mogę nawet myśleć o bólu, jaki wycierpiałaś.

– Umarłabym bez ciebie.

Były kochankami i przyjaciółkami, współzawodniczkami i przeciwniczkami. Od czterystu lat były dla siebie wszystkim, ale rany Lory i fakt, że omal nie została unicestwiona, zbliżyły je bardziej niż kiedykolwiek dotychczas.

– Dopóki nie zostałaś tak skrzywdzona, nie wiedziałam, jak bardzo cię kocham i potrzebuję. No proszę, kochanie, zjedz jeszcze trochę.

Lora posłusznie uniosła bezwładne ramię mężczyzny i zatopiła kły w nadgarstku.

Przed poparzeniem była śliczna, młoda i pełna animuszu. Teraz twarz miała czerwoną i obrzmiałą, pociętą na wpół zagojonymi ranami, ale szklista mgła bólu zniknęła z jej błękitnych oczu, a głos znów stał się mocny.

– To było wspaniałe, Lilith. – Znowu opadła na fotel. – Ale nie mogę już wypić ani kropli.

– W takim razie każę to zabrać, a my usiądziemy na chwilę przed kominkiem, zanim udamy się na spoczynek.

Lilith zadzwoniła srebrnym dzwoneczkiem, dając znak sługom, żeby sprzątnęli ze stołu. Wiedziała, że resztki na pewno się nie zmarnują.

Wstała, żeby pomóc Lorze przejść na drugą stronę pokoju, gdzie już czekały na sofie poduszki i koc.

– Wygodniej tu niż w jaskiniach – zauważyła – jednak i tak będę szczęśliwa, gdy opuścimy to miejsce i zamieszkamy we właściwych warunkach.

Posadziła Lorę, zanim sama usiadła, królewska w czerwonej sukni, złote włosy upięła wysoko, chcąc dodać wieczorowi uroku.

Jej piękność nie zbladła ani o jotę przez dwa tysiące lat, które minęły od jej śmierci.

– Czujesz ból? – spytała przyjaciółkę.

– Nie. Już prawie wróciłam do siebie. Przepraszam, że wczoraj rano zachowałam się tak dziecinnie, kiedy ta suka przyleciała na swoim idiotycznym smoku. Kiedy ją zobaczyłam, wszystko do mnie wróciło, strach i ból nie do zniesienia.

– Nieźle ją zaskoczyłyśmy, prawda? – Lilith kojącym gestem otuliła Lorę kocem. – Wyobraź sobie jej zaskoczenie, gdy strzały odbiły się od tarczy Midira. Miałaś rację, kiedy mnie przekonywałaś, żebym go nie zabijała.

– Następnym razem, jak ją zobaczę, nie będę szlochała i chowała się pod kołdrę niczym wystraszone dziecko. Następnym razem, gdy ją spotkam, zginie z mojej ręki. Przysięgam.

– Wciąż chcesz zrobić z niej zabawkę?

– Nigdy nie ofiarowałabym tej dziwce takiego daru. – Lora zacisnęła usta w grymasie. – Ode mnie dostanie już tylko śmierć. – Z westchnieniem złożyła głowę na ramieniu Lilith. – Nigdy nie mogłaby stać się dla mnie tym, kim ty jesteś. Myślałam, że trochę się z nią zabawimy, że dostarczy nam obu trochę radości w łóżku. Cała ta jej energia i temperament były takie pociągające. Ale nigdy nie mogłabym pokochać jej tak, jak kocham ciebie.

Uniosła twarz, a jej usta spotkały wargi Lilith w długim, miękkim pocałunku.

- Jestem twoja, Lilith. Na wieczność.
- Moja słodka dziewczynka. - Lilith pocałowała ją w skroń. - Wiesz, kiedy pierwszy raz cię zobaczyłam, gdy siedziałaś sama na ciemnej, mokrej ulicy Paryża, wiedziałam, że należysz do mnie.
- Myślałam, że kocham mężczyznę - wyszeptała Lora. - A on kocha mnie. Ale on mnie wykorzystał, wzgardził mną, rzucił dla innej. Myślałam, że złamał mi serce. I wtedy pojawiłaś się ty.
- Pamiętasz, co do ciebie powiedziałam?
- Nigdy tego nie zapomnę. Zapytałaś: „Moja słodka, smutna dziewczynko, jesteś tu zupełnie sama?". Powiedziałam ci, że moje życie jest skończone, że do rana umrę z żalu.
Lilith roześmiała się i pogłaskała Lorę po włosach.
- Taka dramatyczna. Jak mogłam ci się oprzeć?
- A ja tobie. Byłaś taka piękna jak królowa - którą jesteś. Miałaś na sobie czerwoną suknię, tak jak dziś, a włosy tak jasne, całe w lokach. Zabrałaś mnie do domu, nakarmiłaś chlebem i winem, słuchałaś mojej smętnej historii i osuszałaś mi łzy.
- Byłaś taka młoda i czarująca. Taka pewna, że ten mężczyzna, który cię porzucił, był wszystkim, czego mogłaś kiedykolwiek pragnąć.
- Teraz nawet nie pamiętam jego imienia. Ani twarzy.
- Tak chętnie poszłaś w moje ramiona - wyszeptała Lilith. - Zapytałam, czy chciałabyś zostać młoda i piękna na zawsze, czy chciałabyś mieć władzę nad mężczyznami takimi jak ten, który cię skrzywdził. Powiedziałaś: „tak" i znowu „tak". Nawet kiedy cię posmakowałam, tuliłaś się do mnie mocno i powtarzałaś: „tak, tak".
Białka oczu Lory zalśniły czerwienią na wspomnienie tej wspaniałej chwili.
- Nigdy nie zaznałam tak cudownego dreszczu.
- Gdy piłaś moją krew, kochałam cię tak, jak nikogo na świecie.
- A kiedy znowu ożyłam, przyprowadziłaś go do mnie, żebym pierwszego mogła zabić tego, który mną wzgardził. Podzieliłyśmy się nim tak, jak dzieliłyśmy wielu innych.
- Z nadejściem Samhainu podzielimy się wszystkim.

Gdy wampiry spały, Moira stała na placu ćwiczeń. Była brudna i wyczerpana. Biodro bolało ją od ciosu, przed którym nie zdążyła się obronić, i wciąż ciężko dyszała po ostatniej rundzie.
Czuła się cudownie.
Wyciągnęła rękę, żeby pomóc Dervil wstać.
- Świetnie ci poszło - pochwaliła ją. - Już prawie mnie miałaś.
Skrzywiona Dervil rozmasowała swe pokaźne siedzenie.
- Nie sądzę.
Glenna obserwowała je obie, z rękami na biodrach, w skórzanym kapeluszu o szerokim rondzie na głowie, teraz przemoczonym do suchej nitki.
- Tym razem dłużej utrzymałaś się na nogach i szybciej wstałaś. - Skinęła głową z aprobatą. - Zrobiłaś postępy. Z tego, co wiem, po drugiej stro-

nie tego placu jest kilku mężczyzn, których spokojnie mogłabyś położyć na łopatki.

– Po drugiej stronie tego placu jest kilku mężczyzn, których położyła – zawołała Isleen, a kobiety roześmiały się rubasznie.

– Ja przynajmniej wiem, co z nimi robić, jak już ich położę – odcięła się Dervil.

– Zostaw trochę tej energii na następną rundę – poradziła Glenna – to może wygrasz, zamiast lądować w błocie. Poćwiczmy jeszcze chwilę z łukiem i skończmy na dzisiaj.

Kobiety odetchnęły z ulgą, ale Moira zamachała ręką.

– Jeszcze nie walczyłam z Cearą. Zachowałam najlepszą, jak mi mówiono, przeciwniczkę, na koniec. Żebym mogła odejść z pola w pełni chwały.

– Zadziorna. Lubię to. – Blair szła przez błoto i deszcz. – Jeżeli chodzi o broń, to mamy coraz lepsze wskaźniki produkcji. – Odchyliła głowę. – Mówię wam, deszcz jest cudowny po kilku godzinach z młotem i kowadłem. Jak wam idzie?

– Moira pokonała wszystkie dziewczyny w walce wręcz i na miecze. Wyzwała na pojedynek Cearę, a potem idziemy strzelać z łuków.

– Bardzo dobrze. Mogę zabrać grupę do tarcz, a wy tu dokończcie.

Kobiety na natychmiast zaprotestowały głośno, chcąc oglądać ostatnią walkę.

– Żądne krwi. – Blair skinęła głową z aprobatą. – To też mi się podoba. No dobrze, drogie panie, zróbcie im miejsce. Na kogo stawiasz? – zapytała szeptem Glennę, gdy obie kobiety zajęły pozycje do walki.

– Moira jest w świetnej formie i ma silną motywację. Dzisiaj po prostu przeryła się przez pole. Stawiałabym na nią.

– Ja obstawiam Cearę. Jest sprytna i nie boi się oberwać. Sama zobacz – dodała, gdy tamta upadła twarzą w błoto i natychmiast skoczyła na równe nogi.

Zamarkowała cios, obróciła się w ostatniej chwili i wycelowała stopą w brzuch Moiry. Królowa odskoczyła, złapała równowagę i przykucnęła, by uniknąć następnego ciosu. Podskoczyła i przerzuciła Cearę przez ramię, ale gdy się odwróciła, przeciwniczka nie leżała na plecach, ale odbiła się dłońmi od ziemi, kopnęła i powaliła Moirę w błoto.

Ta poderwała się błyskawicznie z błyszczącymi oczami.

– Proszę, proszę, widzę, że twoja reputacja nie kłamie.

– Mam ochotę na nagrodę. – Pochylona Ceara okrążyła przeciwniczkę. – Uważaj.

– To chodź i ją sobie weź.

– Dobra walka – uznała Blair, gdy ręce i nogi przeciwniczek zaczęły znowu młócić powietrze. – Ceara, łokcie do góry!

Glenna trąciła Blair w ramię.

– Żadnej pomocy od widzów. – Nie tylko dlatego, że to była dobra, równa walka, ale także dlatego że pozostałe kobiety dopingowały przeciwniczki i wykrzykiwały porady.

Udało im się stworzyć zespół.

Moira upadła, machnęła nogami jak nożycami i wymknęła się spod napastniczki, lecz gdy znowu chciała przygwoździć Cearę, ta skoczyła do przodu i przerzuciła ją nad głową.

Kilka kobiet krzyknęło ze współczuciem, gdy Moira z głuchym łomotem wylądowała na plecach. Zanim zdążyła się podnieść, Ceara już ją dusiła, przyciskając łokieć do jej gardła i pięść do serca.

– Przebiłam cię.

– Cholera, przebiłaś. Zejdź ze mnie, na litość boską, bo zmiażdżysz mi płuca.

Z trudem łapała oddech, próbując zmusić wciąż drżące ciało do zajęcia pozycji siedzącej. Ceara opadła w błoto obok niej i obie ciężko dyszały, patrząc na siebie.

– Jesteś niezłą suką w walce – powiedziała w końcu Moira.

– I nawzajem, pani, z całym szacunkiem. Teraz mam siniaki na siniakach, a na wierzchu jeszcze zadrapania.

Moira otarła ramieniem błoto z twarzy.

– Byłam zmęczona.

– To prawda, ale tak samo położyłabym cię, gdybyś nie była.

– Chyba masz rację. Zdobyłaś nagrodę, Cearo, i w pełni na nią zasłużyłaś. Jestem dumna, że mnie pokonałaś.

Wyciągnęła rękę, potrząsnęła dłonią przeciwniczki i uniosła ją wysoko.

– Oto zwycięzca walki wręcz.

Kobiety wiwatowały i ściskały się. Moira machnęła ręką, gdy Ceara wyciągnęła dłoń, by pomóc jej wstać.

– Posiedzę tu jeszcze chwilę, muszę złapać oddech. Idźcie po łuki. W tej broni żadna mnie nie pokona.

– Nie udałoby się nam nawet za tysiąc lat. Wasza wysokość?

– Tak? O Boże, nie będę mogła siedzieć przez tydzień. – Rozmasowała obolałe biodro.

– Nigdy nie byłam bardziej dumna z mojej królowej.

Moira uśmiechnęła się do siebie i siedziała w ciszy, przyzwyczajając się do bólu całego ciała. Nagle podniosła wzrok ku miejscu, gdzie stali wczoraj z Cianem.

I on tam stał, w półmroku, na deszczu, patrząc prosto na nią. Mimo odległości czuła jego moc, siłę przyciągania, jakiej nie miał żaden inny mężczyzna, którego dotychczas spotkała.

– I na co się gapisz? – powiedziała do siebie. – To takie zabawne patrzeć, jak siedzę na tyłku w błocie?

Pewnie tak, i kto mógł go winić? Zapewne stanowiła niezły widok.

– My też stoczymy walkę, wcześniej czy później. Wtedy zobaczymy, kto kogo zwycięży.

Wstała, zacisnęła zęby, żeby nie kuleć, i odeszła równym krokiem, nawet nie obejrzawszy się za siebie.

6

Po zeskrobaniu tony błota Moira dołączyła do pozostałych, którzy zebrali się, by obmyślić strategię. Weszła, gdy balansowali po cienkiej granicy między dyskusją a kłótnią.

– Nie mówię, że nie dasz rady. – Ton, którym Larkin zwrócił się do Blair, zdradzał, że jego cierpliwość jest na wyczerpaniu. – Tylko że Hoyt i ja doskonale poradzimy sobie sami.

– A ja mówię, że we trójkę zrobimy to szybciej niż wy we dwóch.

– A co takiego? – zapytała Moira.

Odpowiedź nadeszła z wielu źródeł, wypowiadana coraz bardziej podniesionymi głosami.

– Niewiele zrozumiałam – uniosła dłoń, by przywrócić spokój, i zajęła swoje miejsce przy stole – oprócz tego, że wysyłamy zwiadowców, którzy mają urządzić bazę w pobliżu pola bitwy i trochę powęszyć po drodze.

– A pierwsze oddziały ruszą o poranku za nimi – dokończył Hoyt. – Zaznaczyliśmy miejsca, w których można znaleźć schronienie. Tutaj – powiedział, pukając w rozciągniętą na stole mapę. – Dzień drogi na wschód. I jeszcze jedno, dzień od tamtego.

– Ale prawda jest taka, że Lilith, kiedy się tu zakopała – Blair położyła pięść na mapie – zajęła najlepsze miejsce. Możemy założyć bazy na krzyż, stworzyć poszarpaną linię frontu, ale musimy je zabezpieczyć, zanim wyślemy tam ludzi. I to nie tylko te po drodze, ale też te blisko doliny.

– To prawda. – Moira w zamyśleniu studiowała mapę, obliczając w głowie drogę między bazami. – Larkin najszybciej pokona tę odległość, co do tego jesteśmy zgodni?

– Tak. Ale gdybyśmy ściągnęli inne smoki...

– Blair, powiedziałem, że to niemożliwe.

– Smoki? – Moira znowu uniosła dłoń, by uciszyć Larkina. – Co masz na myśli?

– Kiedy Larkin zmienia postać, może porozumiewać się, przynajmniej na podstawowym poziomie, z przedstawicielami tego samego gatunku – zaczęła Blair.

– Może. I?

– Więc jeśli zawołałby inne smoki, kiedy sam jest w tej postaci, może udałoby się je przekonać, żeby poleciały za nami... z jeźdźcami na grzbietach.

- To łagodne, spokojne stworzenia - przerwał jej Larkin. - Nie powinniśmy zabierać ich tam, gdzie może stać się im krzywda.

- Poczekajcie, poczekajcie. - Moira odchyliła się na oparcie, analizując to w myślach. - Czy to wykonalne? Widziałam, jak niektórzy od czasu do czasu brali do domu małe smoki jako zwierzątko, w ramach zabawy, ale nigdy nie słyszałam, żeby ktokolwiek jeździł na dorosłym smoku, chyba że w bajkach. Gdyby to się udało, moglibyśmy szybko przemieszczać się z miejsca na miejsce, nawet w nocy. A w walce...

Przerwała, gdy zobaczyła minę Larkina.

- Przykro mi, naprawdę, ale w tej kwestii nie możemy być sentymentalni. Smok jest symbolem Geallii, a Geallia potrzebuje każdej pomocy. Prosimy naszych ludzi, kobiety, dzieci, starców, żeby walczyli i poświęcali się dla innych. Jeśli to możliwe, to trzeba to zrobić.

- Nie wiem, czy to możliwe.

Moira wiedziała, że Larkin potrafił być uparty jak muł.

- Będziesz musiał spróbować. Nasze konie też kochamy, Larkinie - przypomniała mu - ale jedziemy na nich do walki. Hoyt, powiedz mi szczerze, czy lepiej, żebyście zrobili to we dwóch z Larkinem, czy żebyście pojechali we trójkę?

Hoyt miał zbolałą minę.

- Stawiasz mnie między młotem a kowadłem, prawda? Larkin martwi się, że Blair jeszcze w pełni nie odzyskała sił po walce z wampirami.

- Jestem w doskonałej formie - upierała się Blair i uderzyła Larkina - dosyć mocno - w ramię. - Chcesz stanąć ze mną oko w oko, kowboju, i sam się przekonać?

- Pod koniec dnia wciąż bolą ją żebra, a zranione ramię nadal jest słabe.

- Już ja ci pokażę, kto tu jest słaby.

- Dzieci, dzieci. - Glenna zdobyła się na lekki i sarkastyczny ton. - Zamierzam wtrącić swoje trzy grosze. Blair może w pełni podołać obowiązkom. Wybacz, kotku - powiedziała do Larkina - ale naprawdę nie możemy jej wpisać na listę niepełnosprawnych.

- Najlepiej by było, żeby ona też pojechała. - Hoyt również popatrzył na niego przepraszająco. - Jeśli polecimy tam we trójkę, nie powinno nam to zająć dłużej niż jeden dzień. Pierwsze oddziały będą mogły wyruszyć do bazy o pierwszym brzasku.

- A my troje zostaniemy tutaj, żeby kontynuować pracę, treningi i przygotowania. - Moira skinęła głową. - Tak będzie najlepiej. Larkinie, myślisz, że Tynan powinien poprowadzić ten pierwszy oddział?

- Pytasz, żeby ukoić moją zranioną dumę czy dlatego, że chcesz poznać moje zdanie na ten temat?

- Jedno i drugie.

Udało jej się skłonić go do niechętnego śmiechu.

- W takim razie, tak, on będzie najlepszy.

- Zabierajmy się do roboty. - Blair przesunęła wzrokiem po zebranych.
- Larkin lata tak szybko, że powinno nam się udać założyć pierwszą bazę przed zmrokiem, może nawet dwie.

- Weźcie wszystko, czego wam potrzeba - poleciła Moira. - Pomówię z Tynanem i powiem, żeby o świcie poprowadził pierwsze oddziały.

- Ona będzie na was czekała. - Cian odezwał się po raz pierwszy, odkąd Moira weszła do komnaty. - Jeśli nawet sama Lilith o tym nie pomyślała, przewidział to któryś z jej doradców. Rozstawi obserwatorów i urządzi zasadzki.

Blair skinęła głową.

- Pomyślałam o tym. Dlatego lepiej, żebyśmy byli we trójkę i zjawili się z powietrza. Oni nas nie zaskoczą, ale może my zaskoczymy ich.

- Łatwiej wam będzie, jeśli nadlecicie stąd. - Wstał i podszedł do mapy. - Okrążcie je tędy i podlećcie do pierwszej bazy od wschodu lub północy. Oczywiście to wam zajmie więcej czasu, ale one raczej nie będą się was spodziewały z tej strony.

- Masz rację - uznała Blair i popatrzyła na Larkina ze zmarszczonymi brwiami. - Hoyt i ja moglibyśmy się przyczaić, a nasz różnokształtny przyjaciel by się rozejrzał. Może jako ptak albo jakieś zwierzę, którego obecność nikogo by nie zdziwiła. Będziemy musieli zabrać więcej zapasów - dodała. - On zużywa tak wiele energii przy zmianie postaci, że lepiej się zabezpieczyć niż potem żałować.

- Niech to będzie coś małego - ostrzegł Cian Larkina. - Jeśli pójdziesz jako jeleń czy inna zwierzyna łowna, mogą zastrzelić cię dla sportu lub na dodatkowy posiłek. One pewnie są już bardzo znudzone. Przy takiej pogodzie jak dzisiejsza siedzą zapewne w domu lub w kryjówkach. Tak samo jak ludzie nie lubimy moknąć.

- Dobrze, pomyślimy nad tym. - Blair wstała. - Jeśli masz w zanadrzu jakieś magiczne sztuczki - zwróciła się do Hoyta - to lepiej weź je z sobą.

- Bądź ostrożny. - Stali przy bramie. Glenna wygładziła płaszcz Hoyta.

- Nie martw się.

- To dają w pakiecie. - Złapała płaszcz obiema rękami i popatrzyła Hoytowi w oczy. - Odkąd to wszystko się zaczęło, mocno się ze sobą związaliśmy, ty i ja. Tak bardzo żałuję, że nie jadę z tobą.

- Jesteś tu potrzebna. - Dotknął jej krzyża, a potem swojego. - Będziesz wiedziała, gdzie jestem i jak się czuję. Najwyżej dwa dni. Wrócę do ciebie.

- A spróbowałbyś nie! - Przyciągnęła go do siebie i pocałowała długo i mocno, choć serce w niej drżało. - Kocham cię. Pozostań bezpieczny.

- Kocham cię. Bądź silna. A teraz idź do środka, nie stój na deszczu.

Ale Glenna poczekała, aż Larkin zamieni się w smoka, a Blair i Hoyt załadują na niego sakwy i broń. Odczekała, aż sami wsiądą na smoka i uniosą się w powietrze przez szarą zasłonę deszczu.

- Ciężko jest - odezwała się Moira za jej plecami - być tą, która czeka.

- Potwornie. - Glenna sięgnęła do tyłu i mocno ścisnęła jej dłoń. - Dlatego musisz mnie czymś zająć. Chodźmy do środka, odbędziemy naszą pierwszą lekcję. - Odwróciły się i zaczęły oddalać od bramy. - Pamiętasz, kiedy pierwszy raz zauważyłaś, że masz moc?

– Nie. To nie był żaden konkretny moment jak u Larkina. Czasami po prostu wiedziałam różne rzeczy. Gdzie znaleźć coś, co ktoś zgubił, albo w jakim miejscu ktoś się ukrył podczas zabawy w chowanego, ale zawsze myślałam, że to łut szczęścia lub zdrowy rozsądek.

– Czy twoja matka miała dar?

– Miała, tylko łagodny, jeśli wiesz, co mam na myśli. Coś w rodzaju empatii. Sprawiała, że rośliny rosły. – W zamyśleniu odrzuciła warkocz przez ramię. – Widziałaś tutejsze ogrody, to jej dzieło. Jeśli była przy porodzie lub łożu chorego, przynosiła ulgę w bólu. Myślałam, że jej umiejętność, moja umiejętność, to taka kobieca magia. Empatia, intuicja, uzdrawianie.

Ruszyły przez sklepiony korytarz do schodów.

– Jednak kiedy zaczęłam pracować z tobą i Hoytem, poczułam dużo więcej. Jakby we mnie coś pulsowało, jakieś echo, odbicie mocniejszej siły, którą wy posiadacie. I wtedy wzięłam do ręki miecz.

– Talizman lub przewodnik – myślała na głos Glenna. – Albo po prostu klucz, który otworzył drzwi do tego, co już było w tobie.

Poprowadziła Moirę do komnaty, w której pracowali z Hoytem. Pomieszczenie nie różniło się tak bardzo od tego w Irlandii, było trochę większe, a łukowate drzwi prowadziły na jeden z wielu zamkowych balkonów.

Ale zapachy unosiły się te same, zioła i popiół, i dziwna mieszanina kwiatów i metalu. Na stołach i komodach leżały kryształowe kule Glenny, Moira przypuszczała, że tak samo dla magii jak i dla ozdoby.

Wszędzie były misy, flakony i książki.

A na każdej otwartej przestrzeni wisiały krzyże – srebrne, drewniane, kamienne, miedziane.

– Chłodno tu i wilgotno – zauważyła Glenna. – Może rozpalisz w kominku?

– Och, oczywiście. – Lecz gdy Moira ruszyła do szerokiego kamiennego paleniska, Glenna roześmiała się i złapała ją za rękę.

– Nie, nie tak. Ogień. To jedna z podstawowych umiejętności. Praktykując magię, opieramy się na siłach natury. Szanujemy je. Zapal ogień stąd, z miejsca obok mnie.

– Nie wiedziałabym, jak zacząć.

– Od siebie. Umysł, serce, brzuch, kości i krew. Zobacz w myślach ogień, jego kolory i kształty. Poczuj jego ciepło, zapach dymu, płonącego torfu. Weź ten obraz ze swojego umysłu, z samej ciebie i poślij do kominka.

Moira wykonała polecenie i wydawało jej się, że poczuła przebiegający po skórze dreszcz, ale torf pozostał zimny i niewzruszony.

– Przepraszam.

– Nie. To wymaga czasu, energii i skupienia. I wiary. Nie pamiętasz, jak stawiałaś pierwsze kroki, podnosiłaś się, chwytając matczynej spódnicy lub stołu, albo ile razy upadłaś, zanim samodzielnie stanęłaś na nogi? Zrób pierwszy krok, Moiro. Unieś prawą dłoń. Wyobraź sobie płonący w tobie ogień – gorący, jasny. Wypływa prosto z twojego brzucha, przez serce, wzdłuż ramienia aż do czubków palców. Zobacz to, poczuj. Poślij go tam, gdzie chcesz.

Moira czuła się niemal jak w transie; cichy głos Glenny i to narastające ciepło. A teraz silniejszy dreszcz, pod skórą, na niej. I słaby język ognia liznął torfowe kostki.

– Och! To był błysk w mojej głowie. Ale to w większości twoja zasługa.

– Tylko troszkę – poprawiła ją Glenna. – Mała pomoc.

Moira wypuściła powietrze ze świstem.

– Czuję się jak po górskiej wspinaczce.

– Będzie łatwiej.

Zapatrzona w ogień skinęła głową.

– Naucz mnie.

Pod koniec drugiej godziny Moira czuła się tak, jakby nie tylko wspięła się na górę, ale i spadła z niej – na głowę. Nauczyła się, jak przywoływać dwa z czterech żywiołów – i zyskać nad nimi pewną kontrolę. Glenna dała jej listę prostych zaklęć i czarów, żeby uczennica mogła ćwiczyć sama.

„Praca domowa", powiedziała Glenna i żądna wiedzy Moira nie mogła się doczekać, kiedy będzie mogła nią się zająć.

Ale na razie musiała poświęcić uwagę innym kwestiom. Przebrała się w bardziej oficjalny strój, przyozdobiła włosy królewskim diademem i poszła na spotkanie z wujem, by omówić finanse.

Wojny były kosztowne.

– Wielu ludzi pozostawiło na polach niezebrane zboże – powiedział Riddock – i bydło bez opieki. Niektórzy na pewno stracą domy.

– Pomożemy im je odbudować. Przez dwa lata nikt nie będzie płacił podatków ani daniny.

– Moiro...

– Skarb to wytrzyma, wuju. Nie mogę siedzieć na złocie i klejnotach, bez względu na to, jaką mają historię, gdy nasz lud tak się poświęca. Najpierw przetopię koronę, potem zasieję zboże. Pięćdziesiąt akrów. A następnych pięćdziesiąt przeznaczymy na pastwiska. To, co na nich wyrośnie, rozdamy walczącym, rodzinom tych, którzy zginą lub zostaną ranni w służbie Geallii.

Riddock rozmasował obolałe skronie.

– A skąd będziesz wiedziała, kto walczył, a kto się ukrywał?

– Uwierzymy na słowo. Myślisz, że jestem naiwna i mam miękkie serce. Być może masz rację, ale takie cechy będą potrzebne królowej, gdy to wszystko dobiegnie końca. Teraz nie mogę być ani naiwna, ani miękka, muszę naciskać, poganiać i prosić moich ludzi, żeby dawali i dawali. Ciebie też poprosiłam o bardzo wiele. Jesteś tutaj, a obcy zamieniają twój dom w koszary.

– To nieważne.

– To bardzo ważne, a proszę cię o jeszcze więcej. Oran wyrusza jutro.

– Rozmawiał ze mną. – Głos Riddocka nabrzmiał dumą, choć oczy miał pełne smutku. – Mój młodszy syn jest już mężczyzną i tak musi się zachowywać.

– Będąc twoim synem, nie mógłby postąpić inaczej. Na razie, nawet po wymarszu oddziałów, praca tutaj nie może ustać. Trzeba wykuwać broń, karmić i szkolić ludzi, dać im dach nad głową. Dowolnie dysponuj środkami, by kupować wszystko, co potrzebne. Ale – uśmiechnęła się złowrogo – jeśli jakikolwiek kupiec lub rzemieślnik będzie liczył na łatwy zysk, czeka go audiencja u królowej.

Riddock odpowiedział uśmiechem.

– Bardzo dobrze. Twoja matka byłaby z ciebie dumna.

– Mam nadzieję. Codziennie o niej myślę. – Wstała, on także. – Muszę pomówić z ciotką. Jak dobrze, że przyjęła na siebie obowiązki ochmistrzyni przez te ostatnie tygodnie.

– Ta praca sprawia jej przyjemność.

– Zupełnie nie wiem, jakbym sobie bez niej poradziła. Kuchnie, pralnie, szycie, sprzątanie. Bez niej już dawno bym się pogubiła w takim natłoku spraw.

– Sprawisz jej przyjemność tymi słowami. Mówiła mi, że jesteś u niej codziennie, obchodzisz kuchnie, pralnie. Słyszałem też, że rozmawiasz z kowalami i z dziećmi, które przygotowują kołki. A dzisiaj ćwiczyłaś z innymi kobietami.

– Nigdy nie sądziłam, że jako królowa będę miała czas na lenistwo.

– Nie, ale potrzebujesz odpoczynku, Moiro. Masz podkrążone oczy.

Moira nakazała sobie, aby następnym razem poprosić Glennę o czar na urodę.

– Będzie dosyć czasu na odpoczynek, gdy to wszystko się skończy.

Spędziła godzinę z ciotką, przeglądając domowe rachunki i omawiając organizację prac domowych, a potem jeszcze jedną ze służącymi, którzy te prace wykonywali.

Gdy skierowała się do salonu z myślą o lekkim posiłku i wiadrze herbaty, usłyszała śmiech Ciana.

Ucieszyła się, że dotrzymywał Glennie towarzystwa, ale nie była pewna, czy sama ma siłę na spotkanie z nim po tak długim dniu.

Już chciała zawrócić, gdy poczuła nagły przypływ złości. Czy musiała mieć głowę pełną wina, żeby móc siedzieć swobodnie w tym samym pokoju? Aż takim była tchórzem?

Wyprostowała plecy i zdecydowanym krokiem weszła do salonu, gdzie Glenna i Cian siedzieli przy kominku, pogryzając owoce i popijając herbatę.

Czuli się tak swobodnie w swoim towarzystwie, pomyślała Moira. Czy Glenna uznawała za kojący czy niepokojący fakt, że Cian tak bardzo przypomina wyglądem brata? Oczywiście były drobne różnice. Dołek w brodzie, którego nie miał Hoyt, szczuplejsza twarz, krótsze włosy.

I jeszcze postawa, sposób, w jaki się poruszał. Cian zawsze wydawał się swobodny, chodził z niemal zwierzęcą gracją.

Moira musiała przyznać, że lubiła patrzeć, jak się poruszał. Zawsze przywodził jej na myśl coś egzotycznego – tak samo pięknego, jak zabójczego.

Była pewna, że jest świadomy jej obecności. Nigdy nie widziała, żeby ktokolwiek – lub cokolwiek – go zaskoczył. Jednak nadal leżał rozciągnięty na fotelu, chociaż większość mężczyzn wstałaby, gdy do pokoju wchodzi kobieta – a do tego królowa.

To było jak wzruszenie ramion, celowa niedbałość. Moira wolałaby, żeby jego zachowanie nie wydawało się jej aż tak pociągające.

– Przeszkadzam? – zapytała, przecinając pokój.

– Nie. – Glenna powitała ją uśmiechem. – Poprosiłam o posiłek dla trzech osób w nadziei, że znajdziesz chwilę. Cian właśnie zabawiał mnie opowieściami o wybrykach Hoyta z dzieciństwa.

– Zostawię was, panie, z waszym podwieczorkiem.

– Proszę, zostań. – Glenna złapała go za ramię, zanim zdążył wstać. – Tak bardzo się starałeś, żebym się nie martwiła.

– Skoro o tym wiesz, to nie postarałem się wystarczająco.

– Dałeś mi chwilę oddechu i doceniam to. W tej chwili, jeśli wszystko poszło zgodnie z planem, oni powinni już być przy pierwszej bazie. Muszę to sprawdzić. – Dłoń jej nie zadrżała, gdy nalewała Moirze herbaty. – Myślę, że będzie lepiej, jeśli popatrzymy wszyscy razem.

– Czy będziesz mogła im pomóc, jeśli... – Głos Moiry ucichł.

– Nie tylko Hoyt ma magię w małym palcu. Ale będę widziała wyraźniej i, w razie czego, łatwiej będzie pomóc im, jeśli wy dwoje pomożecie mnie. Wiem, że miałaś ciężki dzień, Moiro.

– Oni są także moją rodziną.

Glenna wstała, kiwając głową.

– Przyniosłam tu wszystko, co uznałam za potrzebne. – Wyjęła kryształową kulę, mniejsze kryształy, zioła i ułożyła na stole między nimi. Zdjęła z szyi krzyż i oparła go na kuli.

– No dobrze – powiedziała lekkim tonem, kładąc dłonie na krysztale – zobaczmy, co oni tam wymyślili.

W całej Geallii padało, przez co wycieczka nie była zbyt przyjemna. Zatoczyli szerokie koło i wylądowali prawie kilometr na wschód od gospodarstwa, w którym chcieli założyć bazę. Miało doskonałą lokalizację, leżało prawie dokładnie w połowie między kwaterą Lilith a polem bitwy.

Dlatego było bardziej niż pewne, że – tak jak mówił Cian – Lilith ustawiła tu straże.

Dwoje jeźdźców zsiadło z grzbietu smoka. Zdjęli bagaże i zapasy. Osłaniał ich niski murek rozdzielający pola, wzdłuż którego rosła kępa drzew.

W deszczu nic się nie poruszało.

Smok zmienił się w człowieka i Larkin przeczesał obiema dłońmi przemoczone włosy.

– Okropna pogoda. Obejrzeliście dobrze nasz cel?

– Dwupiętrowy dom – odpowiedziała Blair. – Trzy budunki gospodarcze, dwa wybiegi dla koni. Owce. Żadnego dymu ani znaku życia, żadnych zwierząt. Jeśli tam są, to zapewne po kilku strażników w każdym budynku. Czuwają na zmianę, reszta śpi. Potrzebują jedzenia, więc mogą mieć więźniów. Jeśli podróżują bez bagażu, to pewnie zabrali zapasy w bukłakach.

– Mógłbym się rozejrzeć – powiedział Hoyt – ale jeśli posłała kogoś z mocą, wyczuje to i nas też.

– Lepiej, żebym ja to zrobił. – Larkin ugryzł jabłko. Po długiej podróży był głodny jak wilk. – Na pewno nie wznieśli tarczy, tak jak wokół głównej bazy. Nie jeśli chcą chapnąć kilkoro z nas, jak akurat będziemy w pobliżu.

– Idź jako coś małego – przypomniała mu Blair. – Cian miał rację.

– Tak, dobrze. – Ugryzł wielki kęs chleba. – Mysz jest wystarczająco mała i sprawdziła się już wcześniej. Zajmie mi to więcej czasu, niż gdybym zmienił się w wilka lub jelenia. – Zdjął z szyi krzyż. – Przechowaj mi to.

– Nie cierpię takich sytuacji – poskarżyła się Blair, biorąc krzyż. – Nienawidzę, jak idziesz bez broni i osłony.

– Miej trochę wiary. – Ujął jej podbródek, pocałował ją w usta, odstąpił krok w tył i przemienił się w polną mysz.

– Nie mogę uwierzyć, że właśnie to pocałowałam – mruknęła Blair i zacisnęła palce na krzyżu, gdy mysz skoczyła w trawę. – Teraz czekamy.

– Lepiej się zabezpieczmy. Zrobię krąg.

Larkin dobiegł już prawie do pierwszych zabudowań, gdy dostrzegł wilka. Wielki i czarny, siedział przyczajony w gęstych krzewach jeżyn. Nie zwrócił uwagi na mysz, tylko dalej sprawdzał czerwonymi oczami pole i drogę prowadzącą na zachód. Mimo to Larkin okrążył go szerokim łukiem, zanim smyrgnął pod drzwi.

Znalazł się w prostej stajni, w zagrodach stały dwa konie. Dwa wampiry siedziały na podłodze i grały w kości. Mysz, zaskoczona, przekrzywiła łebek. Larkin nie sądził, że wampiry grywają w takie gry. Doszedł do wniosku, że wilk trzymał straż. Na sygnał od niego te dwa ruszyłyby do akcji. Jednak na razie były zbyt zaabsorbowani grą, by zwrócić uwagę na niepozorną myszkę.

Obok nich leżały miecze i dwa kołczany pełne strzał. Larkinowi zaświtał pewien pomysł. Podbiegł do opartych nieopodal o ścianę zagrody łuków i pracowicie przegryzł cięciwy.

Gdy wymykał się na zewnątrz, jeden z wampirów przeklinał fart przeciwnika w grze.

Znalazł podobne stanowiska w każdym z budynków, główna kwatera była w domu. Czuł zapach krwi, ale nie dostrzegł żadnych ludzi. W domu cztery wampiry spały na strychu, a pięć innych trzymało straż.

Dokonał takiego sabotażu, jakiego tylko mógł w postaci myszy, i uciekł z farmy.

Hoyt i Blair czekali na niego tam, gdzie ich zostawił, siedzieli na wilgotnym kocu, otoczeni bladym kręgiem.

– Naliczyłem piętnaście – powiedział. – I wilka. Trzeba jakoś go ominąć, jeśli chcemy wziąć je z zaskoczenia.

– W takim razie musimy być cicho. – Blair podniosła łuk. – I podejść od zawietrznej. Hoyt, jeśli Larkin da nam dokładne wskazówki, mógłbyś mi pomóc zobaczyć to miejsce?

– Dam ci bardzo dokładne wskazówki – powiedział Larkin, zanim Hoyt zdążył odpowiedzieć – bo teraz idziemy wszyscy razem. Wygrałaś walkę, żeby tu przyjść, ale nie pójdziesz sama do gniazda demonów.

– O nie, nie pójdzie. Z nas trojga ty masz najlepszą rękę do łuku, więc będziesz strzelała – polecił Hoyt Blair – ale my będziemy zabezpieczać tyły. Zrobię, co w mojej mocy, żebyś miała wolną drogę dla strzały.

– Nie ma sensu się spierać, że jedna osoba porusza się szybciej i ciszej niż trzy? Tak przypuszczałam – mruknęła Blair, gdy odpowiedziała jej kamienna cisza. – W takim razie chodźmy.

Musieli zatoczyć wielkie koło, żeby wilk ich nie wypatrzył ani nie wyczuł ich zapachu, ale gdy podeszli od tyłu, Blair pokręciła głową.

– Nie dam rady strzelić stąd w serce. Moira pewnie by mogła, ale ja nie jestem taka dobra. To wymaga więcej niż jednej strzały.

Zamyśliła się, szukając najlepszego sposobu.

– Ty wypuść pierwszą – wyszeptała do Larkina. – Podejdź tak blisko, jak tylko możesz. Jeśli się cofnie lub obróci, będę mogła go trafić. Raz, dwa – dodała, licząc na palcach. – Musisz być szybki i cichy.

Skinął głową, wyjął strzałę z kołczanu i założył na cięciwę. To był trudny strzał, pod niewygodnym kątem, ale Larkin wycelował, wypuścił powietrze, znowu wciągnął. I posłał strzałę w powietrze.

Ugodził wilka między łopatki, zwierzę podskoczyło. Strzała Blair trafiła go prosto w serce.

– Dobra robota – pochwaliła Larkina, patrząc na czarny dym i popiół.

Hoyt zaczął coś mówić, ale nagle usłyszał w myślach głos Glenny tak wyraźny, jakby stała tuż obok niego.

Za tobą!

Obrócił się i zrobił unik. Drugi wilk powalił go bokiem na ziemię i skoczył na Larkina. Mężczyzna i zwierzę zwarli się na ułamek sekundy, ale zanim Blair zdążyła dobyć miecza, ciało wilka zniknęło pod ciężarem niedźwiedzia.

Niedźwiedzia łapa rozdarła gardło przeciwnika na strzępy. Wielki miś opadł na kupkę prochu i znowu stał się człowiekiem.

Blair upadła na kolana i jak szalona przesuwała dłońmi po ciele Larkina.

– Ugryzł cię? Ugryzł?

– Nie. Tylko podrapał tu i tam. Żadnych ukąszeń. Ach, ależ on śmierdział. – Z trudem łapiąc oddech, Larkin uniósł się na łokciach i popatrzył z niesmakiem na poplamioną krwią koszulę. – Zniszczył mi najlepszy strój do polowania. – Popatrzył na Hoyta. – Wszystko w porządku?

– Mało brakowało. To Glenna. Muszą nas obserwować. – Hoyt wyciągnął rękę i pomógł Larkinowi wstać. – W tej koszuli wyczują cię na kilometr. Będziesz musiał... poczekajcie, poczekajcie. – Powoli na jego ustach rozkwitł ponury uśmiech. – Mam pomysł.

Czarny wilk pochylił się nad leżącym za stajniami zakrwawionym ciałem i zawył przeciągle. W ułamku sekundy w drzwiach stanął wampir uzbrojony w berdysz.

– Co my tu mamy? – Spojrzał przez ramię. – Jeden z wilków przyniósł nam prezent.

Leżący twarzą do ziemi Hoyt wydał cichy jęk.

– Wciąż żyje. Zabierzmy to do środka. Nie musimy dzielić się z innymi, prawda? Chętnie zjem coś świeżego, dla odmiany.

Obaj wyszli, a drugi wampir uśmiechnął się do wilka.

– Tak, dobry piesek. Spróbujmy...

Zamienił się w popiół, gdy Blair przebiła mu plecy kołkiem, dosięgając serca. Drugi wampir nie miał nawet czasu, żeby unieść broń, bo Hoyt podskoczył i przeciął mu gardło mieczem.

– Tak, dobry piesek. – Blair sparodiowała wampira i potargała sierść Larkina. – Proponuję, żebyśmy spróbowali tego numeru przy następnych budynkach.

Osiągnęli ten sam wynik z następnymi strażnikami, ale z trzeciego budynku wyszedł tylko jeden wampir. Ukradkiem oglądał się przez ramię na drzwi i było jasne, że zamierzał zachować niespodziewaną ucztę tylko dla siebie. Gdy przewrócił Hoyta na plecy, niespodziewana uczta wbiła mu kołek w serce.

Dając znak rękami, Blair pokazała, że wejdzie pierwsza. Hoyt był tuż za nią.

Szybko i cicho, pomyślała, wkradając się do środka. Zobaczyła drugiego strażnika, który uwił sobie zaciszne gniazdko z koców i odbywał popołudniową drzemkę w czymś, co uznała za gołębnik.

Naprawdę chrapał.

Musiała przełknąć z pół tuzina złośliwych uwag, które miała na końcu języka, i po prostu przebiła go kołkiem.

Wypuściła ze świstem powietrze.

– Nie chciałabym narzekać, ale to prawie żenujące i trochę nudne.

– Jesteś rozczarowana, że nie walczymy na śmierć i życie? – zapytał Hoyt.

– Cóż, tak. Trochę.

– Odrobinę cierpliwości. – Larkin wszedł do środka i rozejrzał się wokół. – W domu jest ich dziewięć, mają sporą przewagę liczebną.

– Och dzięki, kotku. Ty zawsze wiesz, co powiedzieć, żeby dodać mi otuchy. – Zważyła w dłoni berdysz, który zabrała pierwszemu z wampirów. – Chodźmy skopać kilka tyłków.

Hoyt i Blair obserwowali dom skuleni za korytem z wodą. Sztuczka z rannym człowiekiem i wilkiem tu nie zadziała, a sposób, na który się zgodzili, był dość ryzykowny.

– Larkin już zbyt wiele razy zmieniał postać – wyszeptała Blair. – To odbiera mu siły.

– Zjadł cztery placki.

Skinęła głową w nadziei, że to wystarczy, gdy smok wylądował miękko na dachu krytym słomą. Larkin wrócił do ludzkiej postaci, podniósł pochwę z mieczem i futerał z kołkiem. Dał im znak, zanim opuścił się w dół, by zajrzeć do środka przez okno na drugim piętrze.

Najwidoczniej, pomyślała Blair, nie musiał zmieniać się w małpę, żeby wspinać się jak ona. Larkin uniósł cztery palce.

– Cztery na górze, pięć na dole. – Przykucnęła. – Gotów?

Pochyleni nisko nad ziemią podbiegli z obu stron do wejścia. Tak, jak się umówili, Blair policzyła do dziesięciu. I kopnęła w drzwi.

Berdyszem odrąbała głowę wampirowi z prawej strony, trzonkiem broni zablokowała cios miecza. Kątem oka dostrzegła kulę ognia nad dłonią Hoyta. Coś wrzasnęło.

Znad ich głów spadł Larkin spleciony z wampirem i obaj wylądowali na podłodze. Blair spróbowała się do niego przebić i poczuła kopnięcie w niezagojone żebra. Ból i siła uderzenia odrzuciły ją na stół, który załamał się pod jej ciężarem.

Użyła rozłupanej stołowej nogi, by zamienić w popiół tego, który na nią skoczył, po czym cisnęła drewnem w napastnika, który zaatakował Hoyta od tyłu. Nie trafiła w serce, zaklęła i skoczyła na równe nogi.

Hoyt kopnął w tył z taką gracją, że jej serce wojowniczki odśpiewało pieśń chwały. Wampir upadł, a Larkin zakończył jego żywot sprawnym ciosem miecza w gardło.

– Ile? – zawołała Blair. – Ile?

– Ja zabiłem dwa – powiedział Hoyt.

– Cztery, na bogów. – Larkin, mimo że się uśmiechał, schwycił Blair za ramię. – Bardzo cię zranił?

– Nic wielkiego. Trafił w żebra. Ja dopadłam tylko dwa. Został jeszcze jeden.

– Wyskoczył przez okno na górze. Usiądź, proszę, siadaj. Zranił cię w ramię, krwawisz.

– Cholera. – Popatrzyła na ranę, której nie czuła. – Cholera. Tobie leci krew z nosa i z wargi. Hoyt?

– Kilka zadrapań. – Pokuśtykał do nich. – Moim zdaniem nie powinniśmy za bardzo się martwić tym jednym, który uciekł, ale rzucę czar, żeby cofnąć wszelkie zaproszenia. Pozwól, zobaczę, co da się zrobić z twoim ramieniem.

– Najpierw czar. – Zaciskając zęby, Blair popatrzyła na Larkina. – Cztery, co?

– Dwa chyba kopulowały i były bardzo tym zajęte, kiedy wszedłem przez okno. Więc wykończyłem oba jedną strzałą.

– Może powinniśmy liczyć je jako jednego.

– O nie, nie powinniśmy. – Zawiązał prowizoryczny opatrunek na jej ramieniu i otarł krew z nosa. – Kurczę, umieram z głodu.

Tak rozśmieszył Blair, że pomimo obolałych żeber otoczyła go ramionami i mocno uścisnęła.

– Nic im nie jest. – Glenna wypuściła drżący oddech. – Są trochę poobijani, trochę zakrwawieni, ale żyją. I są bezpieczni. Przepraszam, przepraszam. Ale kiedy tak patrzysz i nie możesz nic zrobić, żeby im pomóc... Pozwolę sobie tylko na trochę płaczu.

I, tak jak powiedziała, ukryła twarz w dłoniach i zaczęła szlochać.

7

Cian uciekł, zostawiając Glennę Moirze. Wiedział z doświadczenia, że kobiety najlepiej radziły sobie z damskimi łzami. Jego reakcją na to, co zobaczyli w kryształowej kuli, nie był lęk ani ulga, lecz czysta zwykła frustracja. On mógł tylko patrzeć, podczas gdy inni walczyli. Siedział wygodnie w pieprzonym salonie z kobietami i herbatką jak jakiś wiekowy dziadek.

Codzienne treningi dostarczały mu pewnej rozrywki, ale nie brał udziału w porządnej walce, odkąd wyjechali z Irlandii. A kobiety nie miał jeszcze dłużej. Odebrano mu dwa bardzo skuteczne sposoby złagodzenia napięcia i spożytkowania energii – albo sam je sobie odebrał.

Nic dziwnego, pomyślał, że czuł się jak cholerny sztubak na widok spokojnych, szarych oczu Moiry.

Mógłby uwieść którąś ze służących, ale to pociągnęłoby za sobą mnóstwo komplikacji i zapewne nie było warte czasu ani wysiłku. Nie mógł po prostu wdać się w bójkę z wszechobecnymi tu ludźmi – i cholerna szkoda.

Gdyby ruszył na polowanie, zdołałby zapewne postraszyć jeden czy dwa z oddziałów Lilith, tylko że nie mógł się zmusić, żeby wyjść na niekończący się deszcz w poszukiwaniu łutu szczęścia.

Przynajmniej w swoich czasach, w swoim świecie, praca dostarczała mu zajęcia. Miał też, oczywiście, kobiety, ale to praca zajmowała mu najwięcej czasu. Czasu, który dla niego nie miał końca.

Tutaj obie rozrywki były poza zasięgiem, więc Cian zamknął się w pokoju, zjadł i położył spać.

I śnił tak, jak nie śnił od dziesięcioleci, o polowaniu na ludzi.

Silny i słony zapach ich ciał wypełnił powietrze, wydzielali go, nawet gdy ich słaby i przytępiony instynkt ostrzegał, że są łowną zwierzyną.

Uwodzicielskie i prymitywne perfumy, które budziły żądzę w trzewiach i krwi.

Ona była tylko dziwką pracującą na ulicach Londynu. Młoda i dosyć ładna jak na swoją profesję, co oznaczało, że trudni się tym od niedawna. Cian czuł bijącą od niej woń seksu i wiedział, że zarobiła tej nocy kilka miedziaków.

Słyszał przyciszoną muzykę i ochrypły, pijacki śmiech dobiegający z jakiejś spelunki, stukanie kopyt konia pociągowego. Odległe dźwięki – zbyt odległe, by wychwyciło je jej ludzkie ucho. I zbyt odległe, by doniosły ją do nich jej ludzkie nogi, jeśli spróbowałaby uciekać.

Szła szybko przez grubą, żółtą mgłę, przyśpieszając kroku i zerkając nerwowo przez ramię, gdy Cian celowo pozwalał jej słyszeć stukot swoich obcasów tuż za jej plecami.

Zapach jej strachu był odurzający – taki świeży, taki ludzki. Tak łatwo było ją złapać, przykryć usta jedną, a skaczące jak u królika serce drugą dłonią.

Tak zabawnie patrzeć, jak jej oczy omiotły jego twarz, młodą i przystojną, kosztowne ubranie i zrobiły się chytre, nieśmiałe, gdy odejmował dłoń od jej ust.

– Panie, przestraszyłeś biedną dziewczynę. Myślałam, że jesteś zbójcą.

– Nic w tym rodzaju. – Kulturalny akcent, którego użył, kontrastował rażąco z jej skrzekliwym cockneyem*. – Potrzebuję tylko chwili wytchnienia, jestem gotów dobrze ci zapłacić.

Zarumieniona podała, chichocząc, cenę, która – jak Cian wiedział – przekraczała dwukrotnie jej zwykłą stawkę.

– Myślę, że za tę cenę powinnaś być dla mnie bardzo miła.

– Przepraszam, że proszę o pieniądze tak szlachetnego i przystojnego dżentelmena, ale muszę zarabiać na życie. Mam tu niedaleko pokój.

– Nie będzie nam potrzebny.

– Och! – Roześmiała się, gdy uniósł jej spódnice. – Tutaj, tak?

Wolną dłonią zsunął jej gorset, dotknął piersi. Chciał poczuć bicie jej serca, rytmiczne, żywe. Wszedł w nią i pchał mocno, aż jej nagie pośladki klaskały o wilgotną ścianę budynku. I zobaczył zaskoczenie i podziw w jej oczach, że może dać jej rozkosz.

Puls pod jego dłonią przyśpieszył, jej oddech zaczął się rwać.

Pozwolił jej dojść – mały gest – i spojrzeć zamglonymi oczami w jego oczy, zanim obnażył kły.

Wrzasnęła – krótki, wysoki dźwięk, który uciął, zatapiając zęby w jej gardle. Jej ciało drgnęło w konwulsjach, dając mu bardzo satysfakcjonujący orgazm, gdy się karmił. Gdy zabijał.

Bicie serca pod jego dłonią zwolniło, osłabło. Aż ucichło zupełnie.

Nasycony i zaspokojony zostawił ją w alejce, w towarzystwie szczurów, z zapłatą rzuconą niedbale obok. I odszedł wolnym krokiem w gęstą, żółtą mgłę.

Obudził się, tu i teraz, z przekleństwem na ustach. Sen ożywił w nim apetyty i namiętności, które tak długo tłumił. Niemal czuł w gardle smak krwi, prawie czuł jej bogaty bukiet. W ciemności drżał lekko jak uzależniony na odwyku, więc zmusił się do wstania i wypicia tego, co przyznał sobie jako substytut ludzkiej krwi.

To nigdy nie da ci satysfakcji. Nigdy nie zgasi pragnienia. Dlaczego walczysz z tym, czym jesteś?

– Lilith – powiedział miękko. Rozpoznał ten głos w swojej głowie, zrozumiał, kto zesłał na niego tamten sen.

Czy to w ogóle było jego wspomnienie? Teraz, gdy był już spokojniej-

* Cockney – gwara londyńska.

szy, sen wydawał się fałszywy, przypominał sztukę, w której on nagle dostał główną rolę. Jednak w swoim czasie zabił sporo ulicznych dziwek, tak wiele, że kto mógłby spamiętać szczegóły?

Lilith zamigotała w ciemności. Diamenty lśniły na jej szyi, w uszach, na nadgarstkach, nawet w kunsztownie ułożonych włosach. Miała na sobie suknię w królewskim odcieniu błękitu, obszytą sobolowym futrem, z głębokim dekoltem ukazującym obfite wzgórki piersi.

Zadała sobie trochę trudu, żeby ubrać się na tę złudną wizytę, pomyślał Cian.

– A oto mój przystojny chłopiec – zamruczała. – Jesteś taki spięty i zmęczony. Nic dziwnego, po tym wszystkim, czym się ostatnio zajmowałeś. – Pogroziła mu żartobliwie palcem. – Niegrzeczny chłopiec. Ale obwiniam siebie, nie mogłam spędzić z tobą tych lat, gdy się kształtowałeś, a czym skorupka za młodu nasiąknie...

– Opuściłaś mnie – przypomniał jej. Zapalił świece, mimo że ich nie potrzebował, i nalał sobie kubek whisky. – Zabiłaś mnie, przemieniłaś, napuściłaś na brata i zostawiłaś złamanego u stóp klifów.

– Sam pozwoliłeś, żeby cię tam zrzucił. Byłeś młody i popędliwy, co mogłam zrobić? – Opuściła gorset, by pokazać mu bliznę w kształcie pentagramu. – Oparzył mnie. Naznaczył. Na nic bym ci się nie przydała.

– A potem? Dni, miesiące i lata później? – Dziwne, pomyślał, że miał w sobie tyle urazy, nawet żalu. Jak dziecko porzucone przez matkę. – Stworzyłaś mnie, Lilith, urodziłaś, a potem zostawiłaś jak uliczny kot porzuca zdeformowanego kociaka.

– Masz rację, masz rację, nie mogę zaprzeczyć. – Przechadzała się po pokoju leniwym krokiem, a skraj jej spódnicy przenikał przez stół. – Nie okazałam ci należytej troski, kochany chłopcze, wyładowałam na tobie złość, którą czułam do twego brata. Powinnam się wstydzić!

Piękne błękitne oczy zamigotały śmiechem, czarujące usta wygięły się w uwodzicielsko kobiecym uśmiechu.

– Ale tak dobrze sobie radziłeś – na początku. Wyobraź sobie moje zdumienie, gdy Lora powiedziała mi, że plotki, które słyszałam, to prawda, że rzeczywiście przestałeś polować. Och, przy okazji, przesyła ci pozdrowienia.

– Naprawdę? Domyślam się, że w tej chwili stanowi niezły widok!

Uśmiech Lilith zniknął, jej oczy zalśniły czerwienią.

– Uważaj albo gdy nadejdzie czas, rozerwę na strzępy nie tylko tę dziwkę-łowczynię demonów!

– Myślisz, że ci się uda? – Rozparł się w fotelu ze swoją whisky. – Założyłbym się z tobą, ale jako kupka popiołu nie będziesz w stanie spłacić długu.

– Widziałam koniec tego wszystkiego w ogniu. – Podeszła do niego i pochyliła się nad fotelem tak prawdziwa, że niemal czuł jej zapach. – Ten świat spłonie. Nie jest mi potrzebny. Każdy człowiek na tej śmiesznej wyspie zostanie zamordowany, umrze, wrzeszcząc i tonąc we własnej krwi. Twój brat i jego Krąg umrą najstraszniejszą śmiercią. Widziałam to.

– Twój czarnoksiężnik nie mógłby pokazać ci nic innego – zauważył Cian, wzruszając ramionami. – Zawsze byłaś taka łatwowierna?

– Pokazał mi prawdę! – Odwróciła się, wściekle zamiatając spódnicą po podłodze. – Dlaczego upierasz się, żeby pozostać po stronie przegranych? Dlaczego walczysz z tym, kto dał ci największy dar? Przyszłam tu, żeby zaproponować ci układ, zawrzeć prywatną ugodę, tylko między tobą i mną. Odejdź od nich, mój drogi, a uzyskasz moje przebaczenie. Zostaw ich i wróć do mnie, a zyskasz nie tylko przebaczenie, lecz także miejsce u mego boku, gdy nadejdzie dzień zwycięstwa. Położę u twych stóp wszystko, czego pragniesz, czego sobie odmawiałeś, w zadośćuczynieniu za to, że cię porzuciłam, gdy mnie potrzebowałeś.

– A zatem muszę tylko wrócić do swojego czasu, swojego świata i wszystko mi wybaczysz?

– Daję ci na to moje słowo. Ale dam ci dużo, dużo więcej, jeśli do mnie przyjdziesz. Do mnie – zamruczała, gładząc dłonią piersi. – Pamiętasz, co połączyło nas tamtej nocy? Ten żar, namiętność?

Patrzył, jak przesuwała dłońmi po ciele, biel na błękicie sukni.

– Bardzo dobrze pamiętam.

– Znowu możemy to mieć i jeszcze więcej. Będziesz księciem na moim dworze. Jako generał poprowadzisz armie, zamiast babrać się w błocie z ludźmi. Będziesz mógł wybierać światy i czerpać z nich wszelkie przyjemności. Wieczność spełnionych pragnień!

– Pamiętam, że kiedyś już obiecywałaś mi coś podobnego, a potem zostałem sam, załamany i zagubiony, brudny od cmentarnej ziemi.

– I to jest moja pokuta. Chodź do mnie, chodź. Nie ma tu dla ciebie miejsca, Cianie. Należysz do swojego gatunku.

– Interesujące. – Postukał palcem w kubek. – Jedyne, co muszę zrobić, to uwierzyć twojemu słowu, że mnie nagrodzisz zamiast torturować i zabić.

– Dlaczego miałabym niszczyć tego, którego sama stworzyłam? – zapytała rzeczowym tonem. – I który udowodnił, jak wielkim jest wojownikiem?

– Z nienawiści, oczywiście, i dlatego że twoje słowo jest taką samą iluzją jak twoja tu obecność. Ale ja ci dam słowo, Lilith, w pewnej istotnej kwestii, a moje słowo jest niezniszczalne i twarde jak diamenty, które nosisz. To ja po ciebie przyjdę. Ja będę twoim nemezis.

Wziął do ręki nóż i rozciął sobie skórę na dłoni.

– Przysięgam ci to na krew. Moja twarz będzie ostatnią, którą ujrzysz.

Wściekłość wykrzywiła jej rysy.

– Skazałeś się na zagładę.

– Nie – wyszeptał, gdy jej obraz zniknął. – Ty mnie skazałaś.

Był środek nocy, a on nie mógł już zasnąć.

Przynajmniej o tej porze mógł chodzić, gdzie chciał, bez potykania się na każdym kroku o służbę, posłańców i strażników. Miał dość towarzystwa – ludzi i wampirów – ale potrzebował zajęcia, ruchu, czegoś, co wymaże z jego pamięci gorzki posmak snu i późniejszej wizyty.

Podziwiał architekturę zamku, który wyglądał jak z bajki, oświetlony pochodniami wystającymi z uchwytów w kształcie smoków, ze ścianami ozdobionymi arrasami przedstawiającymi wróżki i uczty, z wypolerowanym marmurem barwy klejnotów na podłodze.

Oczywiście zamku nie budowano jako fortecy, tylko na bogatą rezydencję królów. Przed pojawieniem się Lilith Geallia żyła w pokoju, mogła więc skierować energię i intelekt ku sztuce i kulturze.

W ciszy i ciemności Cian spokojnie podziwiał tę sztukę: obrazy, arrasy, freski i rzeźby. Przechadzał się w ciemności wśród słodkiego zapachu kwiatów z oranżerii, przejrzał książki na sięgających sufitu półkach w bibliotece.

Od samego początku Geallia była krajem sztuki, książek i muzyki, a nie wojny i broni. Jak trafnie i jak bezdusznie bogowie i demony wybrali akurat to miejsce na krwawą bitwę.

Biblioteka, jak mówiła Moira w Irlandii, była cichą świątynią książek. Spędził już trochę czasu nad kilkoma z nich, zaciekawiony i rozbawiony tym, że opisywane w nich historie tak mało się różniły od opowieści powstałych za jego czasów.

Czy Geallia, jeśli przetrwa, wyda własnego Szekspira, Yeatsa*, Austen? Czy tutejsza sztuka przejdzie przez odrodzenie, barok, klasycyzm i zaproponuje własną wersję Moneta lub Degasa?

Fascynująca myśl.

Na razie był zbyt niespokojny, żeby zasiąść z książką, więc poszedł dalej. Nie widział jeszcze wielu izb, a w nocy mógł swobodnie poruszać się po całym zamku.

Szedł wśród cieni, a deszcz bębnił rytmicznie o szyby.

Przeszedł przez komnatę, która – jak się domyślił – służyła kiedyś za bawialnię, teraz urządzono w niej arsenał. Wziął do ręki miecz, sprawdził jego ciężar, wyważenie, ostrość. Rzemieślnicy Geallii może i wcześniej oddawali się sztuce, ale potrafili wykuć dobre miecze.

Czas pokaże, czy to wystarczy.

Odwrócił się bez celu i wszedł do komnaty, która okazała się pokojem muzycznym.

W kącie stała elegancka złocona harfa, obok, na podwyższeniu, jej mniejszy kuzyn, w kształcie tradycyjnej harfy irlandzkiej. Był też monochord** – daleki przodek pianina – ozdobiony pięknymi płaskorzeźbami.

Cian bezmyślnie poruszył struną i z zadowoleniem usłyszał czysty i jasny ton.

Nieopodal stała katarynka, która przy poruszeniu korbą zaśpiewała żałosną muzyką kobzy.

Były tu lutnie i flety, wszystkie pięknej roboty. Przed ślicznym kominkiem z miejscowego marmuru stała wygodna sofa. Piękna komnata, pomyślał Cian, dla muzyków i wszystkich, którzy doceniali sztukę.

Wtedy dostrzegł vielle***. Wziął ją do ręki. Była dłuższa niż skrzypce, które z niej kiedyś powstaną, i miała pięć strun. Nie interesowały go takie

---

* Yeats (1865 – 1939) – poeta, dramaturg i filozof irlandzki.
** Monochord – inaczej tubmaryna, instrument smyczkowy o jednej strunie.
*** Vielle – średniowieczny instrument strunowy, podobny do współczesnych skrzypiec.

sprawy, gdy ten instrument był popularny. Nie, zbyt był zajęty zabijaniem dziwek w zaułkach.

Ale kiedy człowiek ma przed sobą całą wieczność, potrzebuje zainteresowań i hobby, którym będzie mógł poświęcić lata. Usiadł z vielle na kolanie i zaczął grać.

Wszystko do niego wróciło; nuty, dźwięki, które przyniosły mu ukojenie, jakie tylko muzyka przynieść potrafi. Przy akompaniamencie deszczu pozwolił sobie zatopić się w melodii, odpłynąć na jej łzach.

Inaczej Moira nigdy nie podeszłaby do niego niezauważona.

Usłyszała ciche łkanie muzyki, gdy sama przechadzała się po komnatach. Szła za jej dźwiękami jak dziecko za wędrownym grajkiem i przystanęła w drzwiach, zaskoczona i oczarowana.

A więc tak wygląda, pomyślała, kiedy jest spokojny, a nie tylko udaje. Tak pewnie wyglądał, zanim Lilith go zabrała, trochę rozmarzony, trochę smutny, lekko zagubiony.

Wszystkie uczucia, które kłębiły się w jej sercu, połączyły się w jedność, gdy zobaczyła go bez maski. Samotny, poszukujący ukojenia w muzyce. Tak bardzo żałowała, że nie umie posługiwać się farbami lub kredą jak Glenna, wtedy mogłaby go namalować. Była pewna, że niewiele osób takim go widywało.

Oczy miał zamknięte, na twarzy wyraz melancholii i spokoju. Bez względu na to, o czym myślał, jego palce lekko biegały po strunach, długie i smukłe, wydobywając z instrumentu tęskną muzykę.

Przerwał tak gwałtownie, że krzyknęła cicho w proteście, stojąc w pokoju ze świecą w dłoni.

– Och proszę, graj dalej. To było takie piękne.

Wolałby, żeby podeszła do niego z nożem niż z tym niewinnym, chętnym uśmiechem na ustach. Miała na sobie tylko koszulę nocną, białą i czystą, rozpuszczone włosy opadały na plecy kasztanowym deszczem. Na jej twarzy w blasku świecy malowało się zaproszenie do romansu.

– Te podłogi są zbyt zimne, by chodzić po nich boso – powiedział tylko i wstał, żeby odłożyć instrument.

Z jego oczu zniknęło rozmarzenie, znów były chłodne. Rozdrażniona Moira odstawiła świecę.

– W końcu to moje stopy. Nigdy nie mówiłeś, że umiesz grać.

– O wielu rzeczach nigdy nie mówiłem.

– Ja nie mam żadnych uzdolnień w tym kierunku ku rozpaczy mojej matki i wszystkich nauczycieli muzyki, których zatrudniała. Każdy instrument w moich rękach wydaje dźwięk jak przydeptany kot.

Wyciągnęła dłoń i przesunęła palcami po strunach.

– Ty grasz, jakbyś miał magię w dłoniach.

– Miałem więcej lat na naukę, niż ty żyjesz na tym świecie. Dużo więcej.

Podniosła głowę i popatrzyła mu w oczy.

– To prawda, ale sztuka nie blednie z upływem lat, prawda? Masz talent, więc dlaczego nie możesz po prostu przyjąć komplementu?

– Wasza wysokość. – Skłonił się głęboko. – To ogromny zaszczyt dla mej skromnej osoby.

– Och, do diabła z tym! – warknęła, aż Cian roześmiał się zaskoczony. – Nie wiem dlaczego zawsze starasz się mnie obrazić.

– Człowiek musi mieć jakieś hobby. Życzę ci dobrej nocy.

– Dlaczego odchodzisz? To twoja pora, a nie wybierasz się na spoczynek. Nie mogłam spać. Coś zimnego. – Otoczyła się ramionami, zadrżała. – Obudził mnie jakiś chłód w powietrzu. – Dostrzegła lekką zmianę w jego oczach. – Co? Co wiesz? Czy coś się stało? Larkin...

– To nie ma z nim nic wspólnego. O ile wiem, on i cała reszta mają się świetnie.

– W takim razie o co chodzi?

Zastanawiał się przez chwilę. Jego wewnętrzny przymus oddalenia się od niej jak najszybciej nie mógł przeszkodzić mu w przekazaniu tego, co powinna wiedzieć.

– Zbyt tu chłodno na nocne zwierzenia.

– W takim razie rozpalę ogień. – Podeszła do kominka i wzięła do ręki hubkę i krzesiwo. – W tej malowanej szafce zawsze była whisky. Napiję się trochę.

Nie musiała się odwracać, żeby wiedzieć, że uniósł ironicznie brew, zanim podszedł do szafki.

– Matka cię nie uczyła, że to niestosowne, byś siedziała w środku nocy sam na sam z mężczyzną – nie mówiąc już o mężczyźnie, który nie jest człowiekiem – przy kominku i whisky?

– Stosowne zachowanie nie jest w tej chwili moim największym zmartwieniem. – Przysiadła na piętach, patrząc, czy torf się zapalił, po czym podeszła do fotela i wyciągnęła rękę po whisky. – Dziękuję. – Upiła pierwszy łyk. – Dziś w nocy coś się stało. Muszę wiedzieć co, jeśli to dotyczy Geallii.

– To dotyczy mnie.

– To miało coś wspólnego z Lilith. Myślałam, że to tylko moje własne lęki osaczają mnie podczas snu, ale to było coś więcej. Kiedyś o niej śniłam, właściwie to było coś więcej niż sen i ty mnie obudziłeś.

Potem był dla niej miły, pamiętała dobrze. Niechętnie, ale okazał jej sympatię.

– To było coś podobnego – ciągnęła – ale ja nie śniłam. Poczułam... – Urwała, otwierając szeroko oczy. – Nie, nie tylko poczułam. Usłyszałam ciebie. Słyszałam twój głos w mojej głowie, był lodowaty. „Ja będę twoim nemezis". Bardzo wyraźnie słyszałam, jak to mówisz. Gdy się budziłam, pomyślałam, że zamarzłabym na śmierć, gdybyś odezwał się do mnie w ten sposób.

I poczuła, że musi wstać, podążyć za jego muzyką.

– Do kogo mówiłeś?

Cian postanowił, że później będzie się zastanawiał, w jaki sposób mogła go słyszeć, czuć, w swoich snach.

– Do Lilith.

– Ach tak. – Nie odrywając oczu od ognia, Moira roztarła ramiona. – Wiedziałam. Z tym zimnem wiązała się jakaś ciemność. To nie byłeś ty.

– Skąd masz taką pewność?

– Ty masz inny... odcień – powiedziała. – Lilith jest czarna. Jak smoła. A ty, cóż, nie jesteś jasny, raczej szaroniebieski. Masz w sobie półmrok.

– Coś w rodzaju aury?

Moira poczuła, że się czerwieni na dźwięk lodowatego rozbawienia w jego głosie.

– Czasami widzę w ten sposób. Glenna mówi, że powinnam tego słuchać. Ona jest czerwono-złota, jak jej włosy, jeśli to cię interesuje. Czy to był sen? O Lilith?

– Nie. Chociaż zesłała mi sen, który mógł być wspomnieniem. O dziwce, którą zerżnąłem i zamordowałem w brudnym londyńskim zaułku. – Unosił szklankę do ust, akcentując każde słowo. – Nie ma znaczenia, czy akurat tę, bo zerżnąłem i zamordowałem ich wiele.

Moira nie spuszczała z niego wzroku.

– Myślisz, że to mnie szokuje. Mówisz o tym w taki sposób, żeby wdarło się między nas coś okrutnego.

– Między nami jest mnóstwo okrucieństwa.

– To, co zrobiłeś przed tą nocą na polanie w Irlandii, kiedy po raz pierwszy ocaliłeś mi życie, nie tkwi już między nami. Jest za tobą. Myślisz, że jestem aż tak naiwna, że nie wiem, ile różnych kobiet miałeś, i że wiele z nich zabiłeś? Obrażasz mnie i własny wybór, mówiąc teraz o tym.

– Nie rozumiem cię. – Zwykle gonił za tym, czego nie rozumiał. Zrozumienie było jeszcze jedną metodą na przetrwanie.

– To już nie moja wina. Ja w większości spraw wyrażam się jasno. Zesłała na ciebie sen, prawdziwy lub nie, żeby cię niepokoić.

– Niepokoić – powtórzył i odszedł od ognia. – Jesteś przedziwnym stworzeniem. On mnie podniecił. I zdenerwował, choć to nie jest najwłaściwsze słowo. Taki miała cel i w pełni go osiągnęła.

– Znalazła w tobie jakąś słabość i sama do ciebie przyszła. Tak jak Lora do Blair.

Odwrócił się, ściskając kubek whisky w ręku.

– Otrzymałem przeprosiny, spóźnione o parę wieków, za to, że mnie porzuciła zaledwie kilka dni po przemianie, gdy byłem bliski śmierci, po tym jak Hoyt zrzucił mnie z klifów.

– Być może pośpiech nie był wskazany, wziąwszy pod uwagę długość waszej egzystencji.

Teraz się roześmiał, nie mógł się powstrzymać. Krótki serdeczny śmiech, pełen aprobaty.

– O tak, najdziwniejsze stworzenie o ciętym dowcipie. Zaproponowała mi układ. Chcesz wiedzieć, jaki?

– Tak, bardzo chcę.

– Muszę tylko zostawić to wszystko. Ciebie, pozostałych i to, co wydarzy się w Samhain. Jeśli to zrobię, ona uzna rachunki między nami za wyrównane. A jeszcze lepiej, żebym przeszedł od was do jej obozu. Wtedy zostanę sowicie wynagrodzony. Dostanę wszystko, czego zapragnę, i miejsce u jej boku. A także w jej łóżku. Do swojego będę mógł zabrać każdą kobietę, którą zechcę.

Moira wydęła wargi i upiła łyk whisky.

– Jeśli w to uwierzyłeś, jesteś jeszcze bardziej naiwny niż ja twoim zdaniem.

– Nigdy nie byłem tak naiwny jak ty.

– Nie? Ciekawe, które z nas było na tyle naiwne, żeby zabawiać się z wampirzycą i podłożyć gardło pod jej kły?

– Ha. Trafiony, zatopiony. Ale ty nigdy nie byłaś ognistym młodym mężczyzną.

– A kobiety, oczywiście, nie są w ogóle zainteresowane cielesnymi sprawami. O wiele bardziej wolimy siedzieć nad robótką i powtarzać w myślach modlitwy.

Usta mu drgnęły, zanim pokiwał głową.

– Znowu masz rację. W każdym razie już nie jestem ognistym młodzieńcem i mam pełną świadomość, że Lilith uwięziłaby mnie i torturowała. Mogłaby trzymać mnie przy życiu przez... cóż, na zawsze. W niewypowiedzianym bólu.

Zastanowił się nad tym, krótka dyskusja z Moirą pobudziła go do myślenia.

– Albo raczej dotrzymywałaby słowa – w sprawie seksu i innych nagród – tak długo, jakby jej to pasowało. Wiedziałaby, że mogę się jej przydać, przynajmniej do Samhainu.

Moira skinęła potakująco głową.

– Wzięłaby cię do łóżka, zasypywała prezentami. Dała pozycję i majątek. A potem, gdy to wszystko dobiegłoby końca, uwięziłaby cię i torturowała.

– Właśnie. Ale ja nie mam zamiaru poddawać się przez wieczność torturom ani w niczym jej pomagać. Zabiła dobrego człowieka, który był moim przyjacielem. Musi spłacić mi dług, choćby za Kinga.

– Pewnie nie była zadowolona z twojej odmowy.

Cian posłał Moirze kpiące spojrzenie.

– Jesteś dziś królową niedopowiedzeń.

– W takim razie pozwól mi być także mistrzynią intuicji: powiedziałeś jej, że zrobisz wszystko, żeby ją zniszczyć.

– Przysiągłem, na własną krew. Dramatyczne – popatrzył na prawie zagojoną ranę na dłoni – ale czułem się jak w teatrze.

– Mówisz o tym tak lekko, to znaczące. Pragniesz zadać jej śmierć własnymi rękami bardziej, niż chcesz się przyznać. Ona tego nie rozumie, ciebie też nie. Potrzebujesz tego nie tylko w ramach odpłaty, ale też żeby zamknąć drzwi. – Przekrzywiła głowę, gdy Cian nic nie odpowiedział. – Myślisz, jakie to dziwne, że ja rozumiem cię lepiej niż ona? Lepiej cię znam?

– Myślę, że twój umysł bezustannie pracuje – odparł. – Niemal słyszę warkot trybików. Nic dziwnego, że ostatnio kiepsko sypiasz przy całym tym hałasie, który musi rozbrzmiewać w twojej głowie.

– Boję się.

Popatrzył na nią zmrużonymi oczami, ale Moira odwróciła wzrok.

– Boję się, że umrę, zanim zaczęłam naprawdę żyć. Boję się, że zawiodę swoich ludzi, rodzinę, ciebie i innych. Kiedy czuję to zimno i ciemność, które otoczyły mnie dziś w nocy, wiem, co będzie z Geallią, jeśli ona wygra. Mój kraj stanie się czarną pustką, wypaloną skorupą. Ta myśl przeraża mnie tak, że nie mogę zmrużyć oka.

– W takim razie odpowiedź musi być taka, że ona nie może wygrać.

– Tak. Taka musi być odpowiedź. – Moira odstawiła kubek. – Musisz powiedzieć o tym Glennie. Trudniej przyjdzie nam znaleźć odpowiedź, jeśli będziemy mieli przed sobą tajemnice.

– Jeśli ja jej nie powiem, ty to zrobisz.

– Oczywiście, ale powinna usłyszeć to od ciebie. Możesz grać na wszystkich instrumentach, kiedy tylko będziesz miał ochotę, a jeśli wolisz grać w samotności, bierz je do swojego pokoju.

– Dziękuję.

Uśmiechnęła się lekko i wstała.

– Chyba teraz będę mogła już zasnąć. Dobrej nocy.

Nie ruszył się z miejsca, gdy wzięła świecę i wyszła. I siedział tam długie godziny w ciemności rozświetlanej ogniem z kominka.

Wczesnym deszczowym świtem Moira stała z Tynanem, gdy on i pierwsze oddziały szykowały się do wymarszu.

– To będzie wyprawa w deszczu.

Tynan popatrzył na nią z uśmiechem.

– Deszcz przynosi ukojenie duszy.

– W takim razie nasze dusze muszą być w doskonałej formie po tych ostatnich dniach. One mogą wychodzić podczas deszczu, Tynanie. – Dotknęła delikatnie palcami krzyża namalowanego na jego napierśniku. – Zastanawiam się, czy nie powinniśmy poczekać na lepszą pogodę.

Tynan pokręcił głową i popatrzył ponad jej głową na swoich żołnierzy.

– Pani, ludzie są gotowi. Doszli do punktu, w którym dalsza zwłoka osłabi ich odwagę i będzie działała na nerwy. Potrzebują działania, nawet jeśli to będzie tylko długi marsz w deszczu. Szykowaliśmy się do walki – ciągnął, zanim zdążyła coś powiedzieć. – Jeśli ktokolwiek nas napadnie, będziemy gotowi.

– Wierzę, że będziecie. – Musiała wierzyć. Jeśli nie Tynanowi, którego znała przez całe życie, to komu? – Larkin i pozostali będą na was czekać. Oczekuję ich powrotu zaraz po zmierzchu, z wieścią, że dotarliście bezpiecznie i zajęliście stanowiska.

– Możesz na to liczyć i na mnie też, pani. – Ujął jej obie dłonie.

Ponieważ byli przyjaciółmi i jego pierwszego posyłała do bitwy, pochyliła się, by go pocałować.

– Liczę na ciebie. – Ścisnęła jego palce. – Uważaj, żeby moi kuzyni nie wpadli w tarapaty.

– To, pani, może okazać się niemożliwe. – Oderwał wzrok od jej twarzy.

– Panie. Pani.

Z dłońmi wciąż w rękach Tynana Moira odwróciła się do Ciana i Glenny.

– Mokry dzień na wycieczkę – zauważył Cian. – Pewnie zostawili na drodze kilka atrakcji, żeby urozmaicić wam podróż.

– Moi ludzie mają taką nadzieję. – Tynan popatrzył na prawie setkę mężczyzn, którzy żegnali się z rodzinami i ukochanymi, po czym spojrzał Cianowi prosto w oczy. – Czy jesteśmy gotowi?

– Dacie radę.

Zanim Moira zdążyła zganić go za bezczelność, Tynan wybuchnął gromkim śmiechem.

– W twoich ustach to zacna pochwała – powiedział i uścisnął dłoń Ciana. – Dziękuję za czas i siniaki.

– Dobrze je wykorzystajcie. *Slán leat.*

– *Slán agat.* – Wskakując na konia, posłał Glennie szelmowski uśmiech.

– Przyślę ci z powrotem twego męża, pani.

– Lepiej, żebyś tak zrobił. Niech cię Bóg błogosławi, Tynanie.

– W twoje imię, wasza wysokość – zwrócił się do Moiry i ruszył. – Do szeregu!

Moira patrzyła, jak mężczyźni formują szeregi, a jej kuzyn Oran i dwaj inni dowódcy na koniach prowadzą jej pierwsze oddziały na wojnę.

– Zaczęło się – wyszeptała. – Niech bogowie mają ich w swej opiece!

– Lepiej – powiedział Cian – żeby twoi ludzie sami się sobą zaopiekowali.

Jednak został z nią do chwili, aż pierwszy batalion geallijskiej armii zniknął im z oczu.

8

Glenna zmarszczyła brwi, gdy przy herbacie Cian, naciskany przez Moirę, opowiadał o spotkaniu z Lilith.

– Podobne do tego, co przydarzyło się kiedyś Blair i co spotkało mnie w Nowym Jorku. Miałam nadzieję, że Hoyt i ja uniemożliwiliśmy takie wizyty.

– Pewnie tak, u ludzi – powiedział Cian. – Wampir z wampirem to zupełnie inna sprawa. Zwłaszcza jeśli...

– Intruz jest stworzycielem – dokończyła Glenna. – Tak, rozumiem. Jednak powinien być jakiś sposób, żeby jej do ciebie nie dopuścić.

– Szkoda twojego czasu i energii. Dla mnie to żaden problem.

– Teraz tak mówisz, ale to cię rozstroiło.

– „Rozstroiło" to za silne słowo. W każdym razie odeszła zirytowana.

– Wyszło z tego coś dobrego – ciągnęła Glenna. – Skoro przyszła do ciebie i próbowała zawrzeć ugodę, to znaczy, że nie jest aż tak pewna siebie, jak by chciała.

– Wręcz przeciwnie, jest absolutnie przekonana, że wygra. Pokazał jej to czarnoksiężnik.

– Midir? Wczoraj w nocy nic o nim nie mówiłeś.

– Jakoś się nie złożyło – odrzekł lekko. Tak naprawdę bardzo długo się namyślał, czy powinien im o tym powiedzieć. – Lilith twierdzi, że pokazał jej zwycięstwo i według mnie ona święcie w nie wierzy. Wszelkie drobne porażki, które dotychczas poniosła, nie mają dla niej znaczenia. Chwilowe utrudnienia, klapsy dla jej dumy. Nic więcej.

– Odkrywamy karty przeznaczenia każdym ruchem, każdym wyborem. – Moira popatrzyła na Ciana. – Ta wojna aż do końca nie jest wygrana ani przez nią, ani przez nas. Jej czarnoksiężnik mówi i pokazuje to, co ona chce zobaczyć.

– Zgadzam się – poparła ją Glenna. – Jak inaczej mógłby ocalić własną skórę?

– Ja też sądzę, że macie rację. Obie. – Wzruszając niedbale ramionami, wziął gruszkę. – Ale tak niezachwiana wiara może być groźną bronią, a broń można zwrócić przeciwko temu, kto ją trzyma. Im głębiej zaleziemy jej za skórę, tym bardziej zrobi się lekkomyślna.

– A czego użyjemy jako pierwszej igły? – zapytała Moira.

– Pracuję nad tym.

– Ja mam coś, co może zadziałać. – Glenna zmrużyła oczy, mieszając herbatę. – Jeśli ten jej Midir może otworzyć drzwi do twojej głowy, Cian, to ja także mogę. Ciekawa jestem, co by powiedziała Lilith na przyjacielską wizytę?

Cian wgryzł się w gruszkę, odchylony na krześle.

– Proszę, proszę, jaka mądra dziewczynka.

– O tak, bardzo. Będziecie mi potrzebni. Oboje. Może zakończymy śniadanie milutkim małym czarem?

Czar nie był ani milutki, ani mały. Samo przygotowanie narzędzi i składników zajęło Glennie ponad godzinę.

Roztarła ametyst, fluoryt i turkus, a potem odstawiła je na bok. Zebrała chabry i ostrokrzew, gałązki tymianku. Otoczyła świece purpurą i żółcią i zapaliła ogień pod kociołkiem.

– Wymieszamy w wodzie to, co pochodzi z ziemi. – Zaczęła wrzucać składniki do naczynia. – Na słowa we śnie, na widzenie, na pamięć. Moira, czy możesz rozstawić świece wokół kotła?

Nie przerywała pracy, gdy Moira wykonywała polecenie.

– Myślałam o tym od czasu spotkania Lory z Blair. Wciąż się zastanawiałam, jak by można było to zrobić.

– Obrywaliście od niej mocno za każdym razem, gdy używaliście magii, żeby zajrzeć do jej kwatery – przypomniał jej Cian. – Więc lepiej bądź pewna. Wolałabym, żeby Hoyt nie zrzucił mnie znowu z klifu za to, że pozwoliłem, żeby coś ci się stało.

– To nie będę ja, przynajmniej nie na linii frontu. – Odgarnęła włosy i popatrzyła na niego. – To będziesz ty.

– W takim razie doskonale.

– To ryzykowne, więc to ty musisz być pewny.

– Cóż, to gra na męstwo i chwałę, prawda? – Podszedł, żeby zajrzeć do kociołka. – A co dokładnie będę robił?

– Obserwował, przynajmniej na początku. Jeżeli zdecydujesz się na kontakt... to będzie zależało od ciebie i musisz dać mi słowo, że wycofasz się, gdy tylko zacznie być niebezpiecznie. Inaczej cię wyrwiemy z transu, a to nie będzie przyjemne. Potem będziesz miał kosmiczny ból głowy i jeszcze gorsze nudności.

– Ale zabawa.

– To dopiero początek. – Podeszła do małego pudełka, z którego wyjęła niewielką woskową figurkę.

Cian uniósł brwi.

– Bardzo podobna. Naprawdę jesteś sprytna.

– Rzeźbienie nie jest moją najmocniejszą stroną, radzę sobie jednak z zabawkami. – Glenna obróciła figurkę Lilith, żeby Moira też mogła ją zobaczyć. – Zwykle ich nie robię... to inwazyjne i niebezpieczne dla drugiej strony, ale zasada „nie szkodzić" nie obowiązuje niemartwych. Z wyjątkiem tu obecnych.

– Doceniam.

- Potrzebuje od ciebie tylko jednej rzeczy.
- Czyli?
- Krwi.

Cian jedynie zrobił zrezygnowaną minę.

- Oczywiście.
- Tylko kilka kropli, jak przekłuję laleczkę. Nie mam niczego, co należało do niej, żadnych włosów, skrawków paznokci. Ale kiedyś, dawno temu, wasza krew się wymieszała. Myślę, że to wystarczy. - Zawahała się, zaplatając palcami łańcuszek wisiorka. - A może to zły pomysł.
- Bardzo dobry. - Moira ustawiła ostatnią świecę. - Pora, żebyśmy wcisnęli się do jej umysłu, tak jak ona wtargnęła do naszych. To będzie dobra gorąca zadra, którą wbijemy jej pod skórę, jeśli chcecie znać moje zdanie. I Cian zasługuje na to, żeby podręczyć Lilith jej własną bronią. - Wyprostowała się. - Czy będziemy mogły patrzeć?
- Głodna zemsty? - zapytał Cian.

Oczy Moiry zasnuł lodowaty dym.

- Spragniona. Będziemy?
- Jeśli wszystko pójdzie zgodnie z planem. - Glenna wzięła głęboki oddech. - Gotowy na astralną projekcję? - zapytała Ciana.
- Bardziej już nie będę.
- Wejdźcie w krąg świec, oboje. Cian, musisz wprowadzić się w stan medytacji, razem z Moirą będziemy cię obserwować i pilnować. Przytrzymamy twoje ciało na ziemi, podczas gdy twój umysł i wyobraźnia wyruszą w podróż.
- Czy to prawda - chciała wiedzieć Moira - że łatwiej zapewnić podróżującemu duchowi kontakt z tym światem, jeśli ma przy sobie przedmiot od kogoś, kto do niego należy?

Glenna znowu odgarnęła włosy.

- Jest taka teoria.
- W takim razie weź to. - Zdjęła ozdobę z paciorków i skóry, którą przewiązywała warkocz. - Na wypadek, gdyby ta teoria okazała się prawdziwa.

Cian zmarszczył z powątpiewaniem brwi i schował podarunek do kieszeni.

- Idę uzbrojony w błyskotkę do włosów.

Glenna wzięła do ręki miseczkę z balsamem.

- Skup się, otwórz czakry - mówiła, wcierając mu balsam w skórę. - Rozluźnij ciało, otwórz umysł.

Popatrzyła na Moirę.

- Zaczarujemy krąg. Wyobraź sobie światło, delikatny, niebieski płomień. To dla ochrony.

Gdy one tworzyły krąg, Cian skupił się na białych drzwiach. To był jego symbol do medytacji. Drzwi otworzą się, kiedy będzie gotowy, a on przez nie przejdzie.

- On ma silny umysł - zapewniła Glenna Moirę. - I sporą praktykę. Mówił mi, że uczył się w Tybecie. Nieważne. - Machnęła ręką. - Gadam od rzeczy. Jestem trochę zdenerwowana.

– Jej czarnoksiężnik nie jest silniejszy od ciebie. Możesz zrobić to samo, co on.

– Masz cholerną rację. Muszę ci jednak wyznać, mam ogromną nadzieję, że Lilith śpi. Powinna, naprawdę powinna spać. – Glenna popatrzyła przez okno na strugi deszczu. – Zaraz się dowiemy.

Zrobiła wgłębienie w figurce i wypełniła je kamykami, rozmarynem i szałwią, startym ametystem i kwarcem.

– Musisz kontrolować swoje uczucia, Moiro. Wyzbądź się nienawiści i lęku. Szukamy sprawiedliwości i światła. Lilith można skrzywdzić magią, ale Cian jest naszym przewodnikiem. Nie chcę, żeby odbiły się na nim jakiekolwiek negatywne emocje.

– W takim razie sprawiedliwość. To wystarczy.

Glenna zalepiła kukiełkę kulką wosku.

– Wzywamy Maat, boginię sprawiedliwości i równowagi, by wyciągnęła ku nam dłoń. Tym wizerunkiem ślemy magię przez ziemię i przez toń. – Czarną wstążką przywiązała do figurki białe pióro. – Daj stworzeniu, którego mam tu postać, sen nieśpiący, któremu ma nie sprostać.

Wręczyła Moirze rytualny nóż i skinęła głową.

– Związana przez krew, którą dała sama, związana przez tę, którą wypuści ta rana.

Cian ani drgnął, gdy Moira rozcięła mu skórę na dłoni.

– Umysł i czar, co duszę przenika, niech wyostrzą wzrok naszego przewodnika. My patrząc, miejmy go w sercu i duszy, gdy on w swą podróż wyruszy. Przez nas strumień tej magii płynie. Niech on zawita w jej snu krainie. Otwórz przed nami drzwi, byśmy mogli ujrzeć jej sny.

Glenna uniosła kukiełkę nad kotłem, rozprostowała palce i siłą woli trzymała figurkę w powietrzu.

– Weź go za rękę – poleciła Moirze. – I mocno trzymaj.

Gdy Moira dotknęła dłoni Ciana, on nie przeszedł przez drzwi, lecz eksplodował, wypadł przez nie. Lecąc przez ciemność, której nawet jego wzrok nie mógł przeniknąć, czuł silny uścisk dłoni Moiry, a w głowie słyszał jej głos, spokojny i chłodny.

– Jesteśmy z tobą. Nie puścimy cię.

Blask księżyca malował w ciemności mozaikę z cieni i kształtów. Powietrze wypełnił zapach kwiatów, ziemi, wody i kobiety.

Ludzi.

Poczuł żar. Temperatura nie miała dla niego znaczenia, ale czuł, że wilgotny chłód pozostawił za sobą i wszedł w rozgrzany upał, ochładzany jedynie lekkim powiewem bryzy.

Morze, pomyślał. Ocean, którego fale obmywały piasek biały jak cukier. Plaża przechodziła w łagodne wzniesienia, których zbocza porastały oliwkowe gaje. Na najwyższym wzgórzu stała świątynia, jasna jak światło księżyca, marmurowe kolumny spoglądały na ocean, drzewa, ogrody i baseny.

I na kobietę, i mężczyznę, którzy leżeli razem na białym kocu, otoczonym lśniącym piaskiem, tuż obok igrających pianą fal.

Usłyszał kobiecy śmiech – uwodzicielską pieśń podnieconej kobiety. I wiedział, że to Lilith, jej sen lub wspomnienie. Dlatego stał dalej, patrząc jak mężczyzna zsunął białą szatę z ramion kobiety i pochylił się nad jej piersią.

Słodkie, tak słodkie, jego usta na jej skórze. Wszystko w niej odpływało i wracało jak fala. Jak to mogło być zabronione, takie piękno? Jej ciało zostało dla niego stworzone. Bogowie stworzyli jej umysł i duszę jako dopełnienie jego.

Wygięła się zapraszająco w łuk, przeczesując palcami wyzłocone słońcem włosy mężczyzny. Pachniał drzewami oliwkowymi i słonecznym blaskiem, w którym dojrzewały ich owoce.

Jej miłość, jedyna. Wyszeptała te słowa, gdy ich usta znowu się spotkały. I jeszcze raz, kiedy pragnienie stało się tak gorące, jakby mieli zaraz spłonąć.

Oczy miała pełne jego, gdy ich ciała w końcu się połączyły. Rozkosz wycisnęła jej łzy, zamieniła oddech w jęk.

Miłość płynęła przez nią, uderzała w jej serce tysiącem jedwabnych pięści. Przycisnęła go do siebie mocniej i jeszcze mocniej, krzycząc z rozkoszy tak głośno, jakby wyzywała samych bogów, by odważyli się ją usłyszeć.

– Cirio, Cirio. – Przytuliła jego głowę do piersi. – Moje serce. Moja miłości.

Uniósł się i odgarnął jej lśniące włosy.

– Nawet blask księżyca blednie przy twojej urodzie. Lilia, moja królowa nocy.

– Noce należą do nas, ale ja chcę dzielić z tobą słońce. Słońce, które złoci twoje włosy i skórę, które dotyka cię nawet wtedy, gdy ja nie mogę. Chcę iść u twego boku, dumna i wolna.

Mężczyzna przewrócił się na plecy.

– Popatrz na gwiazdy. Dziś w nocy są naszymi pochodniami. Powinniśmy popływać w ich blasku. Zmyjmy z siebie ten żar w morzu.

Żal natychmiast starł wyraz błogiego rozleniwienia z jej twarzy.

– Dlaczego nie chcesz o tym mówić?

– Noc jest zbyt gorąca na trudne rozmowy – odrzekł beztrosko, przesypując piasek przez palce. – Chodź. Będziemy się bawić jak delfiny.

Ale gdy wziął ją za ręce, by pomóc jej wstać, kobieta gwałtownie wyrwała dłonie.

– Ależ musimy porozmawiać. Musimy ułożyć plan.

– Najsłodsza, zostało nam już dziś tak niewiele czasu.

– Moglibyśmy mieć wieczność, każdą noc. Musimy tylko odejść, uciec razem. Mogłabym zostać twoją żoną, dać ci dzieci.

– Odejść? Uciec? – Odrzucił głowę ze śmiechem. – A cóż to za głupoty? Chodź, no proszę, chodź, została mi tylko godzina. Popływajmy chwilę, chcę wziąć cię na falach.

– To nie są głupoty. – Tym razem uderzyła go w rękę, żeby zabrał dłoń.

– Moglibyśmy stąd popłynąć wszędzie, dokąd tylko byśmy chcieli. Być razem otwarcie, w promieniach słońca. Chcę więcej niż tylko kilku godzin w ciemności, Cirio. Obiecałeś mi więcej.

– Odpłynąć jak złodzieje? Tu jest mój dom, moja rodzina. Moje obowiązki.

– Twój skarbiec – powiedziała z gniewem. – A raczej twojego ojca.

– I co z tego? Myślisz, że skalam nazwisko swojej rodziny, uciekając z kapłanką świątynną, by żyć z nią jak nędzarz na obcej ziemi?

– Mówiłeś, że mógłbyś żyć, żywiąc się tylko moją miłością.

– Słowa przychodzą łatwo w zapale. Bądź rozsądna. – Mruknął uwodzicielsko i przesunął palcem po jej nagiej piersi. – Dajemy sobie nawzajem rozkosz. Czy musi być coś więcej?

– Ja chcę więcej. Kocham cię. Złamałam dla ciebie śluby.

– Z ochotą – przypomniał jej.

– Z miłości.

– Miłość nie napełni żołądka, Lilio, ani nie zapłaci kupcom. Nie bądź smutna. Kupię ci prezent. Coś złotego, jak twoje włosy.

– Nie chcę niczego, co możesz kupić. Pragnę wolności. Zostanę twoją żoną.

– Nie możesz. Gdybyśmy odważyli się na to szaleństwo i zostali złapani, skazano by nas na śmierć.

– Wolę umrzeć, niż żyć bez ciebie.

– Wygląda na to, że ja bardziej cenię swoje życie niż ty los nas obojga. – Niemal ziewał, tak leniwy był jego ton. – Mogę dać ci wolność w rozkoszy. Ale jeśli chodzi o żonę, to wiesz, że już ją dla mnie wybrano.

– Ty wybrałeś mnie. Powiedziałeś...

– Wystarczy, wystarczy! – Machnął ręką bardziej znudzony tą rozmową niż zły. – Wybrałem ciebie w tym celu, tak jak ty wybrałaś mnie. Byłaś spragniona mężczyzny, widziałem to w twoich oczach. Jeśli snułaś fantazję, w której odpływamy razem, to już twoja sprawa.

– Oddałeś mi siebie.

– Tylko moje ciało. A ty dobrze sobie na nim pożywałaś. – Wstając, zawiązał tunikę. – Z radością zatrzymałbym cię jako kochankę, ale nie mam ani czasu, ani cierpliwości na niedorzeczne żądania świątynnej ladacznicy.

– Ladacznicy. – Z jej twarzy odpłynął wściekły rumieniec, zastąpiła ją biel równa kolumnom na wzgórzu. – Wziąłeś moje dziewictwo.

– Ty mi je dałaś.

– Nie możesz naprawdę tak myśleć. – Uklękła i złożyła dłonie jak do modlitwy. – Jesteś zły, bo zaczęłam cię naciskać. Nie będziemy już dziś o tym mówić. Pójdziemy pływać, tak jak chciałeś, i zapomnimy o wszystkich przykrych słowach.

– Na to już za późno. Myślisz, że nie wiem, co chodzi ci po głowie? Zanudzisz mnie na śmierć żądaniem tego, co nigdy nie może się wydarzyć. I w sumie dobrze. Już i tak wystarczająco długo wystawialiśmy na próbę cierpliwość bogów.

– Chyba nie chcesz mnie opuścić? Ja cię kocham. Jeśli mnie zostawisz, pójdę do twojej rodziny. Powiem im...

- Powiedz choć słowo, a przysięgnę, że kłamiesz. Spłoniesz za to, Lilio.
- Pochylił się i przesunął palcem po jej ramieniu. - A twoja skóra jest zbyt słodka, zbyt miękka, by lizały ją języki ognia.
- Nie, nie odwracaj się ode mnie. Będzie tak, jak mówisz, jak będziesz chciał. Już nigdy nie wspomnę o ucieczce. Nie opuszczaj mnie.
- Błaganie tylko psuje twą urodę.

Wołała za nim w potwornej rozpaczy, ale odszedł tak, jakby w ogóle jej nie słyszał.

Rzuciła się na koc, rozpaczliwie szlochając i waląc pięściami w piach. Ból palił ją jak ogień, o którym mówił mężczyzna, aż jej kości wydawały się obracać w popiół. Jak będzie mogła żyć z takim cierpieniem?

Miłość ją zdradziła, wykorzystała i porzuciła. Zrobiła z niej pośmiewisko. A mimo to jej serce wciąż było pełne miłości.

Rzuci się w morze i utonie. Wdrapie się na szczyt świątyni i runie głową w dół. Umrze z bólu, ze wstydu.

- Ale najpierw go zabiję - zachłysnęła się wściekłością. - Zabiję jego, a potem siebie. Taka jest cena miłości i zdrady.

Usłyszała jakiś ruch, zaledwie szmer na piasku, i podskoczyła z radości. Wrócił!

- Moja miłości!
- O tak, będę nią.

Miał czarne, spływające na ramiona włosy. Ubrany był w długą szatę w kolorze nocy. Oczy miał tej samej barwy, tak czarne, że wydawały się lśnić.

Lilia chwyciła szatę i przycisnęła ją do piersi.

- Jestem kapłanką świątyni. Nie masz prawa tu wchodzić.
- Wchodzę tam, gdzie chcę. Taka młoda - wyszeptał, badając ją tymi czarnymi oczami. - Taka świeża.
- Masz stąd odejść.
- W swoim czasie. Przyglądałem ci się przez te ostatnie trzy noce, Lilio; tobie i temu chłopcu, na którego marnujesz swój czas.
- Jak śmiesz!
- Ty mu dałaś miłość, a on tobie kłamstwa. Obie rzeczy mają swoją cenę. Powiedz mi, czy chciałabyś odpłacić mu za ten podarunek?

Poczuła, jak coś w niej wrze, pierwsze soki zemsty.

- Na nic ode mnie nie zasługuje. Ani on, ani żaden inny mężczyzna.
- Święta prawda. Dlatego mnie dasz to, na co nie zasługuje żaden człowiek.

Poczuła strach i rzuciła się do ucieczki, lecz w jakiś sposób on wciąż stał przed nią, uśmiechając się lodowato.

- Kim ty jesteś?
- Ach, intuicja. Wiedziałem, że to był dobry wybór. Jestem tym, co istniało, zanim niebo wyrzygało twoich słabych i rozpustnych bogów.

Znowu zaczęła uciekać, krzyk uwiązł jej w gardle. Ale on znowu był przed nią, zastąpił jej drogę. Strach przeszedł w panikę.

- Dotknięcie kapłanki oznacza śmierć.

- A śmierć to taki fascynujący początek. Szukam towarzyszki, kochanki, uczennicy. Ty nią jesteś. Mam dla ciebie dar, Lilio.

Tym razem roześmiał się, gdy zaczęła uciekać. Wciąż się śmiał, gdy zwalił ją z nóg i szlochającą rzucił na ziemię.

Walczyła, drapała, gryzła, błagała, ale on był zbyt silny. Teraz jego usta znaczyły jej pierś, a Lilia płakała ze wstydu, rozdzierając mu paznokciami policzek.

- Tak, tak. Jest lepiej, kiedy walczą. Przekonasz się. Ich strach jest jak perfumy, krzyki brzmią niczym muzyka. - Ujął dłońmi jej twarz, zmusił, by Lilia na niego spojrzała.

- Patrz mi w oczy. Prosto w oczy.

Wszedł w nią. Jej ciało zadrżało, zamknęło się, zamarło w szoku ze strachu. I niewypowiedzianego podniecenia.

- Czy on zabierał cię tak wysoko?

- Nie, nie. - Łzy zaczęły obsychać na jej policzkach. Przestała drapać i gryźć, wbiła palce w piasek, szukając oparcia. Ze wzrokiem utkwionym w jego oczach zaczęła poruszać ciałem w rytm jego ruchów.

- Weź więcej. Pragniesz więcej - zachęcał. - Ból jest taki... podniecający.

Wdarł się w nią głębiej, tak głęboko, że bała się, iż rozerwie ją na pół, ale i tak jej ciało dopasowało się do jego rytmu, oczy nie odwróciły od jego oczu.

Gdy zobaczyła, jak jego białka zachodzą czerwienią, poczuła nowe ukłucie paniki, połączone jednak z pierwszą fala nieopisanej rozkoszy. Był taki piękny. Jej ludzki kochanek stał się jedynie bladym cieniem przy tej czarnej, przeklętej urodzie.

- Dam ci narzędzie zemsty. Podaruję ci twój początek. Musisz tylko o niego poprosić. Poproś mnie o dar.

- Tak. Daj mi swój dar. Daj mi zemstę. Daj mi...

Jej ciało drgnęło konwulsyjnie, gdy wbił w nie kły, a każda rozkosz, którą znała lub tylko mogła sobie wyobrazić, zbladła przy tym, co ją wypełniło. W tym była chwała, jakiej nigdy nie znalazła w świątyni, pączkująca, czarna moc, o której zawsze wiedziała, że istnieje, tuż poza zasięgiem jej dłoni.

Tu był zakazany owoc, o którym zawsze marzyła.

I to ona, drżąc z rozkoszy i mocy, doprowadziła go do szczytowania. To ona, bez zachęty, uniosła się, by wypić krew, której utoczyła mu z policzka.

Umarła z uśmiechem na zakrwawionych wargach.

I obudziła się w swoim łóżku tysiąc lat później.

Całe ciało miała obolałe, umysł zamglony. Gdzie podziało się morze? Gdzie świątynia?

- Cirio?

- Romantyczka? Kto by pomyślał. - Cian wyszedł z cienia. - Wołasz kochanka, który tobą wzgardził.

- Jarl? - Tak nazywała swojego stworzyciela. Ale gdy sen oddzielił się od jawy, dostrzegła Ciana. - Więc jednak przyszedłeś. Moja propozycja...

- Wciąż nie widziała wyraźnie.

- Co się stało z tym chłopcem? - Cian przysiadł na brzegu łóżka, jakby szykował się do przyjacielskiej pogawędki.
- Z jakim chłopcem? Z Daveyem?
- Nie, nie z tym szczeniakiem, którego stworzyłaś. Z twoim pierwszym kochankiem, tym, którego miałaś za życia.

Usta jej zadrżały, gdy zrozumiała, o kim mówił.
- A więc bawisz się moimi snami? A jakie to ma teraz znaczenie? - Ale była głęboko wstrząśnięta. - Miał na imię Cirio. Jak myślisz, co się z nim stało?
- Myślę, że twój mistrz zrobił z niego twoją pierwszą ofiarę.

Uśmiechnęła się do jednego ze swych najsłodszych wspomnień.
- Posikał się, gdy Jarl podał mi go na tacy, i zasmarkany niczym dziecko błagał o litość. Byłam nowa, a mimo to godzinami trzymałam go przy życiu - długo po tym, jak zaczął błagać o śmierć. Ale dla ciebie będę lepsza. Dam ci całe lata bólu.

Zamachnęła się i przeklęła, gdy ostre paznokcie przecięły powietrze.
- Zabawne, prawda? A Jarl? Ile minęło czasu, zanim z nim skończyłaś?

Nadąsana opadła na poduszki, po czym wzruszyła ramionami.
- Prawie trzysta lat. Musiałam wiele się od niego nauczyć. Zaczął się mnie bać, bo moja moc stawała się coraz potężniejsza. Czułam zapach jego strachu. Unicestwiłby mnie, gdybym nie zrobiła tego pierwsza.
- Miałaś na imię Lilia.
- Żałosna istota ludzka, którą byłam. Nazwał mnie Lilith*, gdy się przebudziłam. - Zaplotła lok na palcu, obserwując Ciana. - Masz jakąś niedorzeczną nadzieję, że kiedy poznasz mój początek, znajdziesz mój koniec?

Odrzuciła kołdrę i naga podeszła do srebrnego dzbana.

Jej dłonie wciąż drżały, gdy nalewała krew do kielicha.
- Pomówmy szczerze - zaproponował Cian. - Jesteśmy tu tylko we dwoje... co jest dziwne. Nie śpisz dziś z Lorą ani z chłopcem czy jakąś inną zabawką?
- Nawet ja, czasami, potrzebuję samotności.
- No dobrze. Zatem będę mówił szczerze. To dziwne, prawda, i niepokojące, wracać, nawet we śnie, do ludzkiej postaci. Patrzeć na własny koniec i początek, jakby to dopiero co się wydarzyło. Znowu poczuć się człowiekiem, o tyle, o ile pamiętamy, co czuje człowiek.

Lilith bezmyślnie narzuciła peniuar.
- Chętnie wróciłabym do ludzkiej postaci.

Cian uniósł brwi.
- Ty? Zaskakujesz mnie.
- Żeby jeszcze raz przeżyć śmierć i odrodzenie. To cudowne, zwalające z nóg podniecenie. Mogłabym znowu być ślepa i słaba tylko po to, by jeszcze raz otrzymać dar.
- Oczywiście. Jesteś taka przewidywalna. - Wstał. - Posłuchaj, jeśli ty

---

* Lilith - bogini nocy, pierwsza żona Adama, opuściła raj i udała się do miejsca zamieszkanego przez lubieżne demony.

i twój magik znowu spróbujecie ingerować w moje sny, odpłacę wam pięknym za nadobne w trójnasób. Nie będziesz miała chwili wytchnienia, ode mnie ani od siebie.

Jego postać zniknęła, ale Cian nie chciał jeszcze wracać. Czuł ponaglające go myśli Moiry i Glenny, jednak zatrzymał się jeszcze na chwilę. Chciał zobaczyć, co teraz zrobi Lilith.

Cisnęła kielichem z resztką krwi o ścianę. Roztrzaskała puzderko i waliła pięściami w ścianę tak długo, aż jej kłykcie zaczęły krwawić.

Wtedy zawołała strażnika.

– Przyprowadź do mnie tego darmozjada czarnoksiężnika. Zakuj go w kajdany. Przyprowadź go... nie, czekaj. Poczekaj. – Odwróciła się, próbując odzyskać kontrolę nad emocjami. – Zabiję go, jeśli teraz wejdzie mi w drogę, a wtedy na co mi się przyda? Przynieś mi kogoś do jedzenia. – Zwróciła się twarzą do sługi. – Mężczyznę. Młodego. Około dwudziestki. Blondyna, jeśli mamy jakiegoś w zapasach. Idź!

Gdy została sama, rozmasowała skronie.

– Zabiję go jeszcze raz – wyszeptała. – Wtedy poczuję się lepiej. Nazwę go Cirio i znowu go zabiję.

Porwała z biurka drogocenne lusterko, a gdy zobaczyła swoje odbicie, przypomniała sobie, dlaczego chce zachować Midira przy życiu. On jej to podarował.

– Oto ja – powiedziała miękko. – Taka piękna. Bladnie światło księżyca, tak, tak. Jestem tu, zawsze tutaj będę. Reszta to duchy. A ja jestem tutaj.

Wzięła do ręki szczotkę i zaczęła czesać włosy i śpiewać. Z oczami pełnymi łez.

– Wypij to. – Glenna przystawiła Cianowi puchar do ust, który on natychmiast odepchnął.

– Nic mi nie jest. Nie mam ochoty na whisky i nie zamierzam zemdleć wam na rękach.

– Jesteś blady.

Usta mu drgnęły.

– Taka już uroda nieboszczyków. Cóż. To była niezła jazda.

Skoro on nie chciał, Glenna napiła się sama whisky i podała puchar Moirze.

– Ona nas nie wyczuła – powiedziała. – Chciałabym wierzyć, że to dzięki założonej przez mnie blokadzie, ale prawdopodobnie była po prostu zbyt zajęta.

– Była taka młoda. – Moira usiadła. – Taka młoda i zakochana w tej bezwartościowej parodii mężczyzny. Nie wiem, jakim językiem mówili. Rozumiałam ich, ale nie rozpoznałam, jaki to język.

– Grecki. Była kiedyś kapłanką jakiejś bogini. Ślubowała, że zachowa dziewictwo. – Cian, łaknąc krwi, napił się wody. – I daruj sobie to współczucie. Była gotowa do tego, co ją spotkało.

– Tak jak ty? – odcięła się Moira. – I nie udawaj, że nic nie poczułeś. Byliśmy złączeni. Czułam twoje współczucie. Mężczyzna złamał jej serce, a chwilę później została zgwałcona i przemieniona przez demona. Mogę nienawidzić Lilith i współczuć Lilii.

– Lilia już i tak była na wpół szalona – stwierdził bez emocji. – Może właśnie dzięki przemianie zdołała zachować resztkę rozumu.

– Masz rację. Przykro mi – Glenna zwróciła się do Moiry. – Mnie także ciężko było patrzeć na to, co ją spotkało, ale było coś w jej oczach, w jej głosie... i Boże, w sposobie, w jaki jej ciało odpowiedziało Jarlowi. Ona nie była do końca normalna, Moiro, nawet wtedy.

– Wiem, mogła sama odebrać sobie życie lub zostać skazana za zabicie mężczyzny, który ją wykorzystał. I zmarłaby czystą śmiercią. – Moira westchnęła. – A my pewnie nie dyskutowalibyśmy teraz na ten temat. Od myślenia o tym wszystkim może rozboleć głowa. Mam pytanie w pewnej dość delikatnej kwestii. – Odchrząknęła, zanim zapytała Ciana. – Czemu jej reakcja, o której mówiła Glenna, była aż tak niezwykła?

– Większość ofiar walczy lub zamiera ze strachu. Ona jednak aktywnie uczestniczyła po... delikatność nie jest moją najlepszą stroną – przyznał Cian. – Gdy zaczęła czerpać przyjemność z gwałtu. To był bez wątpienia gwałt, a przemoc nie sprawia przyjemności żadnej kobiecie przy zdrowych zmysłach.

– Ona należała do niego jeszcze przed ukąszeniem – wyszeptała Moira.

– Wiedział, że tak jest, dostrzegł to w niej. Wiedziała, co zrobić, by się przemienić – wypić jego krew. Zawsze czytałam, że ofiarę trzeba zmusić lub ją zaprosić. Ona sama to wzięła. Rozumiała, co się stanie, pragnęła tego.

– Wiemy teraz więcej, a wiedza zawsze się przydaje – zauważył Cian. – Cały ten epizod wytrącił ją z równowagi, to dodatkowa korzyść. Będę spał lepiej, wiedząc, że tyle osiągnęliśmy. Panie wybaczą, już dawno minęła moja pora spoczynku.

Moira patrzyła, jak wychodził.

– On ma uczucia. Jak myślisz, dlaczego tak bardzo się stara, żeby udawać, że ich nie ma?

– Uczucia najczęściej powodują ból. Myślę, że kiedy się tyle w życiu widziało i zrobiło, uczucia nie dają nic oprócz cierpienia. – Glenna położyła dłoń na ramieniu Moiry. – Negacja to jeszcze jeden sposób na przetrwanie.

– Uwolnione uczucia mogą być zarówno lekarstwem, jak i bronią.

A czym będą u niego, gdy je w pełni uwolni?

9

*D*eszcz przeszedł w wilgotny zmierzch, który rozpostarł nad ziemią dymną mgłę. Nadchodziła noc, lecz ani księżyc, ani gwiazdy nie mogły przebić się przez mrok.

Moira przeszła przez szary dym spowijający dziedziniec i stanęła obok Glenny.

– Już prawie są w domu – wyszeptała Glenna. – Później niż myśleliśmy, ale już prawie są.

– Kazałam rozpalić ogień w waszej komnacie i u Larkina, zagrzać wodę na kąpiel. Będą zmarznięci i przemoczeni.

– Dziękuję. Nie pomyślałam o tym.

– Ty myślałaś o wszystkim w Irlandii, teraz to moja rola. – Moira, tak jak Glenna, wbiła wzrok w niebo. – Kazałam przynieść jedzenie do rodzinnego salonu, chyba że wolisz zostać sama z Hoytem.

– Nie, nie. Oni będą chcieli od razu wszystko opowiedzieć. Potem będziemy mieli czas dla siebie. – Złapała krzyż, który razem z amuletem nosiła na szyi. – Nie przypuszczałam, że będę się aż tak zamartwiać. Nie denerwowałam się tak, nawet walcząc z o wiele liczniejszym przeciwnikiem.

– Bo wtedy byłaś przy nim. Kochać i czekać – to gorsze niż zostać zranionym w bitwie.

– Jedna z lekcji, których się nauczyłam. Tak wiele ich było. Wiem, że ty też martwisz się o Larkina. I o Tynana. Nie jesteś mu obojętna.

Moira wiedziała, że Glenna nie mówi o Larkinie.

– Wiem. Nasze matki miały nadzieję, że stworzymy parę.

– Ale?

– Nie czuję tego, co powinnam czuć. On jest moim przyjacielem. Pewnie łatwiej mi znieść to wszystko, bo nie mam ukochanego, na którego mogłabym czekać, którego mogłabym stracić.

Glenna milczała przez chwilę.

– Ale?

– Ale – odrzekła Moira ze śmiechem. – Zazdroszczę ci tortury oczekiwania na twojego ukochanego.

Dostrzegła sylwetkę Ciana wyłaniającą się z mroku. Zauważyła, że szedł od strony stajni. Nie miał na sobie okrycia, jakie w zimne i deszczowe dni zakładali mężczyźni w Geallii, lecz płaszcz podobny do tego, który nosiła Blair. Długi, czarny, ze skóry.

Poły powiewały na wietrze, gdy Cian zbliżył się do nich, ledwo słyszalnie szurając butami na mokrych kamieniach.

– Nie wrócą szybciej tylko dlatego, że stoicie na zimnie – zauważył.

– Już prawie są w domu. – Glenna wpatrywała się w niebo tak intensywnie, jakby mogła je przekonać siłą woli, by stanęło otworem i oddało jej Hoyta. – On wie, że czekam.

– Gdybyś to na mnie czekała, Ruda, w ogóle bym nie wyjeżdżał.

Glenna z uśmiechem pochyliła głowę, aż oparła czoło na jego ramieniu. Gdy Cian ją objął, Moira dostrzegła w tym geście to samo uczucie, które ona dzieliła z Larkinem: płynącą prosto z serca troskę o rodzinę.

– Tam – powiedział. – Na wschodzie.

– Widzisz ich? – Glenna ruszyła przed siebie. – Naprawdę ich widzisz?

– Poczekaj chwilę i ty też zobaczysz.

Zobaczyła i ścisnęła Moirę za rękę.

– Dzięki Bogu. Och, dzięki Bogu!

Smok przeciął gęstą mgłę, złota błyskawica z jeźdźcami na grzbiecie. Jeszcze nie zdążył wylądować, a Glenna już biegła po kamieniach i wpadła prosto w ramiona Hoyta.

– Jaki piękny widok – powiedziała cicho Moira, gdy Hoyt i Glenna stali objęci. – Tak wielu dziś się żegnało i pożegna jutro, że cudownie patrzeć, jak ktoś wraca do domu, prosto w oczekujące go ramiona.

– Przedtem zawsze wolał powracać do samotności. Kobiety wszystko zmieniają.

Popatrzyła na niego.

– Tylko kobiety?

– No dobrze, ludzie. Ale kobiety? One odmieniają światy tylko dlatego, że są kobietami.

– Na lepsze czy na gorsze?

– Zależy od kobiety, prawda?

– I od nagrody lub mężczyzny, na którego ma oko. – Pobiegła na spotkanie Larkina.

Uściskała go mocno, mimo że był przemoczony do suchej nitki.

– Przygotowałam jedzenie, picie, gorącą wodę, wszystko, czego możecie potrzebować. Tak się cieszę, że was widzę. Wszystkich.

Ale gdy miała odwrócić się od Larkina i przywitać pozostałą dwójkę, kuzyn złapał ją mocno za ramię.

Moira poczuła, jak jej ulga zamienia się w strach.

– Co? Co się stało?

– Powinniśmy wejść do środka. – Głos Hoyta był cichy, pełen napięcia. – Schrońmy się przed chłodem.

– Powiedz mi, co się stało. – Moira odsunęła się od Larkina.

– Zastawiła pułapkę na oddział Tynana, prawie w połowie drogi do bazy.

Moira poczuła, jak jej żyły ścina lód.

– Oran. Tynan.

– Żyją. Tynan został ranny, ale to nic poważnego. Sześciu innych...

Wbiła palce w ramię Larkina.

– Martwi czy schwytani?

– Pięciu martwych, jeden porwany. Kilku innych rannych, dwóch ciężko. Zrobiliśmy dla nich wszystko, co mogliśmy.

Lodowate palce wciąż ściskały jej serce.

– Znacie imiona? Martwych, rannych, pozostałych?

– Tak, mamy je. Moira, zabrały młodego Seana, syna kowala.

Żołądek podszedł jej do gardła na myśl, że to, co go spotka, będzie gorsze niż śmierć.

– Pomówię z ich krewnymi. Nie mów nic nikomu, dopóki nie porozmawiam z rodzinami.

– Pójdę z tobą.

– Nie. Nie. Ja muszę to zrobić, ty musisz się wysuszyć i ogrzać, zjeść. To mój obowiązek, Larkinie.

– Spisaliśmy imiona. – Blair wyciągnęła z kieszeni skrawek papieru. – Tak mi przykro, Moiro.

– Wiedzieliśmy, że to nadejdzie. – Ukryła papier pod płaszczem. – Przyjdę do salonu, jak tylko będę mogła, żebyście opowiedzieli mi wszystkie szczegóły. Na razie rodziny muszą usłyszeć to ode mnie.

– Ogromny ciężar – powiedziała Blair, gdy Moira odeszła.

– Udźwignie go. – Cian odprowadził ją wzrokiem. – Tak robią królowe.

Myślała, że się załamie, ale zniosła to. Przyjęła swój ciężar, gdy matki i żony szlochały w jej ramionach. Nie wiedziała nic o zasadzce, ale zapewniła każdą z nich, że ich syn, mąż czy brat umarł śmiercią bohatera. Musiały to usłyszeć.

Najgorzej było z rodzicami Seana, gdy patrzyła na błysk nadziei w oczach kowala i łzy ulgi jego żony. Nie potrafiła zmusić się, by im to wyjaśnić, więc zostawiła ich z nadzieją, z modlitwą, żeby ich syn uciekł i wrócił do domu.

Gdy skończyła, poszła do swego pokoju, żeby włożyć kartkę z imionami do malowanego pudełka, które zamierzała od teraz trzymać przy łóżku. Wiedziała, że będą następne listy. Ta była dopiero pierwsza. Zapisze imię każdego, kto odda życie w tej wojnie, i będzie przechowywała w pudełku.

Włożyła też gałązkę rozmarynu dla pamięci i monetę, by oddać honor zmarłym.

Zatrzasnęła wieczko i walcząc z potrzebą samotności, poszła do salonu. Rozmowa zamarła, gdy Moira weszła. Larkin poderwał się na równe nogi.

– Przed chwilą wyszedł mój ojciec. Poproszę go, jeśli chcesz.

– Nie, nie. Niech pobędzie z twoją matką i siostrą. – Moira wiedziała, że mąż jej ciężarnej kuzynki ma prowadzić jutrzejszą wyprawę.

– Podgrzeję ci jedzenie. O nie, będziesz jadła – powiedziała Glenna, gdy Moira otworzyła usta, żeby coś powiedzieć. – Potraktuj to jak lekarstwo, ale zjesz.

Kiedy nakładała jedzenie na talerz, Cian nalał do szklanicy sporą porcję brandy.

– Najpierw to wypij. Jesteś blada jak płótno.

- Po tym będę miała rumieńce i zamęt w głowie. – Ale wzruszyła ramionami i wypiła brandy jednym haustem jak wodę.
- Trzeba podziwiać kobietę, która potrafi tak pić. – Był pod wrażeniem; zabrał pustą szklankę i wrócił na swoje miejsce.
- To było potworne. Przynajmniej wam mogę się do tego przyznać. Potworne. – Usiadła przy stole i przycisnęła palce do skroni. – Patrzysz im w twarz i widzisz tę zmianę, wiedząc, że zostaną już na zawsze odmienieni przez to, co ty na nich sprowadziłaś. Co ty im zabrałaś.
- Nie ty to sprowadziłaś. – W głosie Glenny kipiała wściekłość, gdy z hukiem postawiła talerz przed Moirą. – Nie ty ich zabrałaś.
- Nie miałam na myśli wojny ani śmierci. Tylko wiadomość. Najtrudniej było z tymi, których syn został porwany. Jego rodzice wciąż mają nadzieję. Jak mogłam im powiedzieć, że to gorsze niż śmierć? Nie mogłam przeciąć tej ostatniej nitki nadziei, ale nie wiem, czy to nie byłoby dla nich lepsze.

Wypuściła powietrze i wyprostowała się. Glenna miała rację, musi coś zjeść.
- Powiedzcie mi, co się stało.
- Ukryły się w ziemi – zaczął Hoyt – tak jak wtedy, gdy zaczaiły się na Blair. Tynan powiedział, że nie było ich więcej niż pięćdziesiąt, ale nasi ludzie zostali wzięci z zaskoczenia. Powiedział nam, że wydawały się nie dbać o to, czy zostaną zabite, tylko atakowały i walczyły jak wściekłe. Od razu zabiły dwóch naszych ludzi i w zamieszaniu walki ukradły trzy konie.
- Prawie jedna trzecia wierzchowców, które mieli.
- Cztery wampiry, może pięć, zabrały syna kowala, tak mówili ci, którzy próbowali go ratować. Uwiozły go na wschód, podczas gdy reszta oddziału walczyła dalej. Nasi zabili ponad dwadzieścia, pozostałe rozproszyły się i uciekły, gdy nasi zaczęli wygrywać.
- Odnieśliśmy zwycięstwo. Musicie patrzeć na to w ten sposób – nalegała Blair. – Musicie. Wasi ludzie w pierwszym starciu wykończyli ponad dwadzieścia wampirów. W porównaniu z tym straty są niewielkie. I nie mówcie, że każda śmierć to o jedną śmierć za dużo – dodała szybko. – Wiem o tym. Ale taka jest prawda. Treningi przyniosły efekty.
- Wiem, że masz rację, i już sama to sobie mówiłam. Ale to było także ich zwycięstwo. Chciały pojmać jeńca, nie widzę innego powodu, dla którego miałyby go porwać. Musiały dostać zadanie porwać żywcem jednego z naszych, bez względu na koszty.
- Masz rację, bez dwóch zdań. Ale ja nie traktuję tego jako zwycięstwo. To było głupie i nieprzemyślane. Gdyby tamte wampiry zostały, mogłyby zabić lub porwać o wiele więcej naszych ludzi. Myślę, że Lilith wydała taki rozkaz, bo była wściekła albo działała pod wpływem impulsu. Tyle że wybrała kiepską strategię.

Moira zastanawiała się nad tym, jedząc potrawy, których smaku nie czuła.
- Tak samo jak przysłała do nas z powrotem Kinga. To było małostkowe i podłe. No cóż, zabawa w jej stylu. Myśli, że takie akcje nas złamią,

podkopią nasze morale. Jak ona może tak mało o nas wiedzieć? Ty żyjesz o połowę mniej lat niż ona – zwróciła się do Ciana – a wiesz lepiej.

– Mnie ludzie wydają się interesujący, a jej... co najwyżej smaczni. Nie musisz rozumieć sposobu myślenia krowy, żeby hodować ją na steki.

– Zwłaszcza jeśli masz całą brygadę, która je wiąże i zabija – wtrąciła Blair. – Tylko rozwinęłam twoją metaforę – wyjaśniła Cianowi. – Skrzywdziłam jej pannę, więc ona chce nam teraz odpłacić. Zdobyliśmy trzy z jej baz, dwie z nich wyczyściliśmy dziś rano.

– Były puste – powiedział Larkin. – Nie zadała sobie trudu, żeby zastawić w nich pułapki ani ustawić straże. Glenna opowiedziała nam, jak się z nią zabawiliście, gdy nas nie było.

– W sumie odpłaciliśmy pięknym za nadobne, ale ona straciła więcej niż my. Co ani trochę nie przynosi ulgi rodzinom tych, którzy zginęli – dodała Blair.

– A jutro wyślę następnych. Phelan... – Moira wyciągnęła dłoń do Larkina. – Nie mogę go zatrzymać. Rozmawiałam z Sinann, ale...

– Nie, to moje zadanie. Myślę, że nasz ojciec już z nią mówił, ale sam też do niej zajrzę.

Skinęła głową.

– A Tynan? Jego obrażenia?

– Rozcięcie na biodrze. Hoyt zajął się rannymi. Czuli się dobrze, kiedy odjeżdżaliśmy. Zabezpieczyli się na noc.

– Dobrze. W takim razie będziemy się modlić, żeby rano zaświeciło słońce.

Moirze został jeszcze jeden obowiązek.

Dwórki miały bawialnię niedaleko jej komnat, mogły tam siedzieć i czytać, zajmować się robótkami, plotkować. Matka Moiry urządziła ten pokój w radosnych, kobiecych barwach z miękkimi obiciami, mnóstwem poduszek, donicami pełnymi kwitnących roślin.

Na kominku płonęło zwykle sandałowe drewno dla zapachu, a w ściennych lichtarzach w kształcie uskrzydlonych elfów paliły się świece.

Moira, gdy została królową, pozwoliła swoim dwórkom na dokonanie wszelkich zmian, na jakie miały ochotę, ale komnata pozostała taka, jak była.

Wszystkie siedziały tu teraz, czekając, aż ich pani uda się na spoczynek lub je odprawi.

Kiedy weszła, wstały i dygnęły.

– Jesteśmy tu wyłącznie w kobiecym towarzystwie. Tu i teraz, same kobiety. – Otworzyła ramiona przed Cearą.

– Och, pani. – Oczy dziewczyny, już i tak czerwone i spuchnięte, wypełniły się łzami, gdy padła w objęcia Moiry. – Bob nie żyje. Mój brat zginął.

– Tak mi przykro. Tak strasznie mi przykro. Chodź, proszę, chodź. – Tuląc mocno Cearę, podprowadziła ją do fotela. I płakała razem z nią, tak jak płakała z jej matką i innymi kobietami.

– Pochowali go tam, w polu, przy drodze. Nie mogli nawet zabrać ciała do domu. Nie miał pogrzebu.

– Kapłan poświęci tę ziemię. I zbudujemy pomnik ku pamięci tych wszystkich, którzy dzisiaj polegli.

– Tak bardzo chciał iść, walczyć. Odwrócił się i pomachał do mnie przed wymarszem.

– Napij się herbaty. – Isleen, z oczami czerwonymi od łez, odstawiła imbryk. – Napijcie się herbaty, ty, Cearo, i ty, pani.

– Dziękuję. – Ceara otarła mokrą twarz. – Nie wiem, co bym zrobiła przez tych ostatnich kilka godzin bez Isleen i Dervil.

– Dobrze, że masz przy sobie przyjaciółki, ale wypij herbatę i wracaj do rodziców. Potrzebują cię teraz. Zostań z nimi tak długo, jak będziesz chciała.

– Chciałam prosić o coś jeszcze, wasza wysokość. Proszę o to w imię mojego brata.

Moira czekała, ale Ceara nie powiedziała nic więcej.

– Chciałabyś, żebym dała ci słowo, nie wiedząc, co obiecuję?

– Mój mąż idzie jutro.

Moira poczuła ogromny ciężar w sercu.

– Cearo. – Pogłaskała kobietę po włosach. – Mąż Sinann też wyruszy jutro o świcie. Ona nosi jego trzecie dziecko, a mimo to nawet ja nie mogę go zatrzymać.

– Nie proszę, byś zatrzymała mojego męża. Proszę, żebyś pozwoliła mi pójść razem z nim.

– Żebym... – Osłupiała Moira odchyliła się na oparcie. – Cearo, a twoje dzieci?!

– Zostaną z moją matką i będą tak bezpieczne, jak to tylko możliwe. Ale mój mężczyzna idzie na wojnę, a ja ćwiczyłam równie pilnie jak on. Dlaczego mam siedzieć i czekać? – Ceara wyciągnęła ręce. – Dziergać robótki i spacerować po ogrodzie, gdy on walczy? Mówiłaś, że wszyscy mamy być gotowi, żeby bronić Geallii i innych światów. Ja jestem gotowa. Wasza wysokość, pani, błagam, żebyś pozwoliła mi wyruszyć jutro z moim mężem.

Moira wstała w milczeniu i podeszła do okna, żeby popatrzeć w ciemność. Deszcz ustał, ale mgła spowijała ziemię.

– Rozmawiałaś z nim o tym? – zapytała.

– Tak. Martwi się o moje bezpieczeństwo, ale wie, że podjęłam już decyzję i rozumie dlaczego.

– A dlaczego?

– On jest moim sercem. – Ceara wstała, kładąc dłoń na piersi. – Nie zostawiłabym dzieci bez opieki, ale wiem, że moja matka zrobi dla nich wszystko. Pani, czy my, kobiety, przez cały ten czas ćwiczyłyśmy i męczyłyśmy się w błocie tylko po to, żeby siedzieć i czekać?

– Nie, nie tylko.

– Nie jestem jedyną kobietą, która tego chce.

Moira odwróciła się od okna.

– Rozmawiałaś z innymi. – Popatrzyła na Dervil i Isleen. – Wy także chcecie iść? – Skinęła głową. – Widzę, że myliłam się, chcąc was zatrzymać. Wszystko zostanie przygotowane. Jestem dumna z bycia Geallijką.

Z miłości, pomyślała Moira, zasiadając do wypisania kolejnej listy nazwisk. Z miłości i poczucia obowiązku kobiety będą walczyły za Geallię. Ale to dla mężów i rodzin sięgną po miecz.

A ona dla kogo walczyła? Do kogo miała się zwrócić noc przed bitwą w poszukiwaniu ciepła i siły?

Dni upływały, a Samhain majaczył nad jej głową niczym zakrwawiony miecz. I oto siedziała samotna jak każdej nocy. Czy znowu sięgnie po książkę lub mapę, sporządzi kolejną listę? A może znowu będzie błądzić po komnatach, ogrodach i dziedzińcu, marząc o...

Nim, pomyślała. O tym, żeby jeszcze raz jej dotknął i sprawił, że znów poczuje się pełna, żywa, jasna. Chciała, żeby dzielił z nią to, co widziała tej nocy, gdy grał, gdy jej krew zawrzała, a serce drgnęło.

Będzie walczyła i przelewała krew, wyruszy na wojnę jako królowa, z mieczem bogów w dłoni, ale teraz siedziała w ciszy komnaty, rumieniąc się na myśl o dotyku i pocałunkach jedynego mężczyzny, który przyśpieszył bicie jej serca.

To była głupia strata czasu. I uwłaczająca, dla każdej kobiety.

Wstała i zaczęła chodzić po pokoju. Tak, to uwłaczające i małostkowe. Siedziała i marzyła z tego samego powodu, z jakiego nie chciała posyłać kobiet do walki. Tradycja nakazywała, by to mężczyzna przyszedł do kobiety. Tradycja kazała mężczyznom walczyć i bronić.

Wszystko się zmieniło, prawda?

Czyż nie spędziła wielu tygodni w świecie, w którym kobiety, takie jak Glenna i Blair, potrafiły postawić na swoim?

Dlatego, jeśli chce poczuć na sobie dłonie Ciana, sama zadba o to, żeby je na niej położył i koniec.

Już miała wyjść z pokoju, gdy przypomniała sobie, jak wygląda. Musi pójść dobrze uzbrojona, jeśli ma uwieść wampira.

Zdjęła suknię. Marzyła o kąpieli – lub cudownie gorącym prysznicu z Irlandii – ale musiało jej wystarczyć ochlapanie się pachnącą wodą z miski.

Nakremowała ciało, wyobrażając sobie smukłe palce Ciana na skórze. Wybierając najlepszą koszulę nocną, czuła już ogień w żyłach.

Uczesała włosy, żałując, że nie nauczyła się od Glenny czaru na urodę, ale policzki już miała zarumienione, a oczy błyszczące. Zagryzła wargi aż do bólu, żeby były bardziej czerwone i pełne.

Stanęła przez dużym lustrem i przyjrzała się sobie uważnie. Miała nadzieję, że jej wygląd wzbudzi w nim pożądanie.

Wzięła świecę i wyszła z komnaty z postanowieniem, że nie wróci do sypialni jako dziewica.

Cian studiował mapy w swojej komnacie. Tylko on z całego Kręgu nie widział pola bitwy; ani w rzeczywistości, ani w snach. Zamierzał to naprawić.

Problem stanowił czas. Pięć dni marszu... cóż, pewnie mógłby pokonać tę odległość w dwa, może mniej. Ale to oznaczało, że potrzebował bezpiecznej kryjówki, żeby przeczekać dzień.

Wybrał jedną z oczyszczonych baz. Rozejrzy się po dolinie, a potem przeczeka w którejś z nich do Samhainu.

Musiał wyjechać z tego cholernego zamku, z dala od ponętnej królowej. Oni protestowali – co było irytujące. Ale nie mogli zamknąć go w lochu. Sami wyruszą za tydzień, on tylko pojedzie przodem.

Mógłby wyruszyć jutro z oddziałem, jeśli nie będzie słońca. Albo poczekać do zmierzchu.

Odchylił się na krześle, popijając krew zmieszaną z whisky – jego własna wersja środka nasennego. Mógłby przecież pojechać teraz, prawda? Żadnych dyskusji z bratem i resztą, po prostu weźmie konia i odjedzie. Chyba będzie musiał zostawić kartkę. Dziwnie się czuł ze świadomością, że ktoś troszczy się o jego los, ale to było na swój sposób miłe i nakładało na niego pewne obowiązki.

Spakuje się i pojedzie, postanowił, odstawiając puchar. Bez pożegnań i zamieszania. I nie będzie musiał jej oglądać aż do Samhainu.

Wziął do ręki skórzaną przepaskę, której jej nie oddał. Jeśli dziś wyjedzie, nie będzie musiał na nią patrzeć, czuć jej zapachu ani wyobrażać sobie, jakby to było mieć ją pod sobą w ciemności.

Miał cholernie dobrą wyobraźnię.

Wstał, żeby spakować rzeczy niezbędne w podróży, i zmarszczył brwi, gdy usłyszał pukanie.

Pewnie Hoyt, pomyślał. No cóż, po prostu nie wspomni mu o swoich planach i w ten sposób uniknie długiej, irytującej debaty na ten temat. Przez głowę przemknęła mu myśl, żeby w ogóle nie otwierać, ale cisza i zamknięte drzwi nie mogły powstrzymać jego brata czarnoksiężnika.

Wiedział, że to Moira, w chwili gdy dotknął zasuwy. I zaklął. Otworzył drzwi, zamierzając ją odprawić tak szybko, jak będzie mógł.

Miała na sobie białą, powiewną koszulę i przezroczysty szal, niemal tak szary jak jej oczy. Pachniała wiosną – młodą i pełną obietnic.

Poczuł, że pożądanie oplata go niczym wąż.

– Czy ty nigdy nie sypiasz? – zapytał.

– A ty? – Wyminęła go tak szybko, że nie zdążył jej powstrzymać.

– Cóż, wejdź, proszę, czuj się jak u siebie w domu.

– Dziękuję – odpowiedziała uprzejmie, jak gdyby jego słowa nie ociekały sarkazmem. Odstawiła świecę i odwróciła się do kominka, w którym nie płonął ogień.

– Zobaczmy, czy mi się to uda. Ćwiczyłam tak długo, że o mało nie odpadły mi ręce. Nic nie mów. Rozproszysz mnie.

Wyciągnęła dłoń w stronę paleniska i skupiwszy się, przywołała na myśl obraz ognia. Pchnęła go na torf. Delikatny płomień zamigotał, więc zmrużyła oczy i pchnęła obraz mocniej.

– Jest! – zawołała z radością, gdy torf zapłonął.

– Teraz otaczają mnie cholerni magicy.

Koszula i włosy zafalowały, gdy się odwróciła.

– To dobry fach i zamierzam nauczyć się więcej.

– Tutaj nie znajdziesz nauczyciela magii.

- Nie. - Odgarnęła włosy. - Ale w innych kwestiach... - Podeszła do drzwi, zamknęła je na zasuwę i odwróciła się twarzą do Ciana. - Chcę, żebyś zabrał mnie do łóżka.

Zamrugał, choć oczy o mało nie wyszły mu z orbit.

- Co?

- Z twoim słuchem jest wszystko w porządku, więc dobrze mnie słyszałeś. Chcę z tobą spać. Myślałam, że spróbuję być nieśmiała lub uwodzicielska, ale doszłam do wniosku, że wolałbyś, bym mówiła wprost.

Pełzające węże zaczęły się wić.

- No i powiedziałaś. Wyjdź.

- Zaskoczyłam cię. - Podeszła do półek z książkami i przesunęła palcem po grzbietach. - To niełatwe, więc, jak by powiedziała Blair, punkt dla mnie. - Odwróciła się znowu i uśmiechnęła. - Jestem w tej kwestii „naiwna", więc powiedz mi, dlaczego człowiek, mężczyzna miałby się denerwować, kiedy kobieta proponuje mu pójście do łóżka?

- Nie jestem człowiekiem.

- Ach. - Uniosła palec do góry. - Ale wciąż masz potrzeby, pragnienia. Pragniesz mnie.

- Człowiek, mężczyzna, położyłby ręce na prawie każdej kobiecie.

- Nie jesteś człowiekiem - odpaliła z uśmiechem tryumfu. - Kolejny punkt dla mnie. Nie nadążasz.

- Jeśli znowu piłaś...

- Nie piłam. Wiesz, że nie. Ale dużo myślałam. Idę na wojnę, mogę jej nie przeżyć. Wszyscy możemy zginąć. Dziś umarli dobrzy ludzie, w błocie i krwi, zostawiając za sobą złamane serca.

- A seks jest afirmacją życia. Znam tę psychologię.

- Tak, to prawda. Ale jeśli chodzi o bardziej osobiste pobudki... niech będę przeklęta - i teraz mówię poważnie - jeśli umrę jako dziewica. Chcę wiedzieć jak to jest. Chcę to poczuć.

- W takim razie zamów inny okaz do doświadczeń, wasza wysokość, ja nie jestem zainteresowany.

- Nie chcę nikogo innego. Nigdy nie pragnęłam nikogo przed tobą ani od chwili, gdy cię ujrzałam. Byłam w szoku, że mogę tak czuć, wiedząc, czym jesteś. Ale te pragnienia we mnie pozostały i nie znikną. Mam potrzeby, jak każdy. I wystarczająco dużo powabu - tak sądzę - żeby pokonać twój opór, jeśli będzie trzeba - chociaż już nie jesteś jurnym młodym chłopcem.

- Stoisz na mocnym gruncie, co? - wyszeptał.

- Och, zawsze stałam. Tylko ostrożnie stawiam stopy. - Nie spuszczając z niego wzroku, przesunęła dłonią po słupie baldachimu. - Powiedz mi, jaką ci to zrobi różnicę? Godzina czy dwie. Chyba od dawna nie miałeś kobiety.

Czuł się jak idiota. Sztywny, głupi, spragniony.

- To nie twoje zmartwienie.

- Może być moje. Czytałam, że kiedy mężczyzna jest pozbawiony seksu - tak to nazwijmy - przez dłuższy czas, może to negatywnie wpłynąć na jego potencję. Ale tym nie musisz się martwić i tak nie mogę cię z nikim porównać.

– Wspaniały zbieg okoliczności, co? Byłby, gdybym cię chciał.

Moira przechyliła głowę; jej twarz wyrażała jedynie ciekawość i pewność siebie.

– Myślisz, że mnie obrazisz, a wtedy sobie pójdę. Założę się o wszystko, że już w tej chwili jesteś twardy jak głaz. – Ruszyła w jego stronę. – Chcę tylko, Cianie, żebyś mnie dotknął. Jestem znużona śnieniem o tym, chcę to poczuć.

Ziemia drżała mu pod stopami. Od chwili, w której ona tu weszła.

– Nie wiesz, o co prosisz, ile ryzykujesz. Nie potrafisz pojąć konsekwencji.

– Wampir może spać z człowiekiem. Nie skrzywdzisz mnie. – Zdjęła krzyż przez głowę i odłożyła go na stół.

– Ufna dusza. – Sięgnął po sarkazm, ale ten gest go wzruszył.

– Pewna. Nie potrzebuję ani nie chcę żadnej osłony przed tobą. Dlaczego nigdy nie wypowiadasz mojego imienia?

– Słucham? Oczywiście, że wypowiadam.

– Nie, nie mówisz. Zwracasz się do mnie, ale nigdy na mnie nie patrzysz ani nie używasz mojego imienia. – Oczy miała teraz koloru ciemnego dymu. – Imiona mają moc, można nimi coś dać lub odebrać. Boisz się tego, co mogę ci zabrać?

– Niczego nie możesz mi zabrać.

– To powiedz moje imię.

– Moira.

– Jeszcze raz, proszę. – Wzięła jego dłoń i położyła sobie na sercu.

– Nie rób tego.

– Cian. Tak dla mnie masz na imię. Cian. Jeśli mnie nie dotkniesz, nie weźmiesz, część mnie umrze, jeszcze zanim pójdę na wojnę. Proszę. – Ujęła jego twarz w dłonie i w końcu zobaczyła w jego oczach to, co chciała ujrzeć. – Powiedz moje imię.

– Moira. – Przegrał. Obrócił jej nadgarstek i przycisnął usta do wnętrza dłoni.

– Moiro, gdybym już nie był przeklęty, trafiłbym za to do piekła.

– Najpierw spróbuję zabrać cię do nieba, jeśli pokażesz mi jak.

Uniosła się na palce, przyciągając go do siebie. Westchnęła, cała drżąc, gdy ich usta się spotkały.

10

Wierzył, że siła woli go przed tym uchroni. Tysiąc lat, myślał, zatapiając się w niej, a mężczyzna wciąż się łudził, że może sprawować kontrolę nad kobietą.

Prowadziła go tak, jak w pewien sposób wiodła go ku temu od samego początku. Teraz weźmie to, co mu ofiarowała, czego od niego żądała, bez względu na to, jak bardzo samolubny był to akt. Ale wykorzysta umiejętności zdobyte przez tuzin ludzkich żywotów, by w zamian dać jej to, czego chciała.

– Jesteś głupia i nierozsądna, oddając swoją niewinność komuś takiemu jak ja. – Przesunął palcem po jej karku. – Ale teraz nie wyjdziesz, dopóki tego nie zrobisz.

– Dziewictwo i niewinność to nie to samo. Ja straciłam niewinność, zanim cię poznałam.

Tej nocy, gdy została zamordowana jej matka. Ale teraz nie było miejsca na tamte wspomnienia. Teraz był czas, by go poznać.

– Ja mam cię rozebrać czy ty powinieneś to zrobić?

Roześmiał się krótko, niemal boleśnie, i wsparł swoje czoło o jej ruchem, który wydał się Moirze zaskakująco czuły.

– Tak bardzo się śpieszysz – wymruczał. – Pewne rzeczy, zwłaszcza za pierwszym razem, trzeba smakować. Lepiej ich próbować niż je połknąć.

– No widzisz, już się czegoś nauczyłam. Coś budzi się w moim ciele, kiedy mnie całujesz, coś, o czym nawet nie wiedziałam, że śpi. Nie wiem, co ty czujesz.

– Więcej niżbym chciał. – Przeczesał palcami jej włosy, o czym marzył od tygodni. – Za dużo, żeby było to bezpieczne dla ciebie lub mnie. To... – pocałował ją delikatnie – jest błędem. – Znów ją pocałował, mocniej.

Smakowała tak jak pachniała – wiosną, słońcem i młodością. Łaknął tego smaku, rozkoszował się nim i krótkim westchnieniem, które wydała, gdy delikatnie, bardzo delikatnie, chwycił zębami jej dolną wargę.

Zanurzył dłoń w jej włosach, długich, lśniących splotach, po czym wsunął pod nie palce, żeby delikatnie głaskać jej szyję i kark.

Zadrżała, a wtedy położył jej ręce na ramionach, by zsunąć koszulę i obnażyć tę miękką skórę do pocałunków. Czuł jej pragnienie i dreszcze, a gdy musnął wargami jej gardło, poczuł też puls, kusząco bijący pod skórą.

Nie odskoczyła, gdy dotknął jej szyi zębami, ale zamarła, kiedy jego ręka musnęła jej pierś.

Nikt nigdy nie dotykał jej w taki sposób. Żar, jaki wzbudzały w niej jego dłonie, zaszokował ją. Jednocześnie miała świadomość, że tylko cienka warstwa materiału dzieli ich od siebie.

I nagle nawet ona zniknęła, koszula opadła na ziemię. Moira instynktownie chciała zakryć się ręką, ale Cian ujął jej dłoń i przyłożył usta do nadgarstka, nie odrywając wzroku od jej oczu.

– Boisz się?

– Trochę.

– Nie ugryzę cię.

– Nie, nie tego. – Pogłaskała go po policzku. – Tak wiele się dzieje. To całkiem nowe doznania. Nikt nigdy nie dotykał mnie w ten sposób. – Zebrała się na odwagę, ujęła jego drugą dłoń i położyła sobie na piersi. – Naucz mnie więcej.

Przesunął palcem po sutku, patrząc na błysk rozkoszy na jej twarzy.

– Wyłącz ten pracujący umysł, Moiro.

Już i tak zasnuła go mgła. Jak mogła myśleć, gdy jej ciało czuło tak wiele? Wziął ją na ręce, ich usta się spotkały i znowu ogarnął ją żar.

Leżała na łóżku? Czy on przeszedł przez pokój? Ale jak... jej umysł znowu zasnuła mgła, gdy jego dłonie, usta ześliznęły się po jej ciele niczym płonący aksamit.

Ona była jak uczta, a on pościł już wystarczająco długo, jednak i tak smakował ją powoli, rozkoszował się jej zapachem i dotykiem. I karmił własne podniecenie każdym dreszczem, każdym westchnieniem i jękiem.

Gdy jej ciekawskie dłonie zbliżyły się zbyt niebezpiecznie do granicy jego kontroli, przytrzymał ją za nadgarstki i dalej powoli, bezlitośnie smakował jej piersi.

Czuł, jak wypełnia ją moc, coraz większa, silniejsza, a gdy popchnął ją na szczyt, wygięła się w łuk i wydała zduszony jęk.

Opadła na poduszki, a jej dłonie stały się bezwładne pod jego palcami.

– Och. – Wypuściła powietrze. – Och, rozumiem.

– Wydaje ci się, że rozumiesz. – Przesunął językiem po mocnym pulsie na jej gardle. Gdy westchnęła, wsunął dłoń między jej uda i pokazał jej więcej.

Wszystko rozbłysło jasnością, która ją oślepiła, niemal poparzyła oczy, skórę, serce. Teraz nie było w niej nic oprócz doznań, bezgranicznej rozkoszy. Była strzałą w łuku, którą on wysłał w nieskończony podniebny lot.

Poddała się jego władczym dłoniom, aż stała się bezwolną zakładniczką nieskończonego pożądania. Na wpół przytomna próbowała zedrzeć z niego koszulę.

– Pragnę... chcę...

– Wiem. – Zrzucił koszulę, żeby Moira także mogła go dotykać, smakować. Oddał się rozkoszy, która płynęła z jej zachłannych badań. Jej oddech na jego skórze, ciepły i szybki, jej poszukujące palce. Gdy złapała go za biodra, pozwolił jej rozebrać się do końca.

I nie był pewien, czy powinien być rozbawiony, czy dumny, gdy jej oczy zrobiły się wielkie jak spodki.

– Ja... ja nie zdawałam sobie sprawy. Widziałam już penisy, ale...

Teraz się roześmiał.

– Och, doprawdy, widziałaś?

– Oczywiście, mężczyźni kąpią się w rzece, a ja, cóż, będąc z natury dociekliwą...

– Podglądałaś ich. Duma mężczyzny, nie jest, yyy..., w najlepszej formie po kąpieli w zimnej rzece. Nie sprawię ci bólu.

Będzie musiał, prawda? – pomyślała. Czytała o tym i słyszała opowieści kobiet. Ale nie bała się bólu. Teraz niczego się nie bała.

Położyła się z powrotem, przygotowała na niego, ale Cian tylko znowu zaczął jej dotykać, podniecać ją, rozluźniać, jak gdyby była splątanym węzłem. Chciał, żeby zatonęła, zatopiła się w rozkoszy, poza myślą i nerwami. Żeby to wyprężone, smukłe ciało, które napięła w oczekiwaniu, znów stało się miękkie i ciepłe, znów zapłonęło erotycznym rumieńcem.

– Popatrz na mnie. Moira, *ma chroi*. Popatrz na mnie. Spójrz we mnie.

To potrafił zrobić, kontrolą i siłą woli. Mógł złagodzić ten moment, ten błysk bólu i dać jej jedynie rozkosz. Szare oczy zaszły mgłą i wtedy ją przebił. Wypełnił ją.

Jej wargi zadrżały, wydała głęboki jęk. Nie odrywając spojrzenia od jej oczu, zaczął się poruszać długimi, powolnymi pchnięciami, od których Moirą wstrząsały rozkoszne dreszcze.

Zaczęła poruszać się w tym samym rytmie, wciąż patrząc Cianowi w oczy. Jej serce szalało, trzepotało pod nim tak mocno, że przez chwilę wydawało mu się, jakby biło w jego piersi.

Doszła z okrzykiem zadziwienia i absolutnego poddania. W końcu, nareszcie, pozwolił, by jego własne pożądanie porwało go razem z nią.

Przytuliła się do niego jak kotek, który wychłeptał całą śmietankę. Wiedział, że później będzie na siebie wściekły za to, co zrobił, ale na razie z radością pozwolił sobie na chwilę przyjemności.

– Nie wiedziałam, że to może tak wyglądać – wymruczała.

– Jestem tak hojnie wyposażony, że chyba już nikt inny nie będzie w stanie cię zadowolić.

– Nie miałam na myśli rozmiaru twojej „dumy", jak to określiłeś. – Popatrzyła na niego ze śmiechem i po leniwym uśmiechu na jego twarzy poznała, że doskonale zrozumiał, o co jej chodziło. – Oczywiście czytałam o tym. W książkach medycznych, opowiadaniach, ale osobiste doświadczenie daje dużo więcej satysfakcji.

– Cieszę się, że mogłem ci asystować w tym doświadczeniu.

Przewróciła się na bok i ułożyła na jego piersi.

– Obawiam się, że będę musiała wykonać jeszcze wiele doświadczeń, zanim dowiem się wszystkiego. Jestem spragniona wiedzy.

– Niech cię diabli, Moira – powiedział z westchnieniem, bawiąc się pasmem jej włosów. – Jesteś idealna.

– Naprawdę? – Jej już zarumienione policzki pokraśniały jeszcze bardziej z zadowolenia. – Nie będę się spierać, bo w tej chwili rzeczywiście czuję się idealna. Tylko chce mi się pić. Masz jakąś wodę?

Odsunął ją i wstał po dzbanek. Moira usiadła, włosy okryły jej ramiona i piersi. Cian pomyślał, że gdyby miał serce, to stanęłoby na taki widok. Podał jej puchar i usiadł po drugiej stronie łóżka.

– To szaleństwo. Wiesz o tym.

– Świat oszalał – odrzekła. – Dlaczego my też nie możemy? Nie zachowuję się beztrosko ani nieodpowiedzialnie – dodała szybko, przykrywając jego dłoń swoją. – Muszę robić tak wiele rzeczy, Cianie, co do których nikt nie dał mi wyboru. A to był mój wybór. Mój własny.

Napiła się wody i oddała mu puchar.

– Będziesz żałował czegoś, co dało nam rozkosz i nikomu nie wyrządziło krzywdy?

– Nie pomyślałaś, co powiedzą inni, gdy się dowiedzą, że ze mną spałaś?

– Posłuchaj swoich słów, nie masz większych zmartwień niż moja reputacja? Jestem panią samej siebie i nie muszę nikomu tłumaczyć się z tego, z kim dzielę łoże.

– Będąc królową...

– Nie jestem ani trochę mniej kobietą – przerwała. – Jestem Geallijką, a my jesteśmy znane z tego, że umiemy postawić na swoim. Dziś wieczór miałam tego przykład. – Wstała i otuliła się szalem.

Pomyślał, że wygląda, jakby otoczyła się mgłą.

– Jedna z moich dam, Ceara... Wiesz, o której mówię?

– Ach, wysoka, ciemnoblond włosy. Pokonała cię w walce wręcz.

– Tak, to ona. Dzisiaj zginął jej brat. Był młody, nie miał jeszcze osiemnastu lat. – Znowu poczuła przeszywający ból w sercu. – Poszłam do pokoju, gdzie zbierają się moje dwórki, i chciałam dać jej wolne, żeby mogła zostać ze swoją rodziną.

– Ona jest bardzo lojalna wobec ciebie.

– Nie tylko wobec mnie. Poprosiła mnie o jedną rzecz, w imię brata. Tylko jedną. – Głos Moiry zadrżał, zanim udało się jej opanować emocje. – Żeby mogła rano wyruszyć razem z mężem. Żeby mogła zostawić dom, dzieci, bezpieczeństwo i stawić czoło temu, co czyha na drodze. I nie była jedyną kobietą, która o to prosiła. Nie jesteśmy słabe. Nie będziemy tylko siedzieć i czekać, już nie. Dzisiaj mi o tym przypomniano.

– Pozwoliłaś jej pójść.

– Jej i każdej, która tego zechce. W końcu i tak poślę te, które wolałyby zostać. Nie przyszłam do ciebie, bo jestem słaba i potrzebowałam pocieszenia czy ochrony. Przyszłam, bo ciebie pragnęłam. Pragnęłam tego.

Przechyliła głowę i zsunęła szal.

– A teraz wygląda na to, że pragnę cię znowu. Czy muszę cię uwieść?

– Na to już za późno.

Uśmiechnęła się jeszcze szerzej, gdy do niej podszedł.

– Słyszałam i czytałam, że mężczyzna potrzebuje małej przerwy między rundami.

– Przez ciebie muszę się powtarzać. Nie jestem zwykłym mężczyzną.

Złapał ją za ramiona, przewrócił na łóżko i położył się na niej.

Moira roześmiała się i pociągnęła go żartobliwie za włosy.

– Czyż to nie wygodne w tych okolicznościach?

Później, po raz pierwszy od niepamiętnych czasów, Cian nie zasypiał w absolutnej ciszy, lecz przy cichym biciu serca Moiry.

I to serce go obudziło. Usłyszał, jak trzepocze w jej piersi, zanim jeszcze zaczęła rzucać się we śnie.

Zaklął, przypomniawszy sobie, że nie miała na szyi krzyża ani nie przedsięwzięła żadnych środków ostrożności przed wizytą Lilith.

– Moiro. – Uniósł ją za ramiona. – Obudź się.

Już miał nią potrząsnąć, gdy otworzyła oczy, ale nie zobaczył w nich lęku tylko bezgraniczny smutek.

– To był sen – powiedział delikatnie. – Tylko sen. We śnie Lilith nie może cię tknąć.

– To nie była Lilith. Przepraszam, że cię obudziłam.

– Drżysz. Trzymaj. – Otulił ją kocem. – Rozpalę ogień.

– Nie trzeba. Nie rób sobie kłopotu – powiedziała, gdy wstał. – Powinnam pójść. Pewnie już niedaleko do świtu.

Cian ukucnął i podłożył torf na palenisko.

– Nie ufasz mi.

– Nie, nie o to chodzi. – Powinna była wstać zaraz po przebudzeniu i od razu wyjść, bo teraz nie mogła się ruszyć. – To nie była Lilith, tylko zły sen. Tylko...

Ale jej oddech zaczął się rwać.

Cian nie podszedł do niej, tylko rozpalił torf i obszedł pokój, zapalając świece.

– Nie mogę o tym mówić. Nie mogę.

– Oczywiście, że możesz. Jeśli nie ze mną, to z Glenną. Pójdę ją obudzić.

– Nie, nie, nie. – Ukryła twarz w dłoniach.

– Rozumiem. – Skoro już i tak wstał i nie wyglądało na to, by miał się znowu położyć, nalał sobie kielich krwi. – Geallijskie kobiety nie są słabe.

Opuściła dłonie, a jej oczy zapłonęły wściekłością.

– Ty cholerny sukinsynu.

– Dokładnie tak. Biegnij do swojego pokoju, jeżeli nie potrafisz tego znieść. Ale jeśli zostaniesz, opowiesz mi wszystko, co cię gnębi. Twój wybór. – Przysunął krzesło do łóżka. – Lubisz mieć wybór, więc proszę bardzo.

– Chcesz słuchać o moim bólu, żałobie? Właściwie dlaczego nie miałabym wylać żalu przed tobą, skoro tak mało cię to obchodzi? Śniłam, jak już tyle razy, o śmierci mojej matki. Za każdym razem widzę to wyraźniej. Na początku obrazy były tak zamazane, jakbym patrzyła przez smugę błota. Wtedy było mi łatwiej.

– A teraz?

– Wszystko widziałam.

– Co zobaczyłaś?

– Spałam. – Ogromne oczy miała pełne bólu. – Zjadłyśmy kolację z wujem, Larkinem i resztą rodziny. Małe przyjęcie rodzinne. Moja matka lubiła ich zapraszać. Potem były muzyka i tańce. Ona uwielbiała tańczyć. Położyliśmy się późno i od razu zasnęłam. Nagle usłyszałam jej krzyk.

– Nikt inny niczego nie usłyszał? Moira pokręciła głową.

– Nie. Widzisz, ona wcale nie krzyczała. Nie głośno. W każdym razie tak myślę. Krzyczała w myślach i ja ją usłyszałam. Tylko jeden raz. Tylko jeden. Myślałam, że mi się wydawało, ale wstałam i pobiegłam do jej pokoju. Żeby się uspokoić.

Nawet teraz obrazy stawały przed oczami Moiry jak żywe. Nie zapaliła świecy, jej serce waliło jak oszalałe. Wybiegła z pokoju i popędziła pod drzwi matki.

– Nie zapukałam. Pomyślałam, że tylko ją obudzę. Chciałam jedynie zerknąć do środka i upewnić się, że śpi.

Ale kiedy otworzyłam drzwi, zobaczyłam, że jej łóżko jest puste. Usłyszałam potworne odgłosy, podobne do tych, jakie wydają zwierzęta, wilki, ale gorsze. O wiele gorsze.

Przerwała, próbując przełknąć, ale gardło miała suche jak wiór.

– Drzwi na balkon stały otworem, zasłony trzepotały na wietrze. Zawołałam ją. Chciałam wybiec na balkon, ale nie mogłam. Nogi odmówiły mi posłuszeństwa, jakby były z kamienia. Ledwo stawiałam krok za krokiem. Nie mogę o tym mówić.

– Możesz. Podeszłaś do drzwi na balkon.

– Zobaczyłam... O Boże, Boże, Boże. Zobaczyłam ją na kamieniach. I krew, morze krwi. Te potwory ją... zwymiotuję.

– Nie zwymiotujesz. – Wstał, podszedł do niej. – Poradzisz sobie.

– Rozrywały ją na strzępy. – Wreszcie to powiedziała. – Rozrywały jej ciało. Demony, nocne potwory, rozrywały ciało mojej matki. Chciałam krzyczeć, ale nie mogłam. Chciałam wybiec i je odgonić. Jeden z nich popatrzył na mnie, miał czerwone oczy i całą twarz umazaną krwią mojej matki. Krwią mojej matki! Rzucił się w moją stronę, a ja uciekłam. Zostawiłam ją, gdy powinnam przy niej być.

– Ona już nie żyła, Moiro, i dobrze o tym wiesz. Ty także byłabyś martwa, gdybyś wyszła przez te drzwi.

– Powinnam była do niej podejść. On na mnie skoczył, a wtedy zaczęłam wrzeszczeć i nie mogłam przestać. Potem zapadła ciemność. Potrafiłam tylko krzyczeć, gdy moja matka leżała w kałuży krwi.

– Nie jesteś idiotką – powiedział spokojnie – i wiesz, że byłaś w szoku. Wiesz, że to, co zobaczyłaś, miało taki sam efekt, jak gdybyś dostała cios między oczy. Nie mogłaś zrobić nic, żeby ją uratować.

– Jak ja mogłam ją tam zostawić, Cianie? Po prostu zostawić ją na tych kamieniach? – Po policzkach Moiry płynęły łzy. – Kochałam ją bardziej niż kogokolwiek na świecie.

– Twój umysł nie potrafił sobie poradzić z tym, co zobaczyłaś, z tym, co – według ciebie – było niemożliwe. Ona umarła, zanim jeszcze weszłaś do jej pokoju. Nie żyła, Moiro, już kiedy usłyszałaś jej krzyk.

– Jak możesz być tego taki pewny? Jeśli...

– To byli zabójcy. Zamordowali ją natychmiast. Potem tylko sobie pofolgowali, ale ich celem była jej śmierć.

Ujął jej lodowate dłonie, by rozgrzać je w swoich.

– Miała tylko parę sekund, żeby poczuć strach i ból. Potem była już poza tym.

Moira zamarła, wpatrując się w jego oczy.

– Przysięgniesz mi, że w to wierzysz?

– To nie jest kwestia wiary, tylko wiedzy. Przysięgam. Gdyby chciały ją torturować, zabrałyby ją gdzieś, gdzie nikt by im nie przeszkadzał. Widziałaś tylko zacieranie śladów. Uznalibyście, że zabiły ją dzikie zwierzęta, tak jak twojego ojca.

Wypuściła powietrze z płuc, i jeszcze raz, gdy coraz jaśniej dostrzegała potworną logikę jego słów.

– Było mi niedobrze na myśl, że ona jeszcze żyła, jak tam dobiegłam. Wciąż żyła, kiedy rozrywały ją na strzępy. Jest mi trochę lżej, gdy wiem, że było inaczej. – Otarła łzy. – Przepraszam, że nazwałam cię sukinsynem.

– Wkurzyłem cię.

– Celowo. Nigdy nikomu nie mówiłam o tamtej nocy. Nie potrafiłam ubrać tego w słowa, przyjrzeć się temu.

– Teraz ci się udało.

– Może nie będę już widzieć jej tak, jak wyglądała tamtej nocy. Może przypomnę sobie, jak wyglądała za życia, gdy była szczęśliwa. Wszystkie te obrazy, które mam w głowie, poza ostatnim. Przytulisz mnie na chwilę?

Usiadł, otoczył ją ramionami i głaskał po głowie, którą oparła na jego ramieniu.

– Czuję się lepiej, kiedy ci powiedziałam. Dobrze, że mnie wkurzyłeś.

– Zawsze do usług.

– Chciałabym tu zostać, w ciemności i ciszy, zostać z tobą. Ale powinnam iść się ubrać. O pierwszym brzasku muszę wyprawić oddział.

Położył wargi na jej ustach i całował ją tak długo, aż znowu poczuł wzbierające pożądanie.

Moira otworzyła zamglone oczy.

– Poczułam ten pocałunek aż w podeszwach stóp. Mam nadzieję, że dzięki temu łatwiej mi będzie dziś chodzić po ziemi. – Wstała i sięgnęła po koszulę. – Możesz trochę za mną tęsknić przez następnych kilka godzin – powiedziała. – Albo po prostu skłam, kiedy znowu cię zobaczę, i powiedz, że tęskniłeś.

– Jeśli powiem ci, że za tobą tęskniłem, to nie będę kłamał.

Już ubrana, ujęła po raz ostatni jego twarz w dłonie i pocałowała.

– W takim razie wystarczy mi prawda.

Wzięła świece i podeszła do drzwi. Posłała Cianowi przez ramię ostatni uśmiech i odsunęła zasuwę.

Otworzyła drzwi sekundę przedtem, zanim zapukał w nie Larkin.

– Moira? – Zdziwiony uśmiech zagościł na jego twarzy tylko przez chwilę. Zniknął natychmiast, gdy Larkin zobaczył wymiętą pościel i Ciana leniwie opasującego biodra kocem.

Z dziką wściekłością odsunął Moirę i zaatakował.

Cian nie zablokował pierwszego ciosu, ale przy drugim zatrzymał pięść Larkina milimetry od swojej twarzy.

– Masz prawo do jednego. Ale to wystarczy.

– On nie ma żadnego prawa. – Moira zachowała choć tyle rozsądku, by zamknąć i zaryglować drzwi. – Uderz go jeszcze raz, Larkin, a sama skopię ci tyłek.

– Ty pieprzony sukinsynu! Odpowiesz za to.

– Bez wątpienia. Ale nie przed tobą.

– Przede mną, przysięgam ci.

– Przestań. Mówię poważnie!

Larkin znowu zaczął wymachiwać pięściami i Moira musiała użyć całej siły woli, żeby nie uderzyć go lichtarzem.

– Lordzie Larkinie, jako twoja królowa rozkazuję ci przestać!

– Och, nie mieszaj do tego tytułów – powiedział beztrosko Cian. – Pozwól chłopcu bronić honoru kuzynki.

– Zrobię z ciebie pasztet!

Moira straciła cierpliwość i wepchnęła się między mężczyzn.

– Spójrz na mnie. Niech szlag trafi twój tępy łeb, Larkinie, popatrz na mnie. W czyjej komnacie jesteśmy?

– Tego pieprzonego, cholernego sukinsyna!

– I myślisz, że on przywlókł mnie tu za włosy czy zmusił do czegokolwiek? Jesteś głupi jak but. Przyszłam tutaj sama, zapukałam do drzwi Ciana. Wepchnęłam się do jego sypialni, do jego łóżka, bo tego chciałam.

– Nie wiesz, czego...

– Jeśli odważysz się, śmiesz mi powiedzieć, że nie wiem, czego chcę, to ja zrobię z ciebie pasztet. – Wbiła mu palce w pierś dla podkreślenia swoich słów. – Mam prawo do prywatności i ty nie masz tu absolutnie nic do powiedzenia.

– Ale on... ty.... To niestosowne.

– Do diabła z tym.

– Trudno się dziwić, że nie chcesz, by twoja kuzynka sypiała z wampirem. – Cian wziął puchar, celowo zanurzył w nim palec i zlizał krew. – Okropny zwyczaj.

– Nie będziesz mi tu...

– Poczekaj – przerwał wściekłej Moirze Larkin. – Jedną chwilę. Chciałbym pomówić z Cianem w cztery oczy. Tylko porozmawiać – dodał, zanim zdążyła zaprotestować. – Daję słowo.

Moira przesunęła dłonią po włosach.

– Nie mam czasu dla żadnego z was ani na te głupoty. Proszę bardzo, zachowujcie się jak mężczyźni i dyskutujcie o kwestii, która w ogóle was nie dotyczy, jakbym była idiotką. Ja muszę się ubrać i przemówić do żołnierzy, bo oni dziś wyruszają do walki.

Ruszyła w stronę drzwi.

– Ufam, że się nie pozabijacie z powodu moich intymnych spraw.

Wyszła, trzaskając drzwiami.

– Mów szybko – warknął Cian. – Nagle zacząłem mieć dość ludzi.

Gniew Larkina już prawie minął.

– Myślisz, że cię uderzyłem, bo jestem zły z powodu tego, czym jesteś? Zareagowałbym tak samo, postąpiłbym tak samo z każdym mężczyzną, którego zastałbym na twoim miejscu. W końcu ona jest dla mnie jak siostra. Nie myślałem tak o tobie, zresztą w ogóle nie myślałem.

Przestąpił z nogi na nogę i głośno odetchnął.

– A teraz, gdy odzyskałem zdolność myślenia... cóż, to się robi jeszcze bardziej skomplikowane. Ale nie chcę, żebyś uważał, że walnąłem cię dlatego, że jesteś wampirem. Tak naprawdę, w ogóle tak o tobie nie myślę, jesteś dla mnie przyjacielem. Jednym z Sześciorga.

Mówiąc to, czuł, jak wraca mu złość.

– I powiem jasno: to, że żądam odpowiedzi, tutaj i teraz, co do jasnej cholery myślałeś, wykorzystując moją kuzynkę, nie ma nic wspólnego z faktem, czy bije w tobie pieprzone serce, czy nie.

Cian odczekał chwilę.

– Skończyłeś tę część przemowy?

– Tak, dopóki nie usłyszę odpowiedzi.

Cian skinął głową i znowu wziął puchar.

– W niezłym położeniu mnie stawiasz, co? Nazywając przyjacielem i jednym z was. Być może jestem tym pierwszym, ale nigdy drugim.

– Bzdury. Ufam ci tak, jak tylko kilku ludziom na świecie. A ty uwiodłeś moją kuzynkę.

Cian parsknął śmiechem.

– Nie doceniasz jej. Ja też nie doceniałem. – Bezmyślnie przesunął palcem po skórzanej przepasce Moiry. – Czytała we mnie jak w książce. To mnie nie usprawiedliwia, ale ona potrafi być przekonująca i uparta. Nie mogłem... nie oparłem się jej.

Popatrzył na mapy, które studiował przed przyjściem Moiry.

– Nie będzie żadnych kłopotów, zaraz wyjeżdżam, jeśli tylko pogoda na to pozwoli. Chcę sam obejrzeć pole bitwy, więc ona będzie przede mną bezpieczna – a ja przed nią – aż to wszystko dobiegnie końca.

– Nie możesz. Nie możesz – powtórzył Larkin, gdy Cian tylko uniósł brew. – Jeśli teraz odjedziesz, Moira pomyśli, że to przez nią. To ją zrani. Jeśli ja jestem odpowiedzialny za twój wyjazd...

– Postanowiłem wyjechać jeszcze przed jej przyjściem. Między innymi po to, żeby trzymać ręce z dala od niej.

Sfrustrowany Larkin przeczesał palcami włosy.

– Skoro i tak nie zdążyłeś, to teraz twój wyjazd będzie musiał poczekać. Sam cię tam zabiorę, polecimy, jak tylko to będzie możliwe. Ale nasz szóstka musi teraz trzymać się razem.

Już spokojniejszy, popatrzył Cianowi w twarz.

– Musimy stanowić Krąg. To ważniejsze niż sypianie ze sobą lub nie. I teraz, gdy krew mi nieco ostygła, mogę przyznać, że to sprawa między wami. Nie powinienem się wtrącać. Ale do cholery, zadam ci jedno pytanie. Zapytam cię jak przyjaciel i jako jej krewny, zastępujący ojca. Czy ty darzysz ją jakimiś uczuciami? Prawdziwymi uczuciami?

– Dobrze ci się gra na tej przyjacielskiej nucie, co?

– Jesteś moim przyjacielem, troszczę się o ciebie jak o brata. Tak to wygląda z mojej strony.

– Do diabła z tym. – Cian odstawił z hukiem kielich i popatrzył spode łba na krople krwi, które zachlapały mapę. – Wy, ludzie, osaczacie mnie tymi uczuciami. Wpychacie je na mnie, we mnie, bez ani jednej myśli, jak ja to przetrwam.

– A jak możesz przetrwać bez nich? – zapytał Larkin.

– Wygodnie. Jaką ci robi różnicę, co ja czuję? Ona potrzebowała kogoś.

– Nie kogoś. Ciebie.

– Jej błąd – powiedział Cian cicho. – Moje potępienie. Kocham ją, inaczej już dawno dla rozrywki wziąłbym ją do łóżka. Kocham ją, inaczej odesłałbym ją wczoraj w nocy. Nie wiem, w jaki sposób, ale kocham ją, inaczej nie byłbym tak cholernie zdesperowany. Powtórz to komukolwiek, a osobiście skręcę ci kark bez względu na przyjaźń.

– W porządku. – Larkin skinął głową, wstał i wyciągnął rękę. – Mam nadzieję, że dacie sobie tyle szczęścia, ile tylko możecie, tak długo, jak tylko będziecie mogli.

– Cholera. – Cian uścisnął jego dłoń. – A w ogóle co ty, do cholery, robisz tutaj o tej porze?

– Och, zupełnie zapomniałem. Myślałem, że jeszcze się nie położyłeś. Chciałem zapytać, czy pozwoliłbyś nam, mojej rodzinie, sparzyć twojego ogiera z jedną z naszych klaczy. Ona jest gotowa, a po twoim Vladzie byłyby doskonałe źrebaki.

– Chcecie użyć mojego ogiera jako rozpłodowca?

– Tak, jeśli nie masz nic przeciwko temu. Rano kazałbym go do niej przyprowadzić.

– Proszę bardzo. Jestem pewien, że będzie się dobrze bawił.

– Dziękuję. Zapłacimy ci zwyczajowe wynagrodzenie.

– Nie, żadnego wynagrodzenia. Uznajmy to za przysługę między przyjaciółmi.

– W takim razie między przyjaciółmi. Dzięki. Pójdę odszukać Moirę i pozwolę, żeby zmyła mi głowę tak, jak na to zasługuję. – Larkin zatrzymał się przy drzwiach. – Och, ta klacz dla twojego Vlada jest bardzo ponętna.

Wychodząc, uśmiechnął się i puścił oko, a Cian, mimo całego porannego zamieszania, musiał się roześmiać.

11

Na rozkaz Moiry opuszczono flagi do połowy masztu, a kobziarze odegrali o pierwszym brzasku requiem. Jeśli bogowie pozwolą, zrobi więcej dla tych, którzy oddali życie w tej wojnie, ale na razie tylko tak mogła uczcić pamięć zabitych.

Stała na dziedzińcu i, rozdarta między smutkiem a dumą, patrzyła, jak mężczyźni i kobiety – wojownicy – szykowali się do długiego marszu na wschód. Pożegnała się już ze swoimi dwórkami i z Phelanem, mężem kuzynki.

– Wasza wysokość. – Podszedł do niej Niall, potężnie zbudowany strażnik, który stał się jednym z zaufanych dowódców. – Czy mam kazać otworzyć bramy?

– Za chwilę. Ty też chciałbyś dzisiaj wyruszyć?

– Jestem posłuszny twoim rozkazom, pani.

– Ale masz też swoje marzenia, Niall, i ja je rozumiem. Jednak na razie potrzebuję cię tutaj. Twój czas nadejdzie szybciej, niż myślisz. – Tak jak ich wszystkich, pomyślała. – Jak się czują twój brat i jego rodzina?

– Są bezpieczni, dzięki lordowi Larkinowi i lady Blair. Noga mojego brata już się goi, ale i tak nie będzie mógł stanąć do walki.

– Jest wiele innych zadań oprócz wymachiwania mieczem na polu bitwy.

– Tak. – Zacisnął dłoń na rękojeści miecza, który miał u boku. – Ale tak naprawdę ja już jestem gotowy, żeby wymachiwać moim.

Moira skinęła głową.

– Będziesz. – Wzięła głęboki oddech. – Otwórzcie bramy.

Po raz drugi patrzyła, jak jej ludzie opuszczają bezpieczne schronienie. Wiedziała, że ten widok będzie się powtarzać, aż ona sama przejedzie przez zamkową bramę, zostawiając za sobą w murach jedynie starców, małe dzieci i chorych.

– Ładny dzień – zauważył Larkin, stając u jej boku. – Powinni bezpiecznie dotrzeć do pierwszej bazy.

Moira nic nie powiedziała, tylko popatrzyła na Sinann, stojącą z jednym dzieckiem w ramionach, drugim w brzuchu i trzecim trzymającym się jej spódnicy.

– Ona nie uroniła ani jednej łzy.

– Nie chce żegnać Phelana płaczem.

- Łzy muszą wzbierać w niej jak powódź, a nawet teraz nie pozwoli, żeby dzieci zobaczyły jej żal. Larkin, jeśli odważne serce jest bronią, to zmieciemy potwory z powierzchni ziemi.

Gdy odwróciła się, żeby odejść, Larkin podążył za nią.

- Nie miałem czasu - zaczął - żeby wcześniej z tobą pomówić. Ani potem.

- Przed ceremonią - głos miała chłodny jak poranne powietrze - czy po twojej ingerencji w moje życie intymne?

- Nie dokonałem żadnej ingerencji. Po prostu znalazłem się tam w nieodpowiednim czasie dla wszystkich zainteresowanych. Cian i ja już to sobie wyjaśniliśmy.

- Och, naprawdę? - Moira popatrzyła na niego spod uniesionych brwi.

- Nic w tym dziwnego, mężczyźni zwykle dochodzą do porozumienia w ten czy inny sposób.

- Nie mów do mnie tym królewskim tonem. - Wziął ją pod rękę i poprowadził do jednego z ogrodów, gdzie mogli mieć więcej prywatności. - Pytam cię, jakiej oczekiwałabyś po mnie reakcji, kiedy zobaczyłem cię z nim w takich okolicznościach?

- Rozumiem, że wymagałabym zbyt wiele, oczekując, żebyś zachował się jak dżentelmen i przeprosił za najście.

- Masz cholerną rację. Kiedy myślę, że uwiódł cię mężczyzna z kilkusetletnim doświadczeniem...

- Było na odwrót.

Larkin zarumienił się, podrapał po głowie i sfrustrowany obszedł Moirę dookoła.

- Nie chcę znać szczegółów, jeśli ci to nie przeszkadza. Już go przeprosiłem.

- A mnie?

- Czego ode mnie oczekujesz, Moiro? Ja cię kocham.

- Oczekuję zrozumienia, że jestem dorosłą kobietą i mam prawo samodzielnie podjąć decyzję w kwestii wyboru kochanka. Nie krzyw się na to słowo - fuknęła niecierpliwie. - Mogę rządzić, mogę walczyć, mogę zginąć, jeśli będzie trzeba, ale twoje delikatne uczucia rani myśl, że mogę mieć kochanka?

Larkin zastanowił się przez chwilę.

- Tak. Ale sobie z tym poradzę. Nie chcę tylko, najbardziej na świecie, żebyś cierpiała. Ani w walce, ani w miłości. Czy to wystarczy?

Serce Moiry zmiękło, jak zawsze przy kuzynie.

- Musi wystarczyć, bo pragnę tego samego dla ciebie. Larkinie, czy powiedziałbyś, że mam błyskotliwy umysł i jestem rozsądna?

- Czasami aż za bardzo.

- Wiem, że nie mamy przyszłości. Mój umysł rozumie, że to, co zrobiłam, pewnego dnia przyniesie mi żal, ból i smutek. Ale serce potrzebuje tego, co mogę teraz przeżyć z Cianem.

Przesunęła palcami po liściach kwitnącego krzewu, które opadną z pierwszym przymrozkiem. Tak wiele rzeczy umrze.

- Kiedy połączę umysł i serce, wiem, że Cian i ja jesteśmy lepsi o to, co daliśmy sobie nawzajem. Jak mogłabym odwrócić się od miłości?
- Nie wiem.

Popatrzyła na dziedziniec, gdzie ludzie wrócili do swoich codziennych zajęć. Życie toczy się dalej, pomyślała, bez względu na to, co umiera. Oni muszą zadbać, żeby trwało.

- Twoja siostra patrzyła na odjazd męża, wiedząc, że być może już nigdy nie ujrzy go żywego. Ale nie uroniła ani jednej łzy przy nim ani przy dzieciach. Kiedy płacze, robi to w samotności. To jej łzy. Tak samo będzie z moimi, gdy to się skończy.
- Czy zrobisz coś dla mnie?
- Jeśli będę mogła.

Dotknął jej policzka.

- Kiedy przyjdą te łzy, będziesz pamiętała, że możesz je wypłakać na moim ramieniu?

Teraz się uśmiechnęła.

- Będę.

Gdy się rozstali, Moira poszła do salonu, gdzie Blair i Glenna omawiały rozkład dnia.

- A Hoyt? – zapytała, nalewając sobie herbaty.
- Ciężko pracuje. Wczoraj dostarczono nam nową partię broni. – Glenna potarła zmęczone oczy. – Będziemy je uzbrajać w ogień dwadzieścia cztery godziny na dobę. Popracuję z tymi, co zostaną, kiedy reszta z nas pojedzie. Podstawowe zabezpieczenia, obrona, atak.
- Ja ci pomogę. A ty, Blair?
- Jak tylko Larkin skończy bawić się w alfonsa, polecimy...
- Przepraszam, że co?
- Ma jurną klacz i ustalił z Cianem, że Vlad ją przeleci. Nawet nie zaprosiwszy jej na kolację i drinka. Myślałam, że ci mówił.
- Nie, mieliśmy inne sprawy do omówienia, to musiało wypaść mu z głowy. A zatem wziął ogiera Ciana na rozpłodowca. – Uśmiechnęła się. Tak, życie toczy się dalej. – To dobrze. I bardzo sprytnie, może to być początek wspaniałej linii. A więc dlatego pukał do Ciana przed świtem.
- Pomyślał, że jeśli Cian się zgodzi, będzie mógł... – Blair uniosła dłoń.
- Skąd wiesz, że pukał do Ciana przed świtem?
- Bo właśnie wychodziłam z jego pokoju. – Moira napiła się spokojnie herbaty, a Blair popatrzyła z ukosa na Glennę i wydęła policzki.
- Okay.
- Nie zamierzasz zwymyślać i przekląć Ciana za to, że uwiódł dziewicę? Blair przesunęła językiem po zębach.
- Znalazłaś się w jego sypialni. Zwabienie cię tam raczej nie byłoby w jego stylu.

Moira uderzyła w stół z satysfakcją.

- Proszę! Wiedziałam, że kobieta będzie miała więcej rozsądku i szacunku dla mojego wyboru. A ty? – Uniosła brwi, patrząc na Glennę. – Nie chcesz nic powiedzieć na ten temat?

- Oboje będziecie cierpieć i oboje już o tym wiecie, dlatego powiem tylko, że mam nadzieję, że oboje dacie sobie tyle szczęścia, ile tylko możecie, dopóki możecie.

- Dobrze się czujesz? - zapytała Glenna. - Pierwszy raz bywa trudny, często przynosi rozczarowanie.

Teraz Moira uśmiechnęła się szeroko.

- Był piękny i podniecający. Żadne z moich wyobrażeń nie było nawet w połowie tak wspaniałe.

- Koleś musiałby nie rokować żadnych nadziei - uznała Blair - jeśli nie byłby w tym dobry po paruset latach ćwiczeń. I Larkin wszedł, kiedy... musiał dostać szału.

- Uderzył Ciana w twarz, ale już się pogodzili. Jak to mężczyźni, po bójce. Zgodziliśmy się, że wybór kochanka należy do mnie i po sprawie.

Zapadła zgodna cisza, gdy wszystkie trzy przewróciły oczami.

- Już niedługo opuścimy bezpieczne schronienie w zamku. Mam nadzieję, że po Samhainie będzie mnóstwo czasu na dyskusję nad moim wyborem.

- W takim razie ja ruszam - powiedziała Blair. - Larkin i ja, po nieskończonej debacie i dąsach z mojej strony, lecimy za kilka godzin, żeby zwerbować kilka smoków. On wciąż nie jest przekonany do tego pomysłu, ale obiecał, że spróbuje.

- Mielibyśmy asa w rękawie, gdyby wam się udało. - Moira oparła brodę na pięści, analizując ten pomysł. - Myślę, że moglibyśmy zebrać tych, którzy niezbyt nadają się do walki na polu bitwy. Gdyby mogli polecieć na smokach... powietrzni łucznicy.

- Wypuszczaliby płonące strzały. - Blair pokiwała głową. - Nie musieliby trafiać prosto do celu.

- O ile nie będą trafiali w naszych - dokończyła Glenna. - Nie zostało już wielu, ale warto spróbować.

- Tak, ogień - zgodziła się Moira. - To mocna broń, jeszcze bardziej skuteczna, gdy atakować nią z powietrza. Szkoda, Glenno, że nie możesz zanurzyć strzały w promieniach słońca.

- Zobaczę, czy uda mi się pogonić Larkina. - Blair, wstając, zawahała się chwilę. - Wiesz, ja zaliczyłam swój pierwszy raz, jak miałam siedemnaście lat. Chłopak się śpieszył i po wszystkim pomyślałam: to już? Niezła sprawa, przejść inicjację z kimś, kto wie, co robi i ma styl.

- To prawda. - Moira uśmiechnęła się z satysfakcją. - Naprawdę niezła.

- Wyczuła, że Blair i Glenna wymieniły spojrzenia nad jej głową, ale po wyjściu Blair nadal spokojnie sączyła herbatę.

- Czy ty go kochasz, Moiro?

- Myślę, że jakaś część mnie czekała na to, co czuję do niego, przez całe życie. Na to, co moja matka czuła do ojca przez ten krótki czas, który był im dany. Na to, co ty, wiem, czujesz do Hoyta. Myślisz, że tylko wyobrażam sobie, że to miłość, bo on jest, czym jest?

- Nie, nie myślę tak. Sama bardzo go kocham, chociaż on jest, czym jest. Ale, Moiro, wiesz, że nie macie przed sobą żadnej przyszłości. Właśnie przez to, czym jest. Żadne z was nie może tego zmienić, tak jak promień słońca nie może polecieć na strzale.

– Słuchałam wszystkiego, co Blair i on mówili o jego... gatunku. – I czytała niezliczone księgi pełne faktów i naukowej wiedzy. – Wiem, że on nigdy się nie zestarzeje. Na zawsze pozostanie taki, jak w chwili przemiany. Młody, silny, pełen życia. Ja się zmienię, zestarzeję, skurczę, posiwieję i pomarszczę. Będę chorowała, on nigdy.

Wstała i podeszła do rozświetlonego słońcem okna.

– Nawet jeśli on kocha mnie, jak ja jego, nigdy nie będziemy mogli żyć razem. On nie może stanąć tu ze mną i poczuć ciepłych promieni słońca na twarzy. Pozostaje nam jedynie ciemność. On nie może mieć dzieci, więc nawet tej cząstki nie będę mogła po nim zabrać. Mogę tylko myśleć o wspólnym roku, pięciu lub dziesięciu latach. Tylko na tyle mogę mieć nadzieję – wyszeptała. – Ale bez względu na to, jak samolubnie myślę o swoich pragnieniach, mam też obowiązki. – Odwróciła się. – On nigdy nie mógłby zostać tutaj, a ja nie mogę zostawić Geallii.

– Kiedy ja zakochałam się w Hoycie i byłam przekonana, że nie będziemy razem, moje serce krwawiło każdego dnia.

– Jednak wciąż go kochałaś.

– Wciąż go kochałam.

Moira stanęła plecami do słońca, które zalśniło na jej koronie.

– Morrigan powiedziała, że nadszedł czas wiedzy. Wiem, że moje życie byłoby mniej warte, gdybym go nie kochała. Im bardziej wartościowe mamy życie, tym dłużej i zajadlej będziemy go bronić. Zyskałam zatem kolejną broń. I użyję jej.

Moira odkryła, że długi dzień uczenia dzieci i starców, jak mają się bronić przed demonami, był bardziej wyczerpujący niż ciężki bojowy trening. Nie wiedziała, że tak trudno przyjdzie jej powiedzieć dzieciom, że potwory istnieją naprawdę.

Głowa pękała jej od pytań, a serce bolało od strachu, który widziała w dziecięcych oczach.

Wyszła do ogrodu, żeby zaczerpnąć świeżego powietrza i po raz kolejny popatrzeć w niebo, wyglądając powrotu Larkina i Blair.

– Wrócą przed zmierzchem.

Obróciła się na dźwięk głosu Ciana.

– Co ty tu robisz? Jest jeszcze widno.

– O tej porze cień tutaj jest głęboki. – Mimo to opierał się o mur, z dala od promieni słońca. – To bardzo ładne miejsce, ciche. I wcześniej czy później zawsze tu przychodzisz na kilka minut.

– Obserwowałeś moje zwyczaje.

– Zawsze to jakieś zajęcie.

– Glenna i ja uczyłyśmy starców i dzieci, jak się bronić przed atakiem potworów, kiedy my wyjedziemy. Nie możemy zostawić wielu strażników w zamku.

– Bramy będą zamknięte. Hoyt i Glenna nałożą na nie jeszcze jedną warstwę ochronną. Ludzie będą bezpieczni.

- A jeśli przegramy?
- Wtedy już nic nie będą mogli zrobić.
- A ja myślę, że zawsze można coś zrobić, jeśli dać komuś wybór i broń.
- Podeszła do niego. - Czekałeś tu na mnie?
- Tak.
- Skoro już jestem, co zamierzasz zrobić?

Nie poruszył się, ale Moira widziała, że toczy ze sobą walkę, od której powietrze niemal zawirowało. Mimo to stała spokojnie, oczy miała poważne i cierpliwe.

Przyciągnął ją do siebie łapczywie, aż uderzyła o niego całym ciałem, przylgnął do jej warg spragnionymi ustami.

- Dobra decyzja - szepnęła, gdy już mogła mówić.

Lecz jego usta znowu wpiły się w jej wargi, odbierając jej oddech i wolę.

- Nawet nie wiesz, co rozpętałaś. - Zanim zdążyła odpowiedzieć, odwrócił się, podniósł ją i posadził sobie na plecach.

- Cian, co...
- Lepiej się trzymaj - poradził, gdy roześmiała się oszołomiona.

Podskoczył. Moira sapnęła i zacisnęła ramiona na jego szyi, a on po prostu wystrzelił w górę na jakieś trzy metry i zaczął wspinać się po murze.

- Co ty wyprawiasz? - Zaryzykowała spojrzenie w dół i poczuła, jak żołądek podchodzi jej do gardła. - Mogłeś mnie uprzedzić, że postradałeś zmysły.

- Postradałem je, kiedy weszłaś wczoraj do mojego pokoju. - Wskoczył przez okno i zasunął szczelnie kotary, pogrążając komnatę w ciemności. - To jest cena, jaką musisz za mnie zapłacić.

- Jeśli chciałeś wejść do środka, są drzwi...

Krzyknęła, gdy porwał ją w ramiona. Czuła się, jakby frunęła niewidoma w ciemności. Następny krzyk pełen był pożądania, gdy nagle znalazła się na łóżku, pod Cianem, którego niecierpliwe ręce odsuwały ubranie, by dotknąć jej ciała.

- Poczekaj. Poczekaj. Nie mogę myśleć. Nic nie widzę.
- Za późno na jedno i drugie. - Uciszały ją jego usta, a jego dłonie prowadziły na sam szczyt rozkoszy.

Jej ciało wiło się pod nim i wiedział, że Moira jest bliska płonącego, gorącego szczytu. Jęknęła z ustami wciąż na jego wargach, a jej ciało się rozluźniło.

Chwycił ją za nadgarstki i przytrzymał jej ręce nad głową, tak że leżała oszołomiona i bezwolna, gdy się w niej zanurzył.

Chciała znowu krzyknąć, ale straciła głos. I wzrok w ciemności, a mając ręce unieruchomione nad głową, nie mogła się niczego uchwycić. Mogła tylko czuć, gdy poruszał się w niej, bombardując jej ciało mroczną, desperacką rozkoszą, aż Moira drżała, wiła się, odpowiadając na każde jego pchnięcie.

Tym razem osiągnęła szczyt w szalonym pędzie.

Leżała, nie mogąc się poruszyć, nawet gdy Cian wstał, żeby zapalić świece.

– Wybór nie zawsze jest możliwy – powiedział i Moira usłyszała szmer wlewanej do kielicha wody. – I nie zawsze jest bronią.

Poczuła dotyk metalu na ręce i uniosła ciężkie powieki. Wzięła puchar, ale nie była pewna, czy uda jej się przełknąć choć kroplę.

Wtedy dostrzegła czerwony ślad na jego dłoni. Usiadła błyskawicznie, niemal zalewając Ciana wodą.

– Oparzyłeś się. Pokaż mi. Ja... – Zobaczyła oparzenie w kształcie krzyża. – Zdjęłabym go. – Pośpiesznie schowała krzyż i łańcuszek pod stanik sukni.

– Niewielka cena. – Ujął jej nadgarstek i popatrzył na blade siniaki. – Mam przy tobie mniej kontroli, niżbym chciał.

– Podoba mi się to. Daj mi rękę. Mam mały dar uzdrawiania.

– To nic takiego.

– W takim razie daj mi rękę. Powinnam ćwiczyć. – Wyciągnęła oczekująco dłoń. Po chwili Cian usiadł obok niej i podał jej rękę.

– Podoba mi się to – powtórzyła, patrząc mu w oczy. – Lubię wiedzieć, że tak bardzo mnie pragniesz, tak bardzo cię pociągam, że napinam coś w tobie do granic możliwości.

– Bardzo niebezpieczne w wypadku człowieka. Gdy wampir traci kontrolę nad sobą, niesie śmierć.

– Nigdy byś mnie nie skrzywdził. Kochasz mnie.

Twarz Ciana była kompletnie pozbawiona emocji.

– Seks rzadko ma cokolwiek wspólnego z...

– Mój brak doświadczenia nie oznacza, że jestem głupia lub naiwna. Tak lepiej?

– Słucham?

Uśmiechnęła się.

– Twoja dłoń. Zaczerwienienie zbladło.

– Już dobrze. – Zabrał rękę, na której nie było już śladu po oparzeniu. – Szybko się uczysz.

– To prawda. Nauka to moja pasja. Powiem ci, czego się nauczyłam o tobie. Kochasz mnie. – Uśmiechnęła się lekko, głaszcząc go po włosach. – Wziąłbyś mnie zeszłej nocy i to zapewne z dużo mniejszymi oporami, nawet gdyby chodziło tylko o seks, ale nie zrobiłbyś tego tak delikatnie ani nie zaufałbyś mi na tyle, by przy mnie zasnąć.

Uniosła palec, zanim Cian zdążył coś powiedzieć.

– To nie koniec.

– Nawet tak nie przypuszczałem.

Wstała i wygładziła ubranie.

– Gdy przyszedł Larkin, nie zrobiłeś nic, żeby osłonić się przed ciosem. Kochasz mnie i czułeś się winny skalania mojej cnoty. Kochasz mnie, dlatego mnie obserwowałeś i znasz moje ulubione miejsca. Czekałeś tam na mnie, a potem zabrałeś tutaj, bo mnie potrzebujesz. Pociągam cię tak bardzo, Cianie, jak ty pociągasz mnie.

Patrzyła, jak sączył wodę.

– Kochasz mnie, tak jak ja kocham ciebie.

– To dla ciebie niebezpieczne.

– I dla ciebie też. – Skinęła głową. – Żyjemy w niebezpiecznych czasach.

– Moiro, to nigdy nie może...

– Nie mów mi o „nigdy". – W jej głosie zawrzał gniew i zasnuł oczy ciemnym dymem. – Wiem. Wiem wszystko o „nigdy". Niech między tobą i mną będzie tylko „dzisiaj". Muszę walczyć o jutro, o pojutrze i o wszystkie następne dni, ale z tobą istnieje tylko „dziś". Każde „dziś", jakie możemy mieć.

– Nie płacz. Wolę oparzenia niż łzy.

– Nie będę. – Zamknęła oczy i próbowała siłą woli opanować łzy. – Chcę, żebyś powiedział mi to, co mi pokazałeś. To, co widzę, kiedy na ciebie patrzę.

– Kocham cię. – Podszedł do niej i dotknął jej twarzy opuszkami palców. – Tę twarz, te oczy, wszystko, co się w nich kryje. Kocham cię. Przez tysiąc lat nie kochałem innej.

Ujęła jego dłoń i przycisnęła do niej usta.

– Och! Popatrz! Oparzenie zniknęło. Uleczyła cię miłość. Najsilniejsza magia.

– Moiro. – Przyłożył jej dłoń do swego serca. – Gdyby biło, biłoby dla ciebie.

Znowu poczuła w oczach łzy.

– Może twoje serce nie bije, ale to nie znaczy, że jest puste. Nie milczy, przemawia do mnie.

– I to wystarczy?

– Nic nigdy nie wystarczy, ale trudno. Chodź...

Przerwała, słysząc dobiegające z zewnątrz głosy. Podbiegła do okna i odsunęła zasłonę.

– Cian, chodź, popatrz! Słońce jest już nisko. Chodź!

Niebo zaroiło się od smoków. Szmaragdowe, rubinowe i złote smukłe kształty szybowały nad zamkiem niczym lśniące klejnoty w miękkiej poświacie zmierzchu. Ich trąbiące okrzyki przypominały pieśń.

– Czy widziałeś kiedykolwiek coś równie pięknego?

Moira zacisnęła palce na dłoni, którą Cian położył na jej ramieniu.

– Posłuchaj, jak ludzie radośnie je witają. Popatrz na dzieci, jak biegną i jak się śmieją. To pieśń nadziei, Cianie. Ten widok, ta muzyka.

– Przyprowadzenie ich tutaj a wykorzystanie jako wierzchowców w walce to dwie różne sprawy, Moiro. Ale tak, ten widok napawa nadzieją.

Patrzyła, jak zaczęły lądować.

– Wyobrażam sobie, że przez te wszystkie lata robiłeś prawie wszystko.

– Prawie – zgodził się i musiał się uśmiechnąć. – Ale nie, nigdy nie jeździłem na smoku. I tak, masz rację, chcę się przejechać. Chodźmy na dół.

Słońce wciąż świeciło na tyle jasno, że musiał włożyć tę cholerną pelerynę, ale i tak odkrył, że jest jeszcze coś, co potrafi go oczarować i zaskoczyć – gdy popatrzył w złote oko młodego smoka.

Ich obłe ciała pokrywały wielkie łuski, które w dotyku były gładkie jak szkło. Delikatne, przypominające pajęczynę babiego lata skrzydła trzymały blisko ciała, gdy przechadzały się po ziemi, ale to ich oczy go ujęły. Wydawały się pełne inteligencji i życia, a nawet humoru.

– Pomyśleliśmy, że młode będzie łatwiej wyuczyć – powiedziała Blair. – Larkin ma z nimi najlepszy kontakt, nawet w ludzkiej postaci. Ufają mu.

– Tym ciężej będzie mu posłać je do bitwy.

– Tak, mój facet ma miękkie serce i rozmawialiśmy o tym setki razy. Miał nadzieję, że uda mu się wszystkich przekonać, żebyśmy używali ich tylko do transportu. Ale one mogą nam naprawdę pomóc podczas bitwy. Jednak muszę przyznać, że i mnie nie do końca podoba się ten pomysł.

– Są piękne. I takie czyste.

– Zmienimy to drugie. – Blair westchnęła. – Wszystko jest bronią – szepnęła. – Tak czy siak, chcesz polatać?

– No pewnie.

– Pierwszy lot ze mną. Tak, wiem – powiedziała, gdy Cian zaczął protestować. – Pilotujesz własny samolot, jeździsz konno, jednym susem wskakujesz na wieżowce. Ale nigdy nie jeździłeś na smoku, więc na razie nie lecisz solo.

Podeszła powoli do rubinowosrebrnego smoka. Przyleciała na nim, a teraz wyciągnęła dłoń, by mógł poczuć jej zapach.

– No dalej, zapoznaj się z nią.

– Z nią?

– Tak, sprawdziłam uposażenie. – Blair wyszczerzyła zęby w uśmiechu. – Nie mogłam się powstrzymać.

Cian położył dłoń na boku smoczycy i powoli przesunął nią do łba.

– Proszę, proszę, czyż nie jesteś przepiękna? – zaczął szeptać do niej po irlandzku. Smoczyca odpowiedziała zalotnym machaniem ogona.

– Twój brat postępuje z nimi tak samo. – Blair skinęła głową w stronę Hoyta, który głaskał szafirowe łuski. – To chyba u was rodzinne.

– Hm. A dlaczego jej wysokość leci sama?

– Ona już jeździła na smoku. To znaczy, na Larkinie w postaci smoka, więc zna się na rzeczy. Zresztą nie tylko jego ujeżdżała ostatnio.

– Słucham?

– Tylko mówię. Oboje wyglądacie na dużo bardziej odprężonych niż wczoraj. – Uśmiechnęła się szeroko i wskoczyła na smoka. – Heej-hoop!

Cian wskoczył tak samo płynnie i zwinnie, jak wspinał się po murze.

– Nieźle – zauważył. – Są dużo wygodniejsze, niż wyglądają. W sumie prawie tak samo jak na koniu.

– Pewnie, jeśli mówimy o Pegazie. W każdym razie nie ściskaj ich piętami jak wierzchowca. Musisz tylko...

Położyła się na karku smoczycy i przesunęła dłonią po jej gardle. Ta rozłożyła skrzydła z szumem jedwabiu i wzbiła się w powietrze.

– Żyj wystarczająco długo – powiedział Cian zza pleców Blair – a przeżyjesz wszystko.

– To będzie jedno z lepszych przeżyć. Została nam jeszcze logistyka. Opieka, karmienie, smocze kupy.

- Założę się, że kwitną od nich róże. Cudowne stworzenia!

Blair odrzuciła głowę ze śmiechem.

- Możliwe. Musimy je wyszkolić, jeźdźców też. Ale te piękności szybko się uczą. Patrz. – Przechyliła się w prawo i smok skręcił łagodnie w tym samym kierunku.

- Trochę jak na motocyklu.

- Trochę. Pochylasz się, żeby skręcić. Popatrz na Larkina. Ten to lubi się popisywać.

Larkin fikał koziołki i robił pętle na ogromnym złotym smoku.

- Słońce już prawie zaszło – powiedział Cian. – Daj mi jeszcze kilka minut, żebym się nie usmażył, i pokażemy mu klasę.

Blai popatrzyła na niego przez ramię.

- Załatwione. Ale muszę ci coś powiedzieć.

- A czy kiedyś się powstrzymałaś?

- Ona dźwiga na barkach ciężar całego świata. Jeśli to, co was łączy, ujmuje choć trochę tego ciężaru, to ja jestem za. Zrobiło mi się lżej, odkąd jestem z Larkinem, i mam nadzieję, że wam także się uda.

- Zaskakujesz mnie, łowczyni demonów.

- Sama siebie zaskakuję, wampirze, ale tak to jest. Słońce zaszło. Gotowy na jazdę?

Cian z nieopisaną ulgą odrzucił kaptur.

- Pokażemy temu twojemu kowbojowi prawdziwą sztukę.

12

*D*avey należał do Lilith od prawie pięciu lat. Zamordowała jego rodziców i młodszą siostrę pewnej pięknej ciepłej nocy na Jamajce. Wakacyjny posezonowy pakiet – opłata klimatyczna, hotel i kontynentalne śniadanie – był prezentem-niespodzianką ojca Daveya dla żony na jej trzydzieste urodziny. Pierwszej nocy, w beztroskiej atmosferze wakacji rozluźnionej jeszcze znaczną liczbą szklaneczek rumowego ponczu, poczęli trzecie dziecko.

Oczywiście nie zdawali sobie z tego sprawy i nie wiedzieli, że gdyby wszystko potoczyło się inaczej, narodziny kolejnego potomka położyłyby na jakiś czas kres tropikalnym podróżom.

Ale i tak w zaistniałej sytuacji były to ich ostatnie rodzinne wakacje.

To stało się podczas jednego z krótkich i burzliwych rozstań Lilith z Lorą. Spontanicznie wybrała Jamajkę i zabawiała się, podrywając miejscowych i przygodnych turystów. Ale w końcu znudziła się smakiem mężczyzn, którzy wycierali barowe kontuary.

Miała ochotę na jakieś urozmaicenie – na coś świeżego i słodkiego. I dokładnie to znalazła u tej młodej rodziny.

Podstępnie i okrutnie położyła kres spacerowi matki i rozchichotanej dziewczynki po plaży w świetle księżyca. Była pod wrażeniem rozpaczliwej i beznadziejnej walki kobiety, która instynktownie próbowała chronić dziecko. Zaspokoiła głód i może zostawiłaby mężczyznę i chłopca, który nieświadomy niczego chlapał się w morzu, ale chciała zobaczyć, czy ojciec będzie tak samo zaciekle walczył o syna. I czy będzie błagał, tak rozpaczliwie jak matka.

Błagał – i wrzeszczał do chłopca, żeby ten uciekał. „Biegnij, Davey, biegnij!" – krzyczał. A strach o syna dodał jego krwi jeszcze więcej słodyczy.

Jednak chłopiec nie uciekł. Walczył i zrobił na niej największe wrażenie. Kopał i gryzł, spróbował nawet skoczyć jej na plecy, żeby ocalić ojca. Furia tego ataku w zestawieniu z anielską twarzyczką sprawiły, że Lilith postanowiła raczej go przemienić, niż wyssać do cna i zostawić.

Gdy przycisnęła jego usta do swej krwawiącej piersi, coś w niej zadrżało, co nie zdarzyło się nigdy przedtem. Niemal macierzyńskie uczucie zafascynowało ją i uradowało.

I tak Davey został jej zabawką, jej zwierzątkiem, synem i kochankiem.

Sprawiło jej ogromną przyjemność, że tak szybko zaadaptował się po przemianie. Gdy pogodziły się z Lorą, co prędzej czy później zawsze następowało, Lilith powiedziała jej, że Davey zostanie ich wampirycznym Piotrusiem Panem. Mały chłopiec, sześcioletni na wieki.

Wciąż trzeba było o niego dbać, jak o każdego sześciolatka, zabawiać go i uczyć, zdaniem Lilith więcej niż innych, bo Davey był jej księciem i jako taki miał ogromne przywileje i sporo obowiązków.

To polowanie uważała i za jedno, i za drugie.

Drżał z podniecenia, gdy ubierała go w prosty strój pastuszka. Roześmiała się na widok jego błyszczących oczu, gdy dla dopełnienia kamuflażu rozsmarowała mu na buzi trochę krwi i błota.

– Mogę zobaczyć? Mogę popatrzeć w twoje magiczne lusterko i zobaczyć swoje odbicie? Proszę, proszę!

– Oczywiście. – Lilith posłała Lorze rozbawione spojrzenie – dorosły do dorosłego. Lora podjęła grę i zadrżała, biorąc do ręki cenne lusterko.

– Wyglądasz przerażająco – zapewniła Daveya. – Taki mały i słaby. I... ludzki!

Davey ostrożnie ujął lusterko i wpatrzył się w swoje odbicie. I pokazał kły.

– To jak kostium – powiedział i zachichotał. – Jednego będę mógł sam zabić, prawda, mamo? Zupełnie sam.

– Zobaczymy. – Lilith zabrała mu lusterko i pochyliła się, by pocałować go w brudny policzek. – Masz bardzo ważną rolę do odegrania, kochanie. Najważniejszą ze wszystkich.

– Wiem dokładnie, co mam robić. – Zakołysał się na piętach. – Ćwiczyłem tysiąc razy.

– Wiem. Tak ciężko pracowałeś. Będę z ciebie bardzo dumna.

Odłożyła lusterko taflą do dołu, odmawiając sobie choćby zerknięcia. Oparzenia Lory wciąż były czerwone i świeże, a widok własnego odbicia działał na nią tak przygnębiająco, że Lilith pozwalała sobie na patrzenie w lusterko, tylko gdy przyjaciółki nie było w pobliżu.

Odwróciła się na dźwięk pukania do drzwi.

– To pewnie Midir. Wpuść go, Davey, i idź, poczekaj z Luciusem.

– Niedługo idziemy?

– Za dziesięć minut.

Popędził do drzwi, po czym stanął prosto jak struna, gdy czarnoksiężnik składał mu ukłon. Davey wymaszerował, jej mały żołnierz, pozwalając Midirowi zamknąć za sobą drzwi.

– Wasza wysokość. Pani.

– Powstań. – Lilith machnęła niedbale ręką. – Jak widziałeś, książę jest gotowy. A ty?

Wstał, a czarne szaty zaszeleściły. Twarz miał surową, otaczała ją szopa siwych włosów. Oczy, przepastne i mroczne, spojrzały wprost w lodowato-błękitne źrenice Lilith.

– Będzie bezpieczny. – Popatrzył na rondel, który stał na szerokiej komodzie. – Użyłaś wywaru zgodnie z moimi instrukcjami.

– Tak. Pożegnasz się z życiem, Midirze, jeśli coś zawiedzie.

– Nie zawiedzie. Napar i mój czar osłonią go przed drewnem i żelazem na trzy godziny. Będzie tak bezpieczny, jakbyś trzymała go w ramionach, wasza wysokość.

– Jeśli nie, sama cię zabiję, i to najokrutniej, jak to możliwe. A żebym miała pewność, pójdziesz z nami na polowanie.

Przez ułamek sekundy widziała zaskoczenie i irytację na jego twarzy, ale po chwili skłonił głowę i powiedział potulnie:

– Na twój rozkaz.

– Tak. Zgłoś się do Luciusa, da ci konia. – Odwróciła się do niego plecami.

– Nie powinnaś się martwić. – Lora podeszła do Lilith i otoczyła ją ramionami. – Midir wie, że straci życie, jeśli cokolwiek się stanie naszemu słodkiemu chłopcu. Davey tego potrzebuje, Lilith. Potrzebuje ruchu, rozrywki. I musi trochę się popisać.

– Wiem, wiem. Jest zniecierpliwiony i znudzony. Nie mogę mieć do niego pretensji. Wszystko będzie dobrze. Nic się nie stanie – powiedziała, uspokajając samą siebie. – Będę tuż obok niego.

– Pozwól mi iść. Zmień zdanie i pozwól, proszę.

Lilith pokręciła głową i pocałowała delikatnie Lorę w poparzony policzek.

– Nie jesteś gotowa na polowanie. Jesteś jeszcze słaba, kochanie, nie mogę ryzykować twojego zdrowia. – Ujęła Lorę za ręce i mocno uścisnęła. – Potrzebuję cię w Samhain, żebyś walczyła, zabijała, jadła do syta. Tej nocy, gdy zalejemy dolinę krwią i odbierzemy to, co nam się słusznie należy, chcę mieć ciebie i Daveya u boku.

– Nienawidzę tego czekania prawie tak samo jak Davey.

Lilith uśmiechnęła się.

– Przyniosę ci prezent z naszej nocnej wycieczki.

Davey jechał na jednym siodle z Lilith przez rozświetloną księżycem noc. Chciał wziąć swojego kucyka, ale mama wyjaśniła mu, że konik za wolno biega. Daveyowi podobał się ten galop, w podmuchach wiatru, na polowanie, żeby zabijać. To była najbardziej ekscytująca noc w jego życiu.

Nawet lepsza niż prezent, który mama zrobiła mu na urodziny, gdy pewnej letniej nocy zabrała go na obóz harcerski. Ale to była zabawa! Wrzaski, płacze, jęki.

Lepsza niż polowanie na ludzi w jaskiniach albo palenie niegrzecznego wampira. Lepsza niż cokolwiek, co przychodziło mu do głowy. I mniam mniam, jedzonko.

Davey miał blade wspomnienia o swojej ludzkiej rodzinie. Czasami budził się ze snu i wydawało mu się, że jest w sypialni ze zdjęciami samochodów wyścigowych na ścianach i niebieskimi zasłonami w oknach. W szafie mieszkały potwory i płakał, dopóki ona nie przyszła.

Miała brązowe włosy i oczy.

Czasami on też przychodził, wysoki, z szorstką twarzą. Przeganiał potwory, a ona siedziała i głaskała Daveya po głowie, dopóki znowu nie zasnął.

Gdy bardzo się postarał, mógł sobie przypomnieć, jak pluska się w wodzie, czując pod stopami mokry piach, a mężczyzna śmieje się, gdy ochlapują ich fale. I nagle już się nie śmieje, tylko wrzeszczy. Krzyczy: „Davey, Davey, uciekaj!".

Ale Davey nie starał się bardzo ani często.

Dużo fajniej było myśleć o polowaniu i zabawie. Jeśli był bardzo, bardzo grzeczny, mama pozwalała mu wziąć sobie człowieka do zabawy. Najbardziej lubił ich zapach, gdy się bali, i ich odgłosy, kiedy zaczynał pić. Był księciem i mógł robić wszystko, co chciał. Prawie.

Dziś w nocy pokaże mamie, że jest dużym chłopcem. I nie będzie już „prawie".

Gdy zatrzymali konie, nie mógł usiedzieć z podniecenia na myśl o tym, co zaraz nastąpi. Wyruszą stąd na piechotę – a potem przyjdzie jego kolej. Matka trzymała go mocno za rękę, choć Davey naprawdę by wolał, żeby go puściła. Chciał być jak Lucius i inni żołnierze. Chciał nosić miecz zamiast małego sztyletu ukrytego w tunice.

Jednak i tak wesoło było pędzić tak szybko, szybciej niż każdy człowiek, przez pola ku farmie.

Znowu stanęli, a Lilith ukucnęła przy nim i ujęła jego twarz w dłonie.

– Zrób dokładnie tak, jak cię uczyłam, mój słodki. Będziesz cudowny. A ja jestem cały czas blisko, w każdej minucie.

Wypuścił głośno powietrze z płuc.

– Ja się ich nie boję. To tylko jedzenie.

Lucius roześmiał się za jego plecami.

– Może i jest mały, wasza wysokość, ale to wojownik z krwi i kości.

Lilith wstała i, nie zdejmując rąk z ramion Daveya, odwróciła się do Midira.

– Twoje życie – powiedziała cicho. – Zaczynaj.

Midir rozpostarł ramiona w czarnych rękawach i zaintonował pieśń.

Lilith wskazała ręką, by żołnierze się rozproszyli. Później ona, Lucius i Davey podejdą bliżej domu.

W jednym z okien migotał ogień przygaszony na noc. W powietrzu unosiły się zapachy koni zamkniętych w stajni i pierwsze nuty woni ludzi. Davey poczuł głód i jeszcze większe podniecenie.

– Bądź w pogotowiu – rozkazała Lilith Luciusowi.

– Pani, oddałbym życie za księcia.

– Tak, wiem. – Położyła mu dłoń na ramieniu. – Dlatego tutaj jesteś. No dobrze, Davey. Spraw, bym była z ciebie dumna.

W domu wartę trzymał Tynan i dwóch innych mężczyzn. Niedługo mieli obudzić następną zmianę i Tynan marzył o kilku godzinach snu. Biodro bolało go od rany, którą odniósł w zasadzce pierwszego dnia marszu. Miał nadzieję, że gdy zamknie zmęczone oczy, nie zobaczy znowu scen z potyczki.

Stracili dobrych ludzi. One ich zamordowały.

Przyjdzie czas, gdy pomści tych ludzi na polu bitwy. Miał tylko nadzieję, że jeśli przyjdzie mu tam umrzeć, najpierw będzie walczył jak lew i zniszczy tylu wrogów, ilu się da.

Uniósł się, żeby obudzić następnych wartowników, gdy jakiś dźwięk kazał mu położyć dłoń na rękojeści miecza.

Wytężył wzrok, nadstawił uszu. To mógł być nocny ptak, ale dźwięk wydawał się bardzo ludzki.

– Tynan!

– Tak, słyszałem – powiedział do jednego ze strażników.

– To brzmi jak płacz.

– Bądźcie czujni. Niech nikt... – Zamilkł, gdy dostrzegł jakiś ruch. – Tam, na północnym krańcu łąki. Widzisz? Ach, na wszystkich bogów, to dziecko.

Chłopiec, pomyślał, choć nie był do końca pewny. Dzieciak miał podarte i zakrwawione ubranie, kulał i płakał, trzymając kciuk w buzi.

– Musiał uciec z jakiejś łapanki w okolicy. Obudź zmianę i czuwajcie razem. Pójdę po niego.

– Ostrzegali nas, żebyśmy nie wychodzili z domu po zmierzchu.

– Nie możemy zostawić tam dzieciaka, wygląda na rannego. Obudź następnych – powtórzył Tynan. – Ustaw łucznika przy oknie. Jeśli na zewnątrz poruszy się cokolwiek oprócz mnie i tego dziecka, celujcie w serce.

Poczekał, aż mężczyźni zajęli swoje miejsca, i widział, jak dziecko upadło. Chłopiec, teraz Tynan już był tego prawie pewny. Biedak popiskiwał i szlochał, zwijając się w kłębek na ziemi.

– Moglibyśmy mieć go na oku aż do rana – zaproponował jeden ze strażników.

– Czy mężczyźni w Geallii są aż tak bojaźliwi, żeby ukrywać się w ciemności, gdy ranny dzieciak krwawi i płacze?

Tynan otworzył drzwi. Chciał szybko podbiec do chłopca i zabrać go w bezpieczne miejsce, ale zatrzymał się, kiedy ujrzał małą twarzyczkę znieruchomiałą ze strachu.

– Nie skrzywdzę cię. Jestem sługą królowej. Zabiorę cię do środka – powiedział łagodnie. – Tam jest ciepło, mamy jedzenie.

Chłopiec poderwał się na równe nogi i zaczął wrzeszczeć, jak gdyby Tynan przebił go mieczem.

– Potwory! Potwory!

Rzucił się do ucieczki, utykając na lewą nogę. Tynan skoczył za nim. Lepiej przestraszyć dzieciaka, niż puścić go w las na przekąskę dla wampirów. Złapał malca tuż przed oddzielającym pola murkiem.

– Spokojnie, spokojnie, jesteś bezpieczny. – Chłopiec kopał, bił i wrzeszczał, raniąc jeszcze bardziej bolące biodro Tynana. – Musimy pójść do domu. Już nikt cię nie skrzywdzi. Nikt...

Wydawało mu się, że coś usłyszał – śpiew – i złapał chłopca jeszcze mocniej. Odwrócił się, gotów popędzić do bazy, gdy usłyszał jeszcze inny dźwięk, pochodzący od stworzenia, które trzymał w ramionach. Niski, złowrogi warkot.

Nieopisany ból powalił Tynana na ziemię. To nie dziecko, wcale nie dziecko, pomyślał, walcząc o życie, ale przeciwnik zaatakował go jak wilk.

Chłopiec wyszczerzył zęby w potwornym uśmiechu i skoczył mu do gardła. Tynan jak przez mgłę słyszał krzyki, świst strzał, brzęczenie żelaza. Ostatnim dźwiękiem, jaki dotarł do jego uszu, było łapczywe chłeptanie jego własnej krwi.

– Weźcie go. – Lilith delikatnie otarła usta z krwi. – Obiecałam Lorze prezent. – Uśmiechnęła się do Daveya stojącego nad ciałem człowieka, którego sam zabił. Była dumna, że jej chłopiec nie przestawał jeść, nawet gdy słudzy odciągali ciało z wczepionym w nie malcem.

Davey miał czerwone, błyszczące oczy, a jego piegi lśniły niczym złoto na zarumienionych policzkach.

Podniosła go do góry, wysoko nad głowę.

– Oto wasz książę!

Żołnierze, którzy przetrwali potyczkę, uklękli.

Opuściła go na ziemię i pocałowała długo i namiętnie w usta.

– Chcę więcej – powiedział.

– Wiem, kochanie, i dostaniesz. Już niedługo. Wrzućcie to na konia – rozkazała, machając niedbale ręką w stronę ciała Tynana. – Będzie mi potrzebne.

Sama dosiadła wierzchowca i wyciągnęła ramiona, żeby Davey wskoczył na siodło. Przytuliła policzek do jego włosów i popatrzyła z góry na Midira.

– Dobrze się spisałeś – powiedziała. – Możesz wybrać sobie ludzi, do czego tylko chcesz.

Gdy się skłonił, światło księżyca zalśniło na siwych włosach.

– Dziękuję.

Moira stała na wietrze i patrzyła na smoki i jeźdźców krążących nad jej głową. Niesamowity widok, pomyślała, w każdych innych okolicznościach jej serce uleciałoby za nimi do nieba. Ale patrzyła na manewry, nie na spektakl.

Jednak i tak słyszała wyraźnie okrzyki i klaskanie dzieci, które bawiły się w jeźdźców i smoki.

Gdy wuj stanął obok niej, uśmiechnęła się na powitanie.

– Nie masz ochoty polatać? – zapytała.

– Zostawiam to młodym i zwinnym. To piękny widok, Moiro. Pełen nadziei.

– Smoki dodały nam otuchy. A w bitwie dadzą przewagę. Widzisz Blair? Jeździ, jakby urodziła się na smoku.

– Trudno jej nie zauważyć – odrzekł Riddock, gdy Blair zapikowała w ziemię z zawrotną prędkością, by po chwili znów się poderwać do lotu.

– Cieszysz się, że pobiorą się z Larkinem?

– On ją kocha, a ja nie znam żadnej kobiety, która tak dobrze by do niego pasowała. Dlatego tak, jego matka i ja, cieszymy się. I każdego dnia będziemy za nim tęsknić. On musi z nią odejść – dodał, zanim Moira zdążyła coś powiedzieć. – To jego wybór, a ja czuję, w sercu, że tak właśnie powinien postąpić. Ale będziemy za nim tęsknić.

Moira oparła głowę na ramieniu wuja.

– Tak, będziemy.

Tylko ona zostanie, pomyślała, wchodząc do zamku. Jedyna z Kręgu, która zostanie po Samhainie w Geallii. Zastanawiała się, jak da sobie z tym radę.

Zamek już wydawał się pusty. Tak wielu jego mieszkańców wyruszyło, a inni zajmowali się obowiązkami, które im przydzieliła. Wkrótce ona sama także opuści te mury. A zatem nadszedł czas, postanowiła, żeby spisała swe życzenia na wypadek, gdyby miała nie wrócić.

Zamknęła się w salonie i usiadła, żeby naostrzyć pióro, lecz po chwili zmieniła zdanie i wyjęła jeden ze skarbów, które przywiozła z Irlandii. Spisze ten dokument, postanowiła, narzędziem z innego świata. Użyje długopisu.

Zastanowiła się, co ma wartościowego, co nie należało się następnemu władcy Geallii.

Na pewno biżuterię matki. Zaczęła rozdzielać ją w myślach między Blair, Glennę, ciotkę, kuzynkę, a na końcu – dwórki.

Miecz ojca powinien trafić w ręce Larkina, uznała, a sztylet, który kiedyś nosił przy sobie, do Hoyta. Miniaturowy portret ojca będzie należał do wuja, jeśli ona umrze przed nim, byli przecież najlepszymi przyjaciółmi.

Zostały jeszcze błyskotki, trochę drobiazgów, które uznała za warte przekazania w spadku.

Cianowi zostawiła miecz, kołczan i strzały, które zrobiła własnymi rękami. Miała nadzieję, że zrozumie: dla niej nie była to tylko broń. Były jej dumą i miłością.

Spisała wszystko starannie i zakleiła złożoną kartkę pieczęcią. Odda testament ciotce, by go ukryła w bezpiecznym miejscu.

Poczuła się lepiej, gdy skończyła. Zrobiło jej się lżej na duszy, rozjaśniły się myśli. Odłożyła kartkę i wstała, by stawić czoło następnemu zadaniu. Ruszyła do sypialni i podeszła do drzwi prowadzących na balkon. Zasłony wciąż były zaciągnięte, zasłaniając światło i widok. Teraz je odsunęła i wpuściła do środka łagodne promienie słońca.

Tamte sceny znowu stanęły jej przed oczami. Ciemność, krew, rozszarpane ciało matki i potwory, które ją zamordowały. Ale tym razem otworzyła drzwi i zmusiła się, by przez nie wyjść.

Powietrze było chłodne i wilgotne, niebo nad jej głową roiło się od smoków. Smugi i spirale barw jaśniały na bladobłękitnym firmamencie. Matka byłaby zachwycona tym widokiem, uradowana odgłosem skrzydeł, śmiechem dzieci dokazujących na dziedzińcu.

Moira podeszła do barierki, położyła dłonie na zimnym kamieniu. I stojąc tam tak, jak często stała jej matka, spojrzała na Geallię i przysięgła, że zrobi wszystko, co w jej mocy.

Byłaby pewnie zaskoczona, gdyby wiedziała, że Cian spędził większą część niespokojnego dnia, robiąc dokładnie to samo, co ona. Jego lista legatów i próśb była znacznie dłuższa i o wiele bardziej szczegółowa, ale w końcu on żył dużo dłużej i zdążył zgromadzić o wiele więcej.

Nie widział żadnego powodu, dla którego coś z jego dobytku miałoby się zmarnować.

Podczas pisania tuzin razy przeklinał pióro i marzył o komputerze, ale kontynuował pracę, dopóki nie uznał, że sprawiedliwie rozdzielił swój majątek.

Nie był pewien, czy wszystkie jego życzenia zostaną spełnione, bo część z nich pozostawił w gestii Hoyta. Będą musieli o tym pomówić, postanowił. Jeżeli mógł być czegoś pewny, to tego, że Hoyt zrobi wszystko co w jego mocy, żeby wypełnić polecenia brata.

W sumie i tak miał nadzieję, że to nie okaże się konieczne. Tysiącletnia egzystencja nie oznaczała, że zamierzał z ochotą pożegnać się z życiem. I na pewno nie wybierał się na tamten świat, dopóki nie pośle do niego Lilith.

– Zawsze miałeś głowę do interesów.

Zerwał się na równe nogi, błyskawicznie dobywając sztyletu i odwracając się w stronę, skąd zabrzmiał ten głos. Nagle broń po prostu wypadła mu z ręki.

Nawet po milenium można przeżyć niewyobrażalny szok.

– Nola. – Głos miał zachrypnięty, gdy wypowiadał to imię.

Była dzieckiem, jego siostrzyczką, wyglądała dokładnie tak samo jak wtedy, gdy widział ją po raz ostatni. Miała długie, proste ciemne włosy i głębokie niebieskie oczy. I uśmiech na ustach.

– Nola – powtórzył. – Mój Boże.

– Myślałam, że ty nie masz Boga.

– Żaden się do mnie nie przyznaje. Jak ty możesz tu być? Jesteś tutaj?

– Sam widzisz. – Rozłożyła ramiona i obróciła się wokół własnej osi.

– Żyłaś i umarłaś jako stara kobieta.

– Nie znałeś tej kobiety, dlatego przyszłam w takiej postaci, w jakiej mnie zapamiętałeś. Tęskniłam za tobą, Cianie. Szukałam cię, choć wiedziałam, że nie znajdę. Przez całe lata szukałam i miałam nadzieję, że znajdę ciebie i Hoyta. Nigdy nie wróciliście.

– Jak mogłem wrócić? Wiesz, czym byłem. Czym jestem. Teraz to rozumiesz.

– Czy skrzywdziłbyś mnie? Albo kogokolwiek z nas?

– Nie wiem. Mam nadzieję, że nie, ale wolałem nie ryzykować. Dlaczego tu przyszłaś?

Wyciągnął rękę, ale Nola uniosła dłoń i pokręciła głową.

– Nie mam ciała, jestem tylko zjawą. Przyszłam, żeby ci przypomnieć, że może nie jesteś tym, kim byłeś, kiedy należałeś do mnie, ale też nie jesteś tym, czym ona chciała cię zrobić.

Cian potrzebował chwili, by ochłonąć, więc pochylił się, żeby podnieść sztylet, który upuścił, i schował go do pochwy.

– A jakie to ma znaczenie?

– Ma. Będzie miało. – Zjawa czy nie, jej oczy zalśniły, gdy popatrzyła mu prosto w twarz. – Miałam dzieci, Cianie.

- Wiem.
- Silne, mądre, utalentowane. Płynęła w nich także twoja krew.
- Byłaś szczęśliwa?
- O tak. Kochałam mężczyznę, a on kochał mnie. Mieliśmy dzieci i wiedliśmy dobre życie. A mimo to odejście moich braci pozostawiło w moim sercu pustkę, której nic nie zdołało zapełnić. Czasami widywałam ciebie lub Hoyta. W lustrze wody, we mgle, w ogniu.
- Wolałbym, żebyś nie widziała pewnych rzeczy, które robiłem.
- Widziałam, jak zabijasz i karmisz się. Widziałam, jak polujesz na ludzi tak, jak kiedyś polowałeś na jelenie. I widziałam, jak w świetle księżyca stoisz nad moim grobem i kładziesz na nim kwiaty. Widziałam, jak walczysz u boku brata, którego oboje kochamy. Widziałam mojego Ciana. Pamiętasz, jak wciągałeś mnie na konia i razem jeździliśmy całymi godzinami?
- Nola. - Potarł palcami czoło. Takie wspomnienia wywoływały zbyt wielki ból. - Oboje jesteśmy martwi.
- I oboje żyliśmy. Pewnej nocy ona przyszła pod moje okno.
- Ona? Kto? - Cian poczuł lodowaty podmuch. - Lilith.
- Oboje jesteśmy martwi - przypomniała mu. - A jednak twoje dłonie zacisnęły się w pięści, a oczy zaczęły ciskać błyskawice. Czy wciąż jesteś gotowy mnie chronić?

Podszedł do kominka i kopnął tlący się torf.

- Co się wtedy wydarzyło?
- To było ponad dwa lata po odejściu Hoyta. Ojciec umarł, a matka chorowała. Wiedziałam, że już nigdy nie odzyska sił, że umrze. Czułam się taka smutna, taka przerażona. Obudziłam się w ciemności i zobaczyłam twarz za oknem. Była piękna. Złote włosy, słodki uśmiech. Szeptała do mnie, zawołała mnie po imieniu. „Zaproś mnie do środka", powiedziała i obiecała nagrodę.

Nola odrzuciła włosy z wyrazem pogardy na twarzy.

- Myślała, że skoro jestem tylko dziewczynką, najmłodszą z nas wszystkich, to muszę być głupia i ona bez trudu mnie oszuka. Podeszłam do okna i popatrzyłam jej prosto w oczy. Ona ma w nich moc.
- Hoyt na pewno ci mówił, żebyś tak nie ryzykowała. Musiał...
- Nie było go tam i ciebie też nie. Ja także miałam moc. Zapomniałeś o tym?
- Nie. Ale byłaś tylko dzieckiem.
- Miałam dar jasnowidzenia, a w moich żyłach płynęła krew łowców demonów. Popatrzyłam jej w oczy i powiedziałam, że to moja krew położy kres jej egzystencji. Moja krew uwolni od niej świat. A na nią nie czeka ani wieczność, ani piekło, ani nic innego. Jej unicestwienie będzie kresem całkowitym. Zamieni się w pył, a jej dusza zniknie.
- Nie była zadowolona.
- Jej uroda nie blaknie, nawet gdy pokazuje swoje prawdziwe oblicze. W tym także tkwi jej siła. Uniosłam krzyż Morrigan, który zawsze nosiłam na szyi, a z niego wystrzeliło promieniste światło. Lilith uciekła z wrzaskiem.

- Zawsze byłaś nieustraszona – wyszeptał.
- Za mojego życia już się nie pokazała, dopiero kiedy ty i Hoyt wróciliście razem do domu. Jesteś silniejszy z nim niż bez niego, a on z tobą. Ona się tego boi. Nienawidzi. Zazdrości.
- Czy on przeżyje?
- Tego nie wiem. Ale jeśli zginie, to tak samo jak żył. Z honorem.
- Honor to słabe pocieszenie, gdy idziesz do piachu.
- To dlaczego ty tak bardzo dbasz o swój? – zapytała z nutką zniecierpliwienia w głosie. – To honor cię tu przywiódł. Honor, który razem z mieczem poniesiesz do bitwy. Nie mogła go z ciebie wyssać do końca, a ta resztka, którą pozostawiła, wystarczyła, byś go odzyskał. To ty dokonałeś wyboru, ale przed tobą wciąż wiele innych. Pamiętaj o mnie.
- Nie. Nie odchodź.
- Pamiętaj o mnie – powtórzyła. – Dopóki nie zobaczymy się znowu.
Gdy został sam, usiadł i ukrył twarz w dłoniach. I przypominał sobie więcej, niżby chciał.

13

Dotychczas Cianowi udawało się omijać pokój w wieży, gdzie Glenna i Hoyt odprawiali swoją magię. Takim zajęciom często towarzyszyło jasne światło, błyski, ogień i inne zjawiska niezbyt przyjazne dla wampirów.

Ale teraz, inaczej niż przez ostatnie setki lat – albo przedtem wolał się do tego nie przyznawać – Cian potrzebował brata.

Zanim zapukał, zauważył, że któreś z jego magicznie uzdolnionych krewnych namalowało na drzwiach ostrzegawcze znaki, by powstrzymać ciekawskich. On sam wcale nie miał ochoty tam wchodzić, ale musiał.

Drzwi otworzyła spocona Glenna, z włosami upiętymi do góry, ubrana tylko w podkoszulkę i bawełniane spodnie. Cian uniósł brew.

– Przeszkadzam?

– W niczym intymnym, niestety. Tu jest potwornie gorąco. Czarujemy broń ogniem. Wybacz.

– Nie przeszkadzają mi wysokie temperatury.

– Och. Prawda. – Zamknęła za nim drzwi. – Zasłoniliśmy okna, żeby nic nam nie uciekało, więc nie musisz martwić się światłem.

– Słońce już prawie zaszło.

Popatrzył na Hoyta, który stał z rozpostartymi ramionami nad ogromnym miedzianym korytem. Nawet po drugiej stronie pomieszczenia czuło się bijące od niego żar, moc i energię.

– Napełnia miecze ogniem – wyjaśniła Glenna. – A ja pracowałam nad czymś, cóż, w rodzaju bomby. Czymś, co będziemy mogli zrzucić z powietrza.

– Znalazłabyś doskonałą posadę w wojsku.

– Mogłabym zostać tajną bronią armii. – Otarła spocone czoło wierzchem dłoni. – Oprowadzić cię?

– Tak właściwie... chciałem tylko... Porozmawiam z Hoytem, jak będzie mniej zajęty.

– Poczekaj. – Glenna po raz pierwszy widziała zmieszanego Ciana. Nie, nie zmieszanego. Smutnego. – Powinien zrobić sobie przerwę, ja też. Jeśli nie przeszkadza ci upał, to poczekaj na niego kilka minut. Już prawie skończył. Ja pójdę odetchnąć świeżym powietrzem.

Cian złapał ją za rękę, nim zdążyła się odwrócić.

– Dziękuję. Że o nic nie pytasz.

– Nie ma sprawy. Będę w pobliżu, gdybyście czegoś potrzebowali.

Gdy wyszła, Cian oparł się o drzwi. Hoyt nie zmienił pozycji, nadal stał z ramionami rozłożonymi nad srebrnym dymem, który unosił się z koryta. Oczy miał prawie czarne, koncentrował się na sile swej mocy.

Zawsze tak było, pomyślał Cian, odkąd byli dziećmi.

Hoyt, tak jak Glenna, przebrał się do pracy i teraz miał na sobie białą koszulkę i dżinsy. Nawet po ostatnich kilku miesiącach dla Ciana brat wyglądał dziwnie we współczesnym stroju.

Hoyt nigdy nie interesował się modą, dbał o godność i charakter. Może i byli bardzo podobni z wyglądu, ale zupełnie inaczej podchodzili do życia.

Hoyt lubił samotność i naukę, a Cian towarzystwo i interesy – i przyjemności, na które mógł sobie dzięki nim pozwolić.

Mimo to byli sobie bliscy, rozumieli się nawzajem tak, jak niewielu ludzi ich rozumiało. Kochali się, pomyślał Cian, tak jak tylko bracia mogli.

A potem świat, i wszystko w nim, stanął na głowie.

Więc co on tu robił? Szukał odpowiedzi, pocieszenia, chociaż wiedział, że nikt nie może mu ich dać. Niczego nie można było odwrócić; ani jednego czynu, ani jednej myśli, ani jednej chwili. Traci tylko czas i energię.

Mężczyzna, stojący niczym posąg w dymie, nie był tym, którego znał Cian, tak jak on sam nie był już tym samym człowiekiem. Ani człowiekiem w ogóle.

Spędził zbyt wiele czasu z tymi ludźmi, ich uczuciami, pragnieniami i zapomniał, że niczego nie można zmienić. Odsunął się od drzwi.

– Poczekaj. Jeszcze tylko chwilę.

Głos Hoyta go zatrzymał – i zirytował, bo Hoyt wiedział, że brat chce wyjść.

Hoyt opuścił ręce i dym zniknął.

– Pójdziemy na tę bitwę dobrze uzbrojeni. – Wyjął z koryta miecz, zamachnął się, wycelował w palenisko i posłał w nie strumień ognia.

– Będziesz takim walczył? – Hoyt obrócił miecz w dłoni i przyjrzał się ostrzu. – Jesteś wystarczająco dobry, żeby się nie oparzyć.

– Użyję wszystkiego, co mi wpadnie w ręce. I zrobię, co w mojej mocy, żeby trzymać się z daleka od tych mniej utalentowanych, których wyposażycie w płonące miecze.

– Nie przyszedłeś tu, żeby rozmawiać o umiejętnościach naszych żołnierzy.

– Nie.

Skoro już tu był, załatwi, po co przyszedł. Ale najpierw zaczął przechadzać się po pokoju, podczas gdy Hoyt wyjmował miecze z koryta. Powietrze pachniało ziołami, dymem, potem i wysiłkiem.

– Przegoniłem twoją kobietę.

– Znajdę ją.

– Skoro jej tu nie ma, mogę cię o coś zapytać. Boisz się, że ją stracisz?

Hoyt położył na stole ostatni miecz.

– To moja ostatnia myśl przed zaśnięciem i pierwsza po przebudzeniu. Przez resztę czasu próbuję o tym nie myśleć i walczę ze sobą, żeby nie zamknąć Glenny na klucz, dopóki to wszystko się nie skończy.

- Takiej kobiety nikt nie zdoła utrzymać pod kluczem, nawet ty.
- Nie, ale ta świadomość nie zmniejsza mojego strachu. Boisz się o Moirę?
- Co?
- Myślisz, że nie wiem, że jesteście razem? Że oddałeś jej serce?
- Chwilowe szaleństwo. Przejdzie mi. - Cian potrząsnął głową. - Nie mam wyboru, ona też nie. Takie stworzenia jak ja nie mieszkają w białych domkach i nie wyprowadzają piesków na spacer. - Machnął ręką, gdy Hoyt zrobił zdziwioną minę. - Nie mogę spędzić z nią życia, nawet jeślibym chciał, a moja egzystencja trwałaby długo po tym, jak jej dobiegnie już końca. Ale przyszedłem porozmawiać o czymś innym.
- Powiedz mi najpierw: czy ty ją kochasz?
Teraz to zrozumiał i prawda wyryła się w jego sercu, odbiła w oczach.
- Ona jest... Jak światło, kiedy ja spędziłem wieczność w ciemności. Ale ta ciemność należy do mnie, Hoyt. Wiem, jak w niej przetrwać, być zadowolonym, produktywnym i szukać sobie rozrywek.
- Nie wyglądasz na szczęśliwego.
W głosie Ciana zabrzmiała frustracja.
- Byłem wystarczająco szczęśliwy przed twoim przybyciem. Zanim zmieniłeś wszystko tak samo, jak kiedyś Lilith. Co mam według ciebie robić? Marzyć o tym, co masz ty i co będziesz dzielił z Glenną, jeśli przeżyjecie? Jaki miałbym z tego pożytek? Czy od tego moje serce znów zacznie bić? Czy potrafisz tego dokonać swoją magią?
- Nie. Nie potrafię przywrócić ci życia. Ale...
- Zostaw to. Jestem, czym jestem, i poradziłem sobie lepiej niż dobrze. Nie narzekam. Ona jest doświadczeniem, miłość jest doświadczeniem, a ja zawsze lubiłem je zbierać. - Przeczesał palcami włosy. - Chryste. Masz tu coś do picia?
- Mam whisky. - Hoyt wskazał brodą na szafkę. - Ja też się napiję.
Cian nalał spore porcje do dwóch kubków i podszedł do Hoyta, który przysunął do siebie dwa stołki. Usiedli i popijali przez chwilę w milczeniu.
- Spisałem pewien dokument, coś w rodzaju testamentu, na wypadek gdyby w Samhain opuściło mnie szczęście.
Hoyt uniósł wzrok znad whisky i popatrzył bratu w oczy.
- Rozumiem.
- Zgromadziłem spory majątek, nieruchomości, przedsiębiorstwa, cenne przedmioty. Oczekuję, że rozdzielisz je zgodnie z moimi instrukcjami.
- Oczywiście.
- To nie będzie proste zadanie, bo mój majątek jest rozrzucony po całym świecie. Nie trzymam wielu jaj w jednym koszyku. W mieszkaniu w Nowym Jorku i w skrytkach depozytowych tu i tam są paszporty i inne dokumenty. Korzystaj z nich, jeśli będą ci potrzebne.
- Dziękuję.
Cian zakręcił whisky w szklance, nie podnosząc wzroku.
- Chcę, żeby niektóre rzeczy trafiły do Moiry, jeśli uda ci się je tu przetransportować.

- Uda mi się.

- Chciałbym zostawić klub i mieszkanie w Nowym Jorku Blair i Larkinowi. Myślę, że lepiej sobie z tym poradzą niż ty.

- Tak. I na pewno będą ci bardzo wdzięczni.

Cian poczuł złość, słysząc spokojny i rzeczowy ton brata.

- Nie rozpłacz się tylko ze wzruszenia, najprawdopodobniej to ja tobie urządzę pogrzeb.

Hoyt przechylił głowę.

- Tak myślisz?

- Tak, do cholery. Nie masz jeszcze nawet trzystu lat, a ja już prawie tysiąc. I nigdy nie byłeś tak dobry w walce jak ja, nawet za mojego życia, bez względu na to, ile magicznych sztuczek miałeś w zanadrzu.

- Tak, ale przecież sam powiedziałeś, że już nie jesteśmy tacy jak kiedyś, prawda? - Hoyt uśmiechnął się przyjaźnie. - Zrobię wszystko, żebyśmy obaj przeżyli, ale jeśli nie przetrwasz... wzniosę za ciebie kielich.

Cian roześmiał się, gdy Hoyt uniósł kubek w toaście.

- Czy życzysz sobie muzykę kobz i bębnów?

- Och, do diabła! - W oku Ciana pojawił się złośliwy błysk. - Zamówię dla ciebie kilka piszczałek i pójdę pocieszać zrozpaczoną wdowę.

- Ja przynajmniej nie będę musiał kopać dla ciebie dołu, gdyż tak zamienisz się w kupkę popiołu, ale wyświadczę ci przysługę i postawię nagrobek. „Nie spoczywa tu Cian, bo uleciał z wiatrem. Żył i umarł, ale dalej siedział do końca jak ostatni upierdliwy gość na balu". Czy to ci odpowiada?

- Chyba pójdę i zmienię kilka zapisów, tylko dla zasady, bo i tak widzę, że będę śpiewał „Komu dzwonią" nad twoim grobem.

- A co to jest „Komu dzwonią"?

- Piosenka. - Cian schylił się po butelkę, którą postawił na podłodze, i dolał im whisky. - Widziałem Nolę.

- Co? - Hoyt opuścił kubek, który właśnie uniósł do ust. - Co powiedziałeś?

- Była w moim pokoju. Widziałem Nolę, rozmawiałem z nią.

- Śniła ci się Nola?

- Czy ja tak powiedziałem? - warknął Cian. - Powiedziałem, że ją widziałem, rozmawiałem z nią. Byłem równie przytomny jak teraz, gdy rozmawiam z tobą. Wciąż była dzieckiem. Jezu, na całym świecie nie ma dosyć whisky, żeby się z tym uporać.

- Przyszła do ciebie - wyszeptał Hoyt. - Nasza Nola. Co powiedziała?

- Że kocha mnie i ciebie. Tęskniła za nami. Czekała, aż wrócimy do domu. Niech to szlag. Niech to jasny szlag trafi! - Wstał i zaczął krążyć po pokoju. - Była dzieckiem, wyglądała dokładnie tak, jak wtedy, gdy widziałem ją po raz ostatni. Co, oczywiście, jest bzdurą, bo ona dorosła, zestarzała się, umarła i poszła do piachu.

- Ale po co miałaby do ciebie przychodzić jako dorosła kobieta lub staruszka? - zapytał Hoyt. - Przyszła taka, jaką ją zapamiętałeś, jak o niej myślisz. Ofiarowała ci dar. Dlaczego jesteś zły?

Teraz był już wściekły, ogarnęła go furia połączona z bólem.

– Skąd możesz wiedzieć, jak ja się czuję, jak mnie to rozdziera? Ona wyglądała tak samo, a ja jestem inny. Mówiła o tym, jak podnosiłem ją na konia i zabierałem na przejażdżki. Zupełnie jakby to było wczoraj. Nie mogę rozpamiętywać tej przeszłości i nie oszaleć. – Odwrócił się. – Gdy to dobiegnie końca, ty będziesz wiedział, że zrobiłeś wszystko, co mogłeś, wszystko, czego od ciebie wymagano – dla niej, dla każdego z nich. Jeśli przeżyjesz i poczujesz wyrzuty sumienia, że ich opuściłeś, ta świadomość i życie, które będziesz prowadził z Glenną, je złagodzi. Ja muszę wrócić tam, skąd przyszedłem. Muszę. Nie mogę zabrać ze sobą tych uczuć i przetrwać.

Hoyt milczał przez chwilę.

– Czy ona się bała, coś ją bolało, była smutna?

– Nie.

– I nie możesz zabrać ze sobą tego obrazu i przetrwać?

– Prawda jest taka, że nie wiem. Ale wiem, że jedno uczucie prowadzi do drugiego, aż cię zatopią. Ja już prawie tonę w tym, co czuję do Moiry.

Uspokoił się i usiadł.

– Miała na szyi krzyż, który jej dałeś. Powiedziała, że nigdy go nie zdejmowała, tak jak jej kazałeś. I że Lilith wróciła i próbowała ją skłonić, by Nola zaprosiła ją do domu. Pomyślałem, że powinieneś o tym wiedzieć.

Hoyt zacisnął pięści tak samo jak wcześniej Cian.

– Ta cholerna suka przyszła po Nolę?

– Tak i dostała kopa w dupę: metaforycznie. – Powtórzył bratu słowa Noli i widział, jak rysy Hoyta łagodnieją w wyrazie dumy i satysfakcji. – Nasza Nola błysnęła twoim krzyżem i posłała ją na drzewo. Mówiła, że Lilith już nigdy nie wróciła, dopiero teraz, z nami.

– Proszę, proszę, to bardzo ciekawe. Krzyż nie tylko osłonił właściciela, ale też wystraszył Lilith na dobre. Krzyż i przepowiednia, że to my ją wykończymy.

– I być może dlatego ona tak bardzo chce wykończyć nas.

– Tak, groźba Noli mogła ją rozjuszyć. Wyobraź sobie, jak Lilith musiała się czuć, gdy przegoniło ją dziecko.

– Szuka zemsty, co do tego nie może być wątpliwości. I oczywiście chce wygrać, zrobić z siebie boginię, ale za tym wszystkim stoi chęć odwetu na nas. Na całej szóstce. Chce nas zniszczyć.

– Na razie słabo jej idzie, prawda?

– A co ty myślisz? To bogowie rozdają tu karty, prawda? Wszyscy byliśmy bliscy śmierci, ale bogowie prowadzą każdego z nas, także Lilith, w stronę jednego miejsca, ku konkretnej chwili. Szczerze mówiąc, nie lubię, jak ktoś wodzi mnie za nos, czy to bogowie, czy demony.

Hoyt uniósł brwi.

– A jaki mamy wybór?

– Wszyscy mówią, że mamy wybór, lecz kto z nas by teraz zrezygnował? W końcu nie tylko ludzie mają honor. Czas mija – wstał – i zobaczymy, co się wydarzy w dniu próby. Słońce już zaszło. Idę zaczerpnąć trochę powietrza.

Podszedł do drzwi, przystanął i obejrzał się przez ramię.

- Nie potrafiła mi powiedzieć, czy przeżyjesz.

Hoyt uniósł kubek, dopił whisky i uśmiechnął się.

- „Komu dzwonią", tak?

Cian poszedł do stajni. Wiedział, że to ryzykowne, ale osiodłał Vlada i wyjechał przez bramę. Potrzebował pędu i nocy. I może ryzyka także. Księżyc był już w trzeciej kwadrze. Gdy nadejdzie pełnia, ziemia spłynie krwią – ludzi i demonów.

Cian nie brał udziału w innych wojnach, nie widział w nich sensu. Wojny o ziemię, bogactwa, pieniądze. Wojny toczone w imię religii. Ale tylko ta jedna była jego.

Nie, nie tylko ludzie mają honor i dumę. I miłość. Ta wojna jest jego, bo walczył o to wszystko. Jeśli będzie miał szczęście, pewnego dnia znów będzie galopował w Irlandii – czy gdziekolwiek sobie zażyczy. I będzie myślał o Geallii, jej pięknych wzgórzach i głębokich lasach. O zielonej, przejrzystej wodzie, kamieniach i baśniowym zamku stojącym na wzniesieniu nad rzeką.

Będzie myślał o jej królowej, Moirze, o szarych, głębokich oczach i nieśmiałym uśmiechu, który krył sprawny umysł i ogromne serce. Kto by uwierzył, że po tylu setkach lat zostanie uwiedziony, oczarowany, oszołomiony przez taką kobietę?

Kazał Vladowi przeskakiwać przez kamienne murki i galopować po polach, gdzie nocne powietrze było słodkie i chłodne. Światło księżyca spływało na mury jej zamku, którego okna płonęły od ognia i świec. Dotrzymała słowa, pomyślał, i wciągnęła trzecią flagę, tak że teraz na wietrze łopotały smok, *claddaugh* i jasne, złote słońce.

Pragnął ze wszystkich sił, by po rozlewie krwi Moira dała Geallii i wszystkim światom słońce.

Może i nie mógł zabrać tych wszystkich odczuć, pragnień i myśli ze sobą, i przetrwać, ale to jedno chciał mieć. Gdy powróci w ciemność, chce mieć przy sobie ten pojedynczy blask światła Moiry, żeby rozświetlał wszystkie jego noce.

Wrócił do zamku i zastał ją czekającą z łukiem w dłoni i mieczem u boku.

- Widziałam, jak wyjeżdżałeś.

Cian zsiadł z konia.

- Chroniłaś mi tyły, tak?

- Ustaliliśmy, że nikt z nas nie będzie wyjeżdżał sam, zwłaszcza po zmierzchu.

- Potrzebowałem tego – powiedział tylko i poprowadził konia do stajni.

- Na to wygląda, sądząc po tym, jak galopowałeś. Nie widziałam, żeby gonił cię sam diabeł, ale ty chyba go dostrzegłeś. Czy mógłbyś powierzyć Vlada chłopcom stajennym, żeby go wytarli i obrządzili na noc? Praca dobrze im zrobi, tak samo jak tobie szaleńczy galop.

- Pod tym łagodnym tonem kryją się wyrzuty, wasza wysokość. Bardzo dobrze ci to wychodzi.

- Wyssałam z mlekiem matki. – Wzięła od niego wodze i przekazała chłopcu, który wybiegł ze stajni.

Poinstruowała go, co ma zrobić z koniem, i popatrzyła na Ciana.

– Masz dziwny nastrój.

– Jak zawsze.

– Powiedziałabym, że nie jesteś zbyt rozmowny, ale zapewne także odpowiedziałbyś: „jak zawsze". Jeśli nie masz bardzo złego nastroju, to może zjesz ze mną posiłek. Będziemy tylko we dwoje. Miałam nadzieję, że zostaniesz ze mną dziś w nocy.

– A jeśli mam zły nastrój?

– Posiłek i trochę wina mogą go polepszyć na tyle, żebyś ze mną został. Albo możemy po prostu pokłócić się przy stole i pójść do łóżka.

– Musiałbym spaść z konia i uszkodzić sobie mózg, żeby odrzucić taką ofertę.

– Dobrze. Jestem głodna.

I wściekła, pomyślał z lekkim rozbawieniem.

– Dlaczego nie wygłosisz mi kazania? Możesz dostać niestrawności, jeśli będziesz dusiła to w sobie.

– Nie chcę wygłaszać kazania, mam ochotę zrobić coś zupełnie innego. – Ruszyła z królewskim dostojeństwem, pomyślał, przez dziedziniec. – Mam ochotę dać ci solidnego kopniaka w tyłek za podejmowanie takiego ryzyka. Ale... – Wzięła głęboki oddech, a potem drugi, gdy wchodzili do zamku. – Wiem, jak to jest, gdy pragnie się ucieczki, choćby na chwilę. Gdy wydaje ci się, że rozpadniesz się na kawałki, jeśli tego nie zrobisz. Ja mogę zatopić się w książce i odzyskać spokój ducha. Ty potrzebowałeś galopu, wiatru. I myślę, że czasami po prostu potrzebujesz ciemności.

Cian milczał, dopóki nie podeszli do drzwi jej komnaty.

– Nie wiem, jak możesz tak dobrze mnie rozumieć.

– Studiowałam cię. – Teraz lekko się uśmiechnęła i popatrzyła mu w oczy. – A jestem bardzo pilną studentką. Poza tym teraz jesteś w moim sercu, we mnie, dlatego to wiem.

– Nie zasłużyłem na ciebie – powiedział cicho. – Teraz to widzę. Nie zasłużyłem.

– Nie jestem zapłatą ani nagrodą, nie musisz na mnie zasługiwać. – Otworzyła drzwi do salonu.

Czekały na nich świece i ogień w kominku, kolacja i wino, stół przybrany kwiatami z oranżerii.

– Zadałaś sobie sporo trudu. – Cian zamknął drzwi. – Dziękuję.

– Cieszę się, że ci się podoba. Pragnę tej nocy, jednej nocy, kiedy będziemy tylko we dwoje. Tak, jak gdyby nic się nie działo. Żebyśmy mogli siedzieć, rozmawiać i jeść. I żebym mogła wypić odrobinę za dużo wina.

Odłożyła łuk i kołczan, odpięła miecz.

– Jednej nocy, kiedy nie będziemy mówili o wojnie, broni ani strategii. Powiesz mi, że mnie kochasz. Nawet nie będziesz musiał tego mówić, bo widzę to w twoich oczach, jak na mnie patrzysz.

– Kocham cię. Patrzyłem na zamek i widziałem w twoich oknach blask tych świec. Tak właśnie o tobie myślę. Jak o trwałym blasku.

Podeszła i ujęła jego twarz w dłonie.

- A ja myślę o tobie jako o nocy, jej podniecających tajemnicach. Już nigdy nie będę bała się ciemności, bo ją poznałam.

Cian pocałował ją w czoło, skroń, usta.

- Pozwól, że naleję ci pierwszy kieliszek z tej odrobiny za dużo wina.

Usiadła przy małym stole, nie spuszczając wzroku z Ciana. Oto jej kochanek, pomyślała. Ten tajemniczy, czarujący mężczyzna, w którego myślach toczyły się nieskończone wojny. A ona dzieli z nim tę noc, całą, kilka godzin spokoju dla nich obojga.

Nałożyła mu jedzenie na talerz, wiedząc, że tak robią żony. Tej jednej nocy mogła sobie na to pozwolić. Kiedy usiadł naprzeciwko, uniosła kielich w toaście.

- *Sláinte.*
- *Sláinte.*
- Opowiesz mi o miejscach, które widziałeś? Dokąd podróżowałeś? Chciałabym zobaczyć je w myślach. Studiowałam mapy w twojej bibliotece w Irlandii. Twój świat jest taki ogromny. Opowiedz mi o tych wszystkich cudach, jakie widziałeś.

Zabrał ją do Italii czasów renesansu i do Japonii samurajów, na rozgrzaną gorączką złota Alaskę, do amazońskiej dżungli i na afrykańskie sawanny.

Starał się malować obrazy słowami, żeby mogła dostrzec różnorodność, kontrasty, zmiany. Niemal widział, jak umysł Moiry otwiera się, chłonąc to wszystko. Zadawała mnóstwo pytań, zwłaszcza gdy opowiadał o czymś, co rozwijało jej wiadomości lub zaprzeczało faktom, które poznała w jego bibliotece.

- Zawsze się zastanawiałam, co leży za morzem. - Moira wsparła podbródek na pięści, gdy Cian dolewał im wina. - Inne kraje, inne kultury. Wydaje się, że skoro my byliśmy kiedyś częścią Irlandii, to tutaj, w naszym świecie, mogą istnieć fragmenty Włoch, Ameryki, Rosji, tych wszystkich cudownych miejsc. Pewnego dnia... chciałabym zobaczyć słonia.

- Słonia?!

Roześmiała się z jego miny.

- Tak, słonia. I zebrę, i kangura. Chciałabym zobaczyć obrazy malarzy, o których mówiłeś i o których czytałam w twoich książkach. Michała Anioła, da Vinci, van Gogha, Moneta, Beethovena.

- Beethoven był kompozytorem, nie sądzę, żeby umiał malować.

- Tak, tak, masz rację. „Sonata księżycowa" i te symfonie z numerkami. To przez to wino wszystko mi się miesza. Chciałbym zobaczyć skrzypce, pianino. I elektryczną gitarę. Umiesz grać na którymś z tych instrumentów?

- Niewielu ludzi o tym wie, ale tak naprawdę Beatlesów było na początku sześciu. Nieważne.

- Wiem. John, Paul, George i Ringo.

- Masz pamięć jak ten słoń, którego chcesz zobaczyć.

- Tak długo, jak coś pamiętasz, należy to do ciebie. Pewnie nigdy nie zobaczę słonia, ale któregoś dnia będę miała drzewka pomarańczy. Nasiona w oranżerii kiełkują. – Rozstawiła kciuk i palec wskazujący na centymetr. – Tyle zielonego już wystaje z ziemi. Glenna powiedziała, że kwiaty będą miały piękny zapach.

– Tak, to prawda.

– Zabrałam też inne rzeczy.

Rozbawił go ton spowiedzi w jej głosie.

– Ach, masz lepkie łapki, tak?

– Pomyślałam, że jeśli nie mam ich zabrać do Geallii, to nie przeniosę ich przez Taniec. Zabrałam pędy twoich róż. No dobrze, trzy. Byłam zachłanna. I moją fotografię z Larkinem, którą zrobiła nam Glenna. I książkę. Przyznaję się, zabrałam książkę prosto z twojej biblioteki. Jestem złodziejką.

– Jaką książkę?

– Poezje Yeatsa. Wybrałam ją, bo było na niej napisane, że autor pochodził z Irlandii, a wydawało mi się ważne, żeby wziąć ze sobą coś irlandzkiego.

Bo ty jesteś Irlandczykiem, pomyślała, i ta książka należała do ciebie.

– Te poezje są takie piękne, mają w sobie tyle siły – ciągnęła. – Obiecałam sobie, że oddam ci ją po przepisaniu, ale kłamałam. Zatrzymam ją.

Cian roześmiał się, kiwając głową.

– Uznaj to za prezent.

– Dziękuję, ale z radością ci za nią zapłacę. – Wstała i podeszła do niego. – Możesz wymienić cenę. – Usiadła mu na kolanach i objęła go za szyję. – On napisał coś takiego, ten twój Yeats, co przywiodło mi na myśl ciebie, zwłaszcza teraz, gdy jesteśmy tu we dwoje. Napisał: „Rozsnuwam sny pod twymi stopami. Stąpaj delikatnie, bo chodzisz po moich snach". – Przeczesała palcami jego włosy. – Możesz powierzyć mi swoje sny tej nocy. Będę stąpała delikatnie.

Poruszony do głębi Cian przytulił policzek do jej policzka.

– Nie jesteś podobna do żadnej innej kobiety.

– Przy tobie jestem kimś więcej, niż kiedykolwiek byłam. Wyjdziesz ze mną na chwilę na balkon? Chciałabym popatrzeć na księżyc i gwiazdy.

Wstał, ale zatrzymała go, gdy się odwrócił.

– Nie, na balkon w sypialni.

Pomyślał o jej matce, o tym, co Moira widziała.

– Jesteś pewna?

– Jestem. Byłam tam dzisiaj, sama. Chcę stanąć na tym balkonie z tobą, w nocy. Chcę, żebyś mnie tam pocałował, bym mogła pamiętać ten pocałunek przez całe życie.

– Powinnaś włożyć płaszcz. Jest chłodno.

– My, Geallijki, jesteśmy zrobione z twardej gliny.

I gdy ruszyła przodem, gdy złapała go mocno za rękę, otwierając drzwi na balkon, Cian pomyślał: „tak, tak, ty jesteś".

14

Całował ją na balkonie, a Moira wiedziała, że na całe życie zapamięta każdy szczegół tej nocy. Nie zapomni jej cichej melodii, chłodu powietrza, miękkości jego czułych ust.

Tego wieczoru nie będzie myślała o poranku i obowiązkach, które przyniesie. Noc należała do niego, a skoro ona była z nim – także do niej.

– Całowałeś wiele kobiet.

Cian uśmiechnął się lekko i musnął wargami jej usta.

– To prawda.

– Setki.

– Co najmniej.

Moira zmrużyła oczy.

– Tysiące.

– Bardzo prawdopodobne.

– Hm. – Odsunęła się od niego i oparła plecami o kamienną barierkę. – Chyba wydam dekret, że każdy mężczyzna musi przyjść do zamku i pocałować swoją królową. Żebym nie zostawała w tyle. Jednocześnie będę mogła się czegoś nauczyć, porównać. Zobaczę, na ile mogłabym ocenić twoje umiejętności w tej dziedzinie.

– Interesujące. Obawiam się, że twoi rodacy wypadną żałośnie w tym porównaniu.

– Och? A skąd ta pewność? Całowałeś się kiedyś z mężczyzną z Geallii?

Roześmiał się.

– Spryciula z ciebie, co?

– Tak mówią. – Nie ruszyła się, gdy podszedł i uwięził ją, kładąc ręce na barierce po obu stronach Moiry. – Lubisz mądre kobiety?

– Obecnie tak, zwłaszcza jeśli mają oczy koloru nocnej mgły i włosy jak polerowany dąb.

– Szary i brązowy. Zawsze uważałam, że to takie banalne kolory, ale gdy jestem z tobą, nic we mnie nie wydaje się banalne. – Położyła dłoń na jego sercu. Nie biło, ale widziała jego rytm w oczach Ciana. – Przy tobie nie jestem nieśmiała ani zdenerwowana. Byłam, dopóki mnie nie pocałowałeś. – Przycisnęła usta do miejsca, w którym trzymała dłoń.

– I wtedy pomyślałam: oczywiście, powinnam była wiedzieć. Uniosła się we mnie jakaś zasłona. Myślę, że już nigdy nie opadnie.

- Jesteś moim światłem, Moiro. – Nie mógł jej powiedzieć, że gdy ją zostawi, ten płomień zniknie.

- Księżyc dziś jasny, a gwiazdy świecą tak pięknie. – Ujęła go za ręce.

- Zostawimy odsłonięte okna, aż nadejdzie czas na sen.

Wrócili do środka, do pokoju rozświetlonego blaskiem księżyca i świec. Moira wiedziała, co teraz nastąpi; ciepło, które przerodzi się w żar, a z żaru wybuchnie płomień.

Gdzieś na zewnątrz rozległo się wołanie sowy. Szuka partnera, pomyślała. Wiedziała, jak to jest usychać z tęsknoty.

Zdjęła diadem, odłożyła go na stół i uniosła dłonie, by zdjąć kolczyki. Gdy dostrzegła, że Cian ją obserwuje, zrozumiała, że te małe gesty, preludium rozbierania mogą podniecać.

Odpięła powoli kolczyki, patrząc na Ciana tak, jak on na nią. Zdjęła przez głowę krzyż, który schowała w gorsecie, wiedząc, że to dowód zaufania.

Nie mam dwórek. Czy rozwiążesz mi tasiemki? – Odwróciła się do niego plecami i uniosła włosy. – Chyba spróbuję zrobić suwak. Jest prosty, a naprawdę ułatwia ubieranie.

- Wygodne rozwiązania ujmują czaru.

Uśmiechnęła się do niego przez ramię.

- Łatwo ci mówić. – Jednak poczuła motylki w brzuchu, gdy zaczął rozwiązywać wstążki gorsetu. – Jaki wynalazek sprawił ci największą przyjemność przez te wszystkie lata?

- Domowy system hydrauliczny.

Odpowiedział tak szybko i bez wahania, że Moira się roześmiała.

- Larkin i ja posmakowaliśmy tej rozkoszy i bardzo nam jej brakuje. Przyglądałam się rurom i zbiornikom i myślę, że mogłabym skonstruować coś w stylu waszego prysznica.

- Królowa i hydraulik. – Pocałował ją w obnażone ramię. – Twoim talentom nie ma końca.

- Zobaczymy, czy poradzę sobie w roli lokaja dżentelmena. – Odwróciła się twarzą do niego. – Lubię guziki – powiedziała, rozpinając mu koszulę. – Są praktyczne i ładne.

Tak jak ty, pomyślał, gdy pochyliła się nad nim i odgarnęła włosy.

- Chyba powinnam je ściąć. Tak jak Blair. To też praktyczne.

- Nie. Nie ścinaj. – Zadrżał, gdy jej palce zatrzymały się na guziku dżinsów. – Przeczesał palcami jej długie włosy, od czubka głowy aż do pasa. – Są piękne. I tak pięknie opadają ci na ramiona, na plecy. Połyskują na twojej skórze.

Oczarowana zerknęła w wysokie lustro. I podskoczyła, gdy zobaczyła siebie na pół rozebraną. Samą.

Odwróciła szybko wzrok i uśmiechnęła się beztrosko.

- Ale wymagają ode mnie wiele pracy i...

- Czy to cię przeraża?

Nie było sensu udawać, że nie wie, o czym mówi Cian.

- Nie, po prostu mnie zaskoczyło. Ciężko ci z tym? Że nie możesz zobaczyć własnego odbicia?

- Tak już jest. Można się przyzwyczaić. Kolejna ironia: oto masz wieczną młodość, ale nie możesz się podziwiać. Jednak...
Odwrócił ją tak, że oboje stali twarzami do lustra. Uniósł jej włosy, po czym pozwolił im opaść. Moira roześmiała się, widząc w lustrze fruwające pasma, a Cian położył jej dłonie na ramionach.
- Ze wszystkiego można czerpać jakąś przyjemność – powiedział. Znowu uniósł jej włosy, lecz teraz musnął ustami i zębami jej kark.
Usłyszał, jak chwyciła powietrze, a jej źrenice się rozszerzyły.
- Nie, nie – wymruczał, gdy próbowała się odwrócić. – Tylko patrz. – I przesunął palcem po jej skórze – po nagich ramionach i niżej, gdzie rozwiązany gorset osłaniał piersi. – Tylko spróbuj to poczuć.
- Cian!
- Czy kiedykolwiek marzyłaś o kochanku, który przychodzi do ciebie w nocy, w ciemności? – Zsunął gorset do pasa i musnął opuszkami palców jej piersi. – Bierze cię w posiadanie. Jego dłonie i usta rozpalają twoją skórę.
Uniosła dłonie, chcąc dotknąć jego rąk, ale zarumieniła się i szybko je opuściła, gdy w lustrze ujrzała, jak sama dotyka swych piersi.
Cian uśmiechnął się za jej plecami.
- Powiedziałaś, że nie odebrałem ci niewinności. Może miałaś rację, ale ja myślę, że odbiorę ci ją teraz. To... tak pełne życia, a ja pragnę życia.
- Nie jestem niewinna – zaprotestowała, ale zadrżała.
- Bardziej niż ci się wydaje. – Zataczał kciukiem kółka wokół jej sutków, aż stwardniały. – Boisz się?
- Nie. – Znów zadrżała. – Trochę.
- Odrobina lęku wzmaga podniecenie. – Zsunął suknię na podłogę, nachylił się do ucha Moiry. – Wyjdź z niej – wyszeptał. – Teraz patrz. Obserwuj swoje ciało.
Lęk mieszał się z podnieceniem tak, że Moira nie mogła ich odróżnić. Ciało miała bezbronne, umysł oszołomiony. Po jej skórze wędrowały niewidzialne dłonie i usta, erotycznie intymne, leniwie władcze. W lustrze widziała, jak drży, widziała wyraz pełnej niedowierzania rozkoszy na swojej twarzy.
Wyraz oddania w swoich oczach.
Niewidoczny kochanek przesuwał palcami po jej ciele. Tym razem, gdy ujął jej piersi, bezwstydnie przykryła jego dłonie swoimi.
Jęknęła, pragnąc go, ale nie odrywała oczu od lustra. Ciekawość uczonej nie pozwalała jej zamknąć oczu na nowe doświadczenie, nową wiedzę. Cian czuł, jak drżała i instynktownie poruszyła biodrami, gdy rozkosz przejmowała nad nią władzę. Blask świec igrał na jej drżącej skórze, aż zarumieniła się niczym róża.
Znowu jęknęła, gdy musnął palcami jej brzuch, i mocno oparła się o niego plecami, otaczając ramieniem jego szyję.
On jednak tylko ją kusił, przesuwając palcami po jej udach, po najdelikatniejszej skórze, dając jedynie przedsmak tego, co nastąpi.
- Weź – wymruczał. – Weź to, czego pragniesz. – Złapał ją za rękę i przycisnął do swojej, skrytej między jej udami.

Czuła, jak jej ciało zatapia się w nim, zatapia się w sobie, gdy głaszcząc, prowadził ją w tę nową rozkosz. Mruczał słowa, których już nie rozumiała, i choć czuła za sobą jego silną postać, w lustrze widziała tylko swoją własną, zatopioną we własnym pożądaniu.

Spełnienie zostawiło ją bez tchu, bezwładną i olśnioną.

Obrócił ją szybko tak, że niemal straciła równowagę, i wiedziała, że jest już stracona, kiedy przycisnął wygłodniałe wargi do jej ust. Mogła tylko wczepić się w niego, mogła tylko dawać, gdy jej serce tłukło jak oszalałe o jego pierś.

Mimo wszystkiego, czego doświadczył i posmakował przez te wszystkie wieki, Cian nigdy nie zaznał takiego głodu. Rodzaj szaleństwa, które tylko ona mogła zaspokoić. Pomimo wszystkich swych umiejętności i doświadczenia, gdy trzymał ją w ramionach, był bezbronny jak dziecko. Tak gotowy i oszalały jak ona, pociągnął ją na kobierzec i wbił się w nią, by stworzyć tę pierwszą desperacką więź.

Znowu odwrócił jej twarz do lustra, żeby patrzyła, jak jej ciało napina się pod jego silnymi, regularnymi pchnięciami. I gdy doszła, połączył pragnienie i wolę, aż podniosła ciężkie powieki i popatrzyła mu w oczy. Dopóki nie zobaczyła, kto ją posiadł.

Wziął ją znowu, rozbudzał podniecenie, dopóki jej pożądanie nie dorównało jego. Wtedy zatopił twarz w jej włosach i wyzwolił się spod kontroli.

Mogłaby tak leżeć, wyczerpana, przez resztę życia, ale Cian wziął ją na ręce. Po prostu podniósł jednym ruchem i stał z nią w ramionach. Serce podskoczyło jej w piersi.

– To głupie – powiedziała, gdy skubał ustami jej szyję. – I chyba bardzo kobiece, ale uwielbiam świadomość, że jesteś taki silny, a gdy się kochamy, ja na moment odbieram ci tę siłę.

– Jakaś część mnie zawsze przy tobie słabnie, *ma chroi.*

Nazwał ją „swoim sercem" i jej własne znowu zatańczyło z radości.

– Och, nie – zaprotestowała, gdy odwrócił się, by zaciągnąć zasłony. – Jeszcze nie. Jeszcze tyle nocy przed nami. – Wstała i wzięła koszulę. – Pójdę po wino. I ser – dodała. – Umieram z głodu.

Gdy wybiegła, podszedł do ognia i dorzucił trochę torfu. Nie chciał myśleć o tym, co robił. Za każdym razem, gdy z nią był, na jego sercu pojawiała się nowa blizna, bo wiedział, że nadejdzie dzień, po którym nie będą już mogli być razem.

Ona to przeżyje, powtórzył sobie. I on też. Wola życia łączyła ludzi i demony. Nikt jeszcze nigdy nie umarł z powodu złamanego serca.

Moira wróciła z tacą.

– Możemy jeść i pić w łóżku, pełna dekadencja. – Postawiła tacę na łóżku i sama usiadła.

– Tego masz ze mną pod dostatkiem.

– Och? – Odgarnęła włosy i uśmiechnęła się leniwie. – A ja miałam nadzieję, że nastąpi ciąg dalszy. Skoro jednak pokazałeś mi wszystko, co umiesz, to po prostu będziemy się powtarzać.

- Robiłem rzeczy, których nie możesz sobie wyobrazić. I nie chciałbym, żebyś je sobie wyobrażała.
- Teraz się przechwalasz. – Udało jej się to powiedzieć lekkim tonem.
- Moiro...
- Nie żałuj tego, co jest między nami, ani tego, co mogłoby być czy nie powinno. – Spojrzała mu prosto w oczy. – Kiedy patrzysz na mnie, nie żałuj tego, co robiłeś w przeszłości. Cokolwiek to było, stanowiło kolejny krok do dnia dzisiejszego. Jesteś tu potrzebny. Ja ciebie potrzebuję.
Podszedł do łóżka.
- Rozumiesz, dlaczego nie mogę zostać?
- Tak, tak. Tak. Nie chce o tym mówić, nie dzisiaj. Czy choć przez jedną noc możemy żyć iluzją?
Dotknął jej włosów.
- Nigdy nie mógłbym żałować tego, co jest między nami.
- To mi wystarczy. – Musi wystarczyć, przypomniała sobie, pomimo że z każdą mijającą minutą coś w niej pękało z żalu.
Wzięła jeden z kielichów i podała mu pewną dłonią. Cian uniósł brwi, gdy zobaczył, że w kielichu jest krew.
- Pomyślałam, że ci się przyda. Doda ci energii.
Pokręcił głową i usiadł obok Moiry na łóżku.
- To może porozmawiamy o hydraulice?
Nie była pewna, czy dobrze usłyszała, bo ty był ostatni temat rozmowy, jaki przyszedłby jej do głowy.
- Hydraulice?
- Nie tylko ty zajmowałaś się nauką. Nie zapominaj, że ja byłem na świecie, kiedy wprowadzono ją do codziennego użytku. Mam parę pomysłów, jak mogłabyś zainstalować tu kilka podstawowych urządzeń.
Uśmiechnęła się i napiła wina.
- Oświeć mnie.
Spędzili nad tym sporo czasu, Moira poszła po papier i atrament, żeby mogli rozrysować podstawowe schematy. Poznała go od jeszcze innej strony zaskoczona, że aż tak interesował się czymś, co ludzie w jego czasach uważali za oczywiste.
Jednak po chwili zdała sobie sprawę, że nie powinna się dziwić, przecież podziwiała jego ogromną bibliotekę w Irlandii. I to w domu, przypominała sobie, który odwiedzał jedynie raz lub dwa razy do roku.
Rozumiała, że rzeczywiście mógłby uprawiać każdy zawód, jaki tylko by chciał. Miał bystry, otwarty umysł, sprawne dłonie i, sądząc z tego, jak grał, duszę poety. I smykałkę do interesów.
W Geallii, w jej czasach, byłby zamożny, co do tego nie miała żadnych wątpliwości. Szanowany, nawet sławny. Ludzie przychodziliby do niego po radę. Kobiety flirtowałyby z nim przy każdej okazji.
Ale ona i on spotkaliby się, zalecali do siebie i pokochali, tego była pewna. Cian rządziłby u jej boku bogatym i spokojnym krajem.
Mieliby dzieci o jego pięknych błękitnych oczach. I chłopca – przynajmniej jednego – z małym dołkiem w brodzie, jak jego ojciec.

W noce takie jak ta, gdy już byłoby późno i cicho, rozmawialiby o planach dla ich rodziny, ludu, kraju.

Zamrugała, gdy Cian pogładził ją po policzku.

– Potrzebujesz snu.

– Nie. – Potrząsnęła głową, próbując znów skupić się na rysunkach, zatrzymać upływające minuty, które im zostały. – Zamyśliłam się.

– Za sekundę już byś chrapała.

– Co za kłamstwo! Ja nie chrapię. – Ale nie protestowała, gdy zebrał papiery. Oczy same jej się zamykały. – Może jednak odpoczniemy chwilkę.

Wstała, żeby zgasić świece, a Cian poszedł zaciągnąć zasłony. Ale gdy wróciła do łóżka, on otworzył drzwi, zamierzając wyjść na balkon.

– Na litość boską, Cian, jesteś prawie nagi! – Złapała jego koszulę i wybiegła za nim. – Włóż przynajmniej to. Może tobie nie przeszkadza zimno, ale nie chcę, żeby któryś ze strażników zobaczył cię na moim balkonie, tak jak cię pan Bóg stworzył. Tak nie wypada.

– Ktoś się zbliża.

– Słucham? Gdzie?

– Ze wschodu.

Moira popatrzyła na wschód, ale nic nie zobaczyła. Mimo to nie miała wątpliwości, że Cian ma rację.

– Samotny jeździec?

– Dwóch, ale jeden prowadzi drugiego. Galopują.

Skinęła głową i szybko wróciła do sypialni, żeby się ubrać.

– Strażnicy mają surowy rozkaz, żeby nikogo nie wpuszczać. Sprawdzę, kto to. Może maruderzy. Jeśli tak, nie możemy zostawić ich poza bramami bez ochrony.

– Nikogo nie zapraszaj – rozkazał Cian, wciągając dżinsy. – Nawet jeśli to ktoś znajomy.

– Nie zaproszę, ani ja, ani żaden ze strażników. – Z małym ukłuciem żalu Moira nałożyła diadem i na powrót stała się królową. I, jako królowa, uniosła miecz.

– To maruderzy – powiedziała. – Szukają jedzenia i noclegu.

– A jeśli nie?

– To przejechali kawał drogi, żeby znaleźć śmierć.

Gdy stanęła na murach, dostrzegła sylwetki jeźdźców. Dwóch, tak jak powiedział Cian, pierwszy prowadził konia drugiego. Nie mieli płaszczy, choć w powietrzu czuło się chłód, nawet pierwszy przymrozek.

Zerknęła na Nialla, który został obudzony, kiedy strażnicy zauważyli jeźdźców.

– Daj mi łuk.

Niall wziął od jednego z mężczyzn kołczan i łuk.

– To bez sensu, żeby wróg jechał wprost na nas. Ich dwóch przeciwko nam? I tak nie mogą przejść przez bramę, jeśli ich nie zaprosimy.

– To zapewne nie są wrogowie, ale nie wolno unieść mostów, dopóki się nie upewnimy. Dwóch mężczyzn – wymruczała, gdy podjechali bliżej. – Ten prowadzony wygląda na rannego.

– Nie – powiedział Cian po chwili. – Jest martwy.

– Skąd możesz... – Niall zamilkł.

– Jesteś pewny? – wyszeptała Moira.

– Jest przywiązany do konia i martwy. Tak samo prowadzący, ale on został przemieniony.

– No dobrze. – Moira westchnęła. – Niall, powiedz ludziom, żeby wyglądali następnych. Niech nic nie robią bez rozkazu. Zobaczymy, czego on chce. Dezerter? – zapytała Ciana, ale odrzuciła tę myśl, jeszcze zanim odpowiedział. – Nie, dezerter pojechałby najdalej, jak mógł, na wschód lub na północ, by znaleźć sobie kryjówkę.

– Może on myśli, że ma coś na wymianę – zasugerował Niall. – Chce, żebyśmy myśleli, że ten drugi wciąż żyje, a wtedy ich wpuścimy. Albo posiada informacje, które uważa za cenne dla nas.

– Nie zaszkodzi go wysłuchać – zaczęła Moira, lecz nagle chwyciła Ciana za rękę. – Jeździec! To Sean. Sean, syn kowala! Och Boże. Jesteś pewien, że on...

– Potrafię rozpoznać swój gatunek. – Miał wzrok ostrzejszy niż Moira i bez trudu rozpoznał tamtego. – Lilith go wysłała. Może sobie pozwolić na stratę świeżo przemienionych. Posłała chłopaka, bo go znacie i darzycie sympatią. Przestańcie!

– On był jeszcze prawie dzieckiem.

– Teraz jest demonem. Drugiemu tego oszczędzono. Spójrz na mnie, Moiro. – Złapał ją za ramiona i obrócił twarzą do siebie. – Przykro mi. To Tynan.

– Nie! Nie! Tynan jest w bazie. Dotarły do nas wieści, że bezpiecznie tam dotarł. Ranny, ale żywy i bezpieczny. To nie może być Tynan!

Odepchnęła Ciana i przypadła do muru, wytężając wzrok. Słyszała najpierw szepty, a potem okrzyki, gdy mężczyźni zaczęli rozpoznawać Seana. W ich głosach rozbrzmiewały radość, nadzieja, zaproszenie.

– To już nie jest Sean! – Moira podniosła głos, by przekrzyczeć mężczyzn. – Zabiły chłopca, którego znaliście, i przysłały demona o jego twarzy. Bramy mają pozostać zamknięte, rozkazuję, by nikt nie wpuścił tego, co tu jedzie!

Odwróciła się znowu i zamarła, gdy zdała sobie sprawę z tego, że Cian miał rację. To był Tynan, a raczej zmaltretowane ciało Tynana, przywiązane do drugiego konia.

Chciała szlochać, ukryć się w ramionach Ciana, krzyczeć i płakać. Pragnęła paść na kamienie, by wykrzyczeć rozpacz i wściekłość.

Stała jednak prosto, nie czując zimnego wiatru, który rozwiewał jej płaszcz i włosy. Naciągnęła strzałę na łuk i czekała, aż wampir złoży swój potworny dar.

– Nikomu nie wolno z nim rozmawiać – powiedziała zimno.

Ten, który kiedyś był Seanem, uniósł twarz i pomachał do ludzi zebranych na murach.

– Otwórzcie bramy! – zawołał. – Otwórzcie! To ja, Sean, syn kowala. One wciąż mogą mnie gonić. Mam Tynana. Jest ciężko ranny.

– Nie wejdziesz! – odkrzyknęła Moira. – Ona cię zabiła tylko po to, byś tutaj umarł po raz drugi.

– Wasza wysokość. – Demon wykonał niezdarny ukłon, zatrzymując konie. – Znasz mnie.

– Tak, znam. Jak umarł Tynan?

– Jest ranny. Stracił wiele krwi. Uciekłem demonom i udało mi się dotrzeć do farmy, do bazy. Ale byłem słaby i ranny i Tynan wyszedł do mnie, niech będą mu dzięki, żeby mi pomóc. Zastawiły na nas pułapkę. Ledwo uszliśmy z życiem.

– Kłamiesz. To ty go zabiłeś? Potwór, którym ona cię zrobiła, zabił przyjaciela? – Moira uniosła łuk.

– Pani. – Sean zamilkł, gdy wycelowała strzałę w jego serce. – Ja go nie zabiłem. – Podniósł dłonie, żeby pokazać, że są puste. – To książę. Chłopiec.

– Zachichotał i przycisnął palce do ust gestem tak charakterystycznym dla Seana, że Moira poczuła, jak pęka jej serce. – Książę wywabił go na zewnątrz i zabił. Ja tylko przywiozłem go do was, zgodnie z rozkazami prawdziwej królowej. Posyła wam wiadomość.

– I cóż ma nam do zakomunikowania?

– Jeśli się poddacie i przyjmiecie ją jako władczynię tego świata i wszystkich innych, jeśli włożycie miecz Geallii w jej dłoń, a koronę na głowę, Lilith was oszczędzi. Możecie żyć tu sobie, jak chcecie, bo Geallia to mały kraj i jej nie interesuje.

– A jeśli odmówimy?

Wyjął sztylet, pochylił się i przeciął sznury trzymające Tynana na siodle. Niedbałym ruchem zrzucił na ziemię i kopnął ciało.

– W takim razie czeka was jego los. Was i każdego mężczyznę, każdą kobietę, każde dziecko, które się jej sprzeciwi. Będziecie torturowani.

Zerwał z siebie tunikę i blask księżyca oświetlił oparzenia i rany na jego piersi, które jeszcze nie zdążyły się zagoić.

– A kto przeżyje Samhain, stanie się łowną zwierzyną. Zgwałcimy wasze kobiety, wasze dzieci rozerwiemy na strzępy. Gdy to się skończy, w Geallii nie będzie biło ani jedno serce. My jesteśmy wiecznością. Nigdy nas nie powstrzymacie. Daj mi waszą odpowiedź, a zaniosę ją mojej królowej.

– Oto odpowiedź prawdziwej królowej Geallii: kiedy po Samhainie wstanie słońce, ty i tobie podobne zamienicie się w popiół, który wiatr rozniesie po morzu. W Geallii nic po was nie zostanie.

Oddała łuk Niallowi.

– Masz swoją odpowiedź.

– Ona cię dopadnie! – wrzasnął. – Ciebie i zdrajcę swego gatunku, który stoi przy twoim boku!

Obrócił konia i ruszył z kopyta.

Na murach Moira uniosła miecz i wypuściła z jego ostrza smugę ognia. Wampir wrzasnął tylko raz, gdy dosięgły go płomienie, kula ognia opadła na ziemię i obróciła się w popiół.

- Pochodził z Geallii - wyszeptała Moira - i zasługiwał na śmierć od miecza. Tynan... - Słowa uwięzły jej w gardle.
- Przyniosę go. - Cian dotknął ramienia Moiry i popatrzył nad jej głową w oczy Nialla. - Był dobrym człowiekiem i moim przyjacielem.
Nie czekając na odpowiedź, skoczył przez mur. Wydawało się, że niemal sfrunął na ziemię.
Niall uderzył wierzchem dłoni w ramię strażnika, który wykonał gest odganiający złe moce.
- Nie może stać obok mnie ten, kto obraża sir Ciana.
Na dole Cian wziął ciało Tynana na ręce i spojrzał w górę, napotykając wzrok Moiry.
- Otwórzcie bramy - rozkazała. - Żeby sir Cian mógł zabrać Tynana do domu.

Sama zajęła się ciałem i zdjęła z niego podarte i brudne ubranie.
- Pozwól mi to zrobić, Moiro.
Potrząsnęła głową i zaczęła myć twarz zabitego.
- To moje zadanie. Od dzieciństwa byliśmy przyjaciółmi. Muszę to dla niego zrobić. Nie chcę, żeby Larkin zobaczył go w takim stanie.
Dłonie jej drżały, gdy delikatnie przesuwała szmatką po ranach i ugryzieniach, ale nie przerywała.
- Wiesz, bawili się razem, Larkin i Tynan. Myślisz, że to prawda, że dziecko mu to zrobiło?
Podniosła wzrok na Ciana, gdy nie odpowiedział.
- To jej dziecko - odezwał się po dłuższym milczeniu. - Musi być potworem. Przynajmniej pozwól mi obudzić Glennę.
- Lubiła Tynana. Tak jak wszyscy. Nie, nie ma potrzeby, żeby przychodziła, jest już późno. Moją matkę też tak zmasakrowały. Nawet gorzej. I zostawiłam ją wtedy. Teraz nie mogę się odwrócić.
- Chcesz zostać sama?
- Uważasz, że gdy widzę rany, ugryzienia i siniaki, jak gdyby dopadło go dzikie zwierzę, myślę, że jesteś taki sam jak te, co to zrobiły? Sądzisz, że mam tak słaby umysł i serce, Cianie?
- Nie. Myślę, że kobieta, na którą dziś patrzyłem, której dziś słuchałem, ma najsilniejsze serce i umysł, jakie kiedykolwiek widziałem. Ja nigdy nie potraktowałem człowieka w ten sposób.
Moira znów popatrzyła na niego tymi pustymi oczami.
- Chcę, żebyś wiedziała przynajmniej to. Popełniłem wiele zbrodni, często niewyobrażalnie okrutnych, ale nigdy nie zrobiłem czegoś takiego.
- Zabijałeś czysto. Bardziej skutecznie.
Poczuł, jak jej słowa ranią go do żywego.
- Tak.
Moira skinęła głową.
- Lilith cię nie wychowała, tylko porzuciła, dlatego tak bardzo się od niej różnisz. Zupełnie inaczej niż ten chłopiec. I myślę, że zostało w tobie coś z czasów przed przemianą. Tak, jak słyszałam głos Seana i widziałam

go w tym potworze dziś w nocy, tak pewne cechy zostały i w tobie. Wiem, że nie jesteś człowiekiem, Cianie, tak samo jak wiem, że nie jesteś potworem. I wiem, że obaj w tobie walczą, a ty bezustannie starasz się utrzymać równowagę między nimi.

Umyła ciało Tynana tak delikatnie, jakby myła dziecko. Gdy skończyła, ubrała go w strój, który kazała przynieść z jego kwatery.

– Na litość boską, Moiro, pozwól mi to zrobić.

– Wiem, że chcesz dobrze. Wiem, że martwisz się o mnie, ale to jedno muszę dla niego zrobić. On pierwszy mnie pocałował. – Głos jej zanikł, zanim udało jej się uspokoić na tyle, żeby mogła mówić dalej. – Miałam czternaście lat, on był o dwa lata starszy. To było bardzo słodkie, bardzo delikatne. Oboje się wstydziliśmy, tak jak powinno się wstydzić przy pierwszym pocałunku. Kochałam go. Myślę, że w ten sam sposób, w jaki ty kochałeś Kinga. To ona nam ich zabrała, Cianie. Odebrała nam ich, ale nie naszą miłość.

– Przysięgam przed wszystkim bogami, jakimi chcesz, że zabiję ją dla ciebie.

– Jedno z nas to zrobi. – Pochyliła się i musnęła ustami zimny policzek Tynana.

I cofnęła się o krok.

Dopiero teraz upadła na podłogę, skowycząc z żalu. Gdy Cian ukląkł obok niej, wtuliła się w niego i wypłakiwała roztrzaskane serce.

15

Pochowali Tynana w świetlisty poranek, gdy cienie chmur tańczyły na wzgórzach, a skowronek śpiewał w jarzębinie. Kapłan poświęcił ziemię, zanim złożyli w niej ciało, piszczałki i bębny odegrały pieśń żałobną.

Przyszli wszyscy, którzy go znali, i wielu, którzy nie znali, tak że żałobnicy tłoczyli się na całym zalanym słońcem cmentarzu i ciągnących się do zamku wzgórzach. Wszystkie trzy flagi Geallii ściągnięto do połowy masztów.

Moira z suchymi oczami stała obok Larkina. Słyszała płacz matki Tynana, ale wiedziała, że jej czas na łzy już minął. Pozostali członkowie Kręgu stali za nią i ich wyraźnie wyczuwalna obecność dodawała jej otuchy.

Teraz spoczną tu dwa kamienie dla przyjaciół, obok grobów jej rodziców. Wszyscy padli ofiarami wojny rozpętanej na długo przedtem, zanim ona się o niej dowiedziała. I która na niej, Moirze, się skończy, tak albo inaczej.

W końcu odeszła od grobu, żeby oddać ostatnie chwile rodzinie. Chwyciła mocno dłoń Larkina, gdy wziął ją za rękę. Spojrzała na Ciana – ledwie widziała jego oczy ukryte w cieniu kaptura. Potem popatrzyła na pozostałych.

– Mamy dużo pracy. Larkin i ja musimy porozmawiać z rodziną Tynana, a potem spotkamy się w salonie.

– My już pójdziemy do zamku. – Blair postąpiła krok do przodu i przytuliła policzek do twarzy Larkina. Moira nie słyszała, co do niego szeptała, ale Larkin puścił jej dłoń i zamknął Blair w mocnym uścisku.

– Zaraz przyjdziemy. – Cofnął się i znów wziął Moirę za rękę. Mogłaby przysiąc, że czuła, jak żal sączy się przez pory jego skóry.

Zanim Moira zdążyła podejść do rodziny Tynana, jego matka zostawiła męża i przepchnęła się do Ciana. Z jej oczu płynęły łzy.

– To dzieło takich jak ty. Twój ród zabił mojego chłopca!

Hoyt ruszył do przodu, ale Cian go odsunął.

– Tak.

– To ty powinieneś smażyć się w piekle, a mój synek nie powinien leżeć w ziemi!

– Tak – powtórzył Cian.

Moira podeszła, by objąć kobietę ramieniem, ale ta strząsnęła jej dłoń.

– Wy, wy wszyscy. – Obróciła się, oskarżycielsko przeszywając powietrze palcem. – Zależy wam bardziej na tym niż na moim chłopcu. A teraz on nie żyje. Nie żyje. A wy nie macie prawa stać nad jego grobem. – Splunęła Cianowi pod nogi.

Rozszlochała się i ukryła twarz w dłoniach, a mąż i córki wzięli ją pod ręce i odprowadzili.

– Przepraszam – wyszeptała Moira. – Porozmawiam z nią.

– Zostaw ją. Miała rację. – Cian odwrócił się i odszedł od świeżego grobu i rzędu kamieni wzniesionych za umarłych.

Niall zrównał się z nim, gdy dochodził do bramy.

– Sir Cianie, chciałbym zamienić z tobą słowo.

– Możesz zamienić tyle słów, ile będziesz chciał, jak tylko zejdę z tego cholernego słońca.

Nie wiedział, po co poszedł na cmentarz. W swoim czasie widział więcej umarłych, niżby chciał, widział wystarczająco wiele wylanych łez. Matka Tynana nie była jedyną, która patrzyła na niego ze strachem i nienawiścią, a mimo to stał na palącym słońcu, przed którym chroniły go jedynie szorstka szmata i czar.

Krew w nim się uspokoiła, gdy tylko zszedł ze słońca.

– Mów, co masz do powiedzenia. – Zrzucił kaptur znienawidzonej peleryny.

– Powiem. – Niall skinął głową. Jego zazwyczaj pogodna twarz teraz była posępna i pełna powagi. Położył wielką dłoń na rękojeści miecza i spojrzał Cianowi prosto w oczy. – Tynan był moim przyjacielem i jednym z najlepszych ludzi, jakich znałem.

– Nie mówisz niczego, czego już bym nie słyszał.

– Cóż, ode mnie tego nie słyszałeś, prawda? Widziałem, co stało się z Seanem, niegdyś nieszkodliwym, głupawym chłopcem. Widziałem, jak kopnął ciało Tynana, jakby było odpadkiem wyrzuconym na śmietnik.

– Dla niego nie było niczym innym.

Niall znów skinął głową, zaciskając palce na rękojeści miecza.

– Tak, tak go przemieniły. I ciebie. Ale widziałem też, jak podnosiłeś Tynana z ziemi. Patrzyłem, gdy niosłeś go tak, jak człowiek niósłby martwego przyjaciela. W tobie nie dostrzegłem nic z tego, co widziałem w Seanie. Matka Tynana jest w żałobie. On był jej pierworodnym i szaleje z rozpaczy. Nie miała racji, mówiąc do ciebie te słowa nad jego grobem. On nie chciałby, żeby jego krewni cię obrażali. Zatem mówię ci to ja, jako jego przyjaciel. I mówię ci, że każdy człowiek, który walczy z tobą, jest także moim wrogiem. Daję ci moje słowo. – Puścił rękojeść miecza i wyciągnął do Ciana dłoń.

Ludzie nigdy nie przestawali go zaskakiwać. Irytowali go, drażnili, bawili, czasem czegoś uczyli. Ale przede wszystkim ciągle go zaskakiwali nagłymi zmianami w myślach i sercach.

Pewnie dlatego był w stanie tak długo żyć wśród nich i jeszcze się nie znudził.

– Dziękuję ci za to. Ale zanim uściśniesz moją dłoń, musisz wiedzieć, że tkwi we mnie to samo, co w Seanie. Różnica jest niewielka.

– Według mnie ogromna. I myślę, że tego, co masz w sobie, użyjesz do walki. Bez wahania odwrócę się do ciebie plecami, sir Cianie. I wciąż trzymam wyciągniętą dłoń.

Cian uścisnął ją.

– Jestem ci wdzięczny – powiedział. Ale na górę poszedł sam.

Moira wróciła do zamku ze złamanym sercem. Wiedziała, że nie było czasu na żal, na rozpacz. To, co Lilith zrobiła Seanowi i Tynanowi, miało zranić do głębi pozostałych. I osłabić im serca.

Dlatego teraz będą je leczyć działaniem, pracą.

– Czy możemy wykorzystać smoki? Czy są już na tyle wyszkolone, by unieść ludzi?

– Są bystre i szybko się uczą – odpowiedział Larkin. – Łatwe do prowadzenia dla jeźdźców, którzy dobrze trzymają się w siodle i nie boją się wysokości. Ale dotychczas traktowały to jak zabawę, nie wiem, jak poradzą sobie w bitwie.

– Na razie bardziej będą nam potrzebne jako środek transportu. Ty i Blair wiecie, które są najlepsze. Będziemy potrzebowali... – Przerwała, gdy podeszła do nich ciotka. – Deirdre. – Ucałowała ją w policzek, chcąc zyskać na czasie. Wiedziała, że matki Larkina i Tynana były przyjaciółkami.

– Jak ona się czuje?

– Jest zdruzgotana. Zrozpaczona. – Oczy Deirdre, zapuchnięte od płaczu, spoczęły na twarzy Larkina. – Jak każda matka na jej miejscu.

Larkin ją objął.

– Nie zamartwiaj się o mnie ani o Orana.

– Teraz prosisz mnie o niemożliwość. – Zdobyła się na lekki uśmiech, ale spoważniała, gdy znów zwróciła się do Moiry. – Wiem, że to trudne chwile, a ty masz wiele spraw na głowie i w sercu, ale chciałabym z tobą pomówić. W cztery oczy.

– Oczywiście. Zaraz do was wrócę – powiedziała przyjaciołom i objęła Deirdre za ramiona. – Chodźmy do mojego salonu. Napijemy się herbaty.

– Nie rób sobie kłopotu.

– Obu nam się przyda. – Moira odwróciła się do sługi, który ich mijał, i poprosiła go o napój. – Jak się ma Sinann? – zapytała, gdy wchodziły po schodach.

– Zmęczona, pogrążona w żałobie po Tynanie, zamartwia się o męża i braci. Nie mogłam pozwolić, żeby poszła na pogrzeb, kazałam jej odpoczywać. Boję się o nią i o dziecko, które nosi, o wszystkie jej dzieci.

– Jest silna i ma ciebie.

– Czy to wystarczy, jeśli Phelan zginie tak jak Tynan? Albo jeśli Oran już...

– Musi wystarczyć. Nie mamy innego wyboru. Nikt z nas nie ma.

– Żadnego wyboru oprócz wojny. – Deirdre weszła do salonu i usiadła w fotelu. Jej twarz, obramowana czepkiem, wydawała się dużo starsza niż kilka tygodni temu.

– Jeśli nie będziemy walczyli, one rozszarpią nas tak jak Tynana. Albo zrobią z nami to, co z Seanem. – Moira podeszła do kominka, by dorzucić torfu. Przemarzła mimo ostrego jesiennego słońca.

- A ilu odda życie w walce? Ilu rozszarpią?

Moira wyprostowała się i odwróciła. Nie tylko jej ciotka będzie zadawała pytania, szukała u królowej odpowiedzi, których nie było.

- Skąd mogę wiedzieć? Co, według ciebie, powinnam zrobić? Ty, która byłaś powiernicą mojej matki, jeszcze zanim została królową i przez cały czas jej panowania, co byś mi poradziła?

- Bogowie cię wybrali. Kim ja jestem, aby ci radzić?

- Krwią z mojej krwi.

Deirdre westchnęła i popatrzyła na puste, leżące na kolanach dłonie.

- Jestem zmęczona, wyczerpana do cna. Moja córka boi się o męża, tak jak ja o swojego. I o swoich synów. Moja przyjaciółka pochowała dziś pierworodnego. I wiem, że nie mamy wyboru, Moiro. Zło przyszło do nas i musimy położyć mu kres.

Weszła służąca z tacą.

- Postaw ją, proszę - powiedziała Moira. - Ja naleję. Czy posłano jedzenie do salonu?

Młoda dziewczyna dygnęła.

- Tak, wasza wysokość. Kucharz się tym zajmował, gdy wychodziłam.

- Dziękuję. To wszystko. - Moira usiadła i nalała herbatę. - Są też ciastka. Dobrze jest pozwolić sobie na małe przyjemności w ciężkich czasach.

- Właśnie o tych przyjemnościach chcę z tobą pomówić.

Moira podała ciotce filiżankę.

- Czy mogę coś zrobić, żeby uspokoić twoje serce? Pomóc jakoś Sinann i jej dzieciom?

- Tak. - Deirdre wzięła mały łyk herbaty i odstawiła filiżankę. - Moiro, twoja matka była moją najdroższą przyjaciółką na świecie, dlatego siedzę tu, na jej miejscu, i mówię do ciebie jak do własnej córki.

- Nie chciałabym, żeby było inaczej.

- Gdy mówiłaś o wojnie, która nas czeka, wspomniałaś, że nie mamy innego wyjścia. Ale dokonałaś także innych wyborów. Kobiecych.

Moira zrozumiała, o czym mówi ciotka.

- Dokonałam. - Usiadła wygodniej.

- Jako królowa, wojowniczka, którą udowodniłaś, że jesteś, masz prawo, nawet obowiązek, do użycia każdej broni, jaka wpadnie ci w ręce, by chronić swój lud.

- Mam i tak zrobię.

- Ten Cian, który przybył tu z innego świata i czasu. Wierzysz, że to bogowie go przysłali.

- Wiem to. Walczył u boku twego syna. Ocalił mi życie. Mogłabyś usiąść tutaj i potępić go tak samo, jak potępiła go matka Tynana?

- Nie. - Deirdre wzięła głęboki oddech. - W takiej wojnie jest bronią. Używając go, możesz uratować siebie, moich synów, nas wszystkich.

- Mylisz się - powiedziała Moira ze spokojem. - Jego nie można użyć jak miecza. To, czego dokonał i czego jeszcze dokona, by przerwać własne nieszczęście, robi z własnej nieprzymuszonej woli.

- Woli demona.

W oczach Moiry zabłysnął lód.

– Jak wolisz.

– A ty wzięłaś tego demona do łóżka.

– Wzięłam do łóżka Ciana.

– Jak możesz to robić? Moiro, Moiro – wyciągnęła rękę – on nie jest nawet człowiekiem, a ty mu się oddałaś. Co dobrego może z tego wyniknąć?

– Dla mnie już wynikło. Bardzo wiele.

Deirdre odchyliła się na chwilę i przycisnęła palce do skroni.

– Myślisz, że po to bogowie ci go zesłali?

– Nie potrafię odpowiedzieć na to pytanie. Czy ty je sobie zadawałaś, gdy poznałaś mojego wuja?

– Jak możesz to porównywać? – parsknęła ciotka. – Nie masz wstydu, dumy?

– Niczego się nie wstydzę, a duma nie ma tu nic do rzeczy. Kocham go, a on mnie.

– Jak demon może kochać?

– Jak demon może ryzykować swe istnienie, ciągle od nowa, żeby ocalić ludzkość?

– Nie kwestionuję jego odwagi, tylko twój rozsądek. Myślisz, że zapomniałam, jak to jest być młodą, zadurzoną, nierozważną? Ale ty jesteś królową, odpowiadasz przed swoim ludem, koroną.

– Żyję i oddycham tą odpowiedzialnością w każdej minucie każdego dnia.

– A w nocy sypiasz z wampirem.

Nie mogąc usiedzieć, Moira wstała i podeszła do okna. Słońce wciąż świeciło, złote i jasne. Lśniło na trawie, na rzece, na utkanych z pajęczyny skrzydłach smoków, które robiły leniwe pętle wokół zamku Geallii.

– Nie proszę cię, żebyś zrozumiała. Domagam się twego szacunku.

– Mówisz do mnie jako siostrzenica czy jako królowa?

Moira odwróciła się w ramie zalanego słońcem okna.

– Bogowie uczynili mnie i jedną, i drugą. Przyszłaś tu powodowana troską i to rozumiem. Ale przyszłaś też, by mnie potępić, a tego nie akceptuję. Powierzyłabym Cianowi życie. To moje prawo i mój wybór, że powierzam mu ciało.

– A co z twoimi ludźmi? Co z tymi, którzy pytają, jak ich królowa mogła wziąć sobie na kochanka jednego z synów ciemności?

– Czy wszyscy ludzie są dobrzy? Czy wszyscy są uczciwi, sprawiedliwi i prawi? Jesteśmy tacy, jakimi nas stworzono czy sami wybieramy, kim mamy się stać? Tylko tyle powiem moim ludziom, tym, w których obronie jestem gotowa oddać życie. Zresztą oni mają ważniejsze powody do zmartwień, do myślenia, do rozmów niż to, co robi ich królowa w zaciszu własnej sypialni.

Deirdre wstała.

– Nadal będziesz to ciągnęła, gdy wojna się skończy? Posadzisz tę rzecz, którą kochasz, u swego boku na tronie?

Słońce wciąż świeci, pomyślała Moira, nawet gdy serce zasnuwa nam mrok.

- Gdy to się skończy, jeśli przeżyjemy, on wróci do swego czasu i świata. Nigdy więcej go nie zobaczę. Jeśli przegramy, stracę życie. Jeśli wygramy - serce. Więc nie mów mi o wyborze ani o odpowiedzialności.
- Zapomnisz o nim. Gdy to się dokona, zapomnisz o nim i tym chwilowym szaleństwie.
- Popatrz na mnie - powiedziała Moira cicho. - Wiesz, że nie zapomnę.
- Wiem. - Oczy Deirdre napełniły się łzami. - Nie zapomnisz. Tak bardzo chciałabym ci tego oszczędzić.
- Ja nie. Ani jednej chwili. Nigdy nie zaznałam - ani nigdy nie zaznam - takiej pełni życia jak wtedy, gdy byłam z nim. Dlatego nie, nie zapomnę ani jednej chwili.

Gdy Moira weszła, wszyscy siedzieli przy posiłku w salonie. Glenna zdjęła pokrywkę z talerza u szczytu stołu.
- Powinno być jeszcze ciepłe - powiedziała. - Spróbuj.
- Spróbuję. Musimy jeść, nabrać sił. - Ale patrzyła na jedzenie jak na gorzkie lekarstwo.
- A zatem - Blair uśmiechnęła się do niej promiennie - jak ci mija dzień?
Śmiech, choć niespodziewany i pozbawiony humoru, odprężył nieco Moirę.
- Dupancko. To właściwe słowo, prawda?
- Trafiłaś w samo sedno.
- No dobrze. - Moira zmusiła się do jedzenia. - Wymierzyła cios, jak zawsze, żeby nas przestraszyć, osłabić nasze morale i pewność siebie. Niektórzy uwierzą w to, co kazała powiedzieć Seanowi. Że oszczędzi nas, jeśli się poddamy.
- Kłamstwa są często bardziej atrakcyjne od prawdy - zauważyła Glenna. - A pozostało już niewiele czasu.
- Tak. Nasza szóstka musi przygotować się do wyjazdu z zamku, na pole bitwy.
- To prawda - zgodził się Hoyt. - Zanim wyjedziemy, musimy być pewni, że bazy są wciąż w naszych rękach. Jeśli zabiły Tynana, to może urządziły sobie w bazach twierdze. Mamy jedynie słowo demona, że dziecko zabiło tylko jego.
- To rzeczywiście zrobiło dziecko. - Cian wypił łyk herbaty, która w połowie składała się z whisky. - Rany na ciele - wyjaśnił. - Nie zrobił ich dorosły wampir. Ale to i tak nie daje odpowiedzi na pytanie, czy bazy są wciąż bezpieczne.
- Hoyt i ja moglibyśmy popatrzeć - zaproponowała Glenna.
- Chciałabym, ale samo patrzenie nie wystarczy. - Moira nie przerywała jedzenia. - Musimy uzyskać raport od tych, którzy przeżyli. Jeśli przeżyli. - Popatrzyła na Larkina i poczuła to samo, co on. Ustawiczny i niesłabnący strach o Orana. - Jeśli przeżyli - powtórzyła.
- Gdyby wyczyściła bazy - wtrącił Cian - posłaniec by się tym przechwalał i zapewne przysłałaby więcej ciał.

– Tak, masz rację. Ale musimy wzmocnić posterunki, żeby nie zaskoczyła nas po raz drugi.

– Chcesz, żebyśmy polecieli na smokach. – Larkin pokiwał głową. – Dlatego mnie pytałaś, czy są gotowe.

– Ile tylko można wykorzystać. Ci, którzy będą musieli pojechać konno lub iść, od dziś będą ochraniani przez jeźdźców z powietrza. Larkin i Blair, jeśli będziecie mogli polecieć jeszcze dziś, zabierzcie ze sobą małą grupę. Na smoku można oblecieć wszystkie bazy, przewieźć więcej broni i ludzi, odebrać raporty i na własne oczy zobaczyć, na czym stoimy. Wróćcie przed zmrokiem, a jeśli by wam się nie udało, zostańcie do rana w którejś z baz.

– Zostanie nas za mało, jeśli poślesz aż dwoje – zaprotestował Cian. – I to ja powinienem jechać.

– Hej. – Blair machnęła kromką chleba. – Dlaczego ty masz mieć całą radochę?

– Ze względów praktycznych. Przede wszystkim tylko ja i Glenna nie widzieliśmy na własne oczy pola bitwy i okolicznych terenów. Pora, żebym je obejrzał. Po drugie, w tym cholernym płaszczu mogę wyruszyć za dnia, a w nocy będę podróżował szybciej i będę bezpieczniejszy niż ktokolwiek z was. Sam jestem wampirem, więc rozpoznam je szybciej niż nasza łowczyni demonów.

– On ma sporo racji – uznał Larkin.

– Już dawno planowałem, żeby tam pojechać i trochę powęszyć, więc w ten sposób upiekę dwie pieczenie na jednym ogniu. Poza tym myślę, a chyba wszyscy zgadzamy się w tej sprawie, że nastrój w zamku się poprawi, jeśli wyjadę.

– Ona mocno przesadziła – wymruczała Blair.

Cian wzruszył ramionami, wiedząc, że mówiła o matce Tynana.

– Wszystko jest kwestią perspektywy – zależy, gdzie ustawisz granice. Mamy coraz mniej czasu i jedno z nas powinno czuwać na polu bitwy, zwłaszcza w nocy, kiedy Lilith sama może tam węszyć.

– Nie masz zamiaru wracać – stwierdziła powoli Moira.

– Nie ma sensu, żebym wracał. – Ich oczy spotkały się, mówiąc o wiele więcej niż słowa. – Przyślę człowieka z raportem, a resztę opowiem wam, jak przyjedziecie.

– Już zdecydowałeś. – Moira nie spuszczała wzroku z jego twarzy. – Rozumiem. Stanowimy Krąg, równe ogniwa. Myślę, że wszyscy powinniśmy wypowiedzieć swoje zdanie przed podjęciem takiej decyzji. Hoyt?

– Szczerze mówiąc, nie podoba mi się pomysł, żeby ktokolwiek z nas jechał sam, ale trzeba to zrobić i Cian wydaje się najlepszym kandydatem. Możemy czuwać nad nim tak, jak nad Larkinem, gdy poszedł do jaskiń w Irlandii. Zawsze możemy interweniować, jeśli zajdzie potrzeba. – Popatrzył na żonę. – Glenna?

– Ja popieram. Larkin?

– Ja też. Z jedną zmianą. Myślę, że nie masz racji, Cianie, powinny wyruszyć dwie osoby. Ja mogę cię tam zabrać w postaci smoka. I – dodał szybko, zanim ktoś zdążył zaprotestować – mam więcej doświadczenia ze smokami niż ktokolwiek z was, jeśli byłyby jakieś kłopoty z nimi czy z wrogiem. Proponuję więc, żebyśmy pojechali razem, ty i ja. Blair?

– Cholera. Nasz smoczek ma rację. Może i sam poruszasz się szybciej, Cian, ale będziesz potrzebował smoka, żeby się tam dostać, zwłaszcza jeśli masz poprowadzić ludzi.

– Tak, tak będzie lepiej. – Glenna myślała na głos. – Stanowczo. Jestem za.

– I ja też – powiedział Hoyt. – Moira?

– W takim razie postanowione. – Wstała ze świadomością, że naraża na śmiertelne niebezpieczeństwo dwóch mężczyzn, których kocha najbardziej. – Reszta dokończy produkcję broni, zabezpieczy zamek i za dwa dni wyruszy.

– Wielki dzień. – Blair zastanowiła się chwilę, po czym pokiwała głową. – Zróbmy tak.

– Zrobimy. Larkin, ty wybierz smoki, a Cian ludzi. – Moira analizowała w myślach szczegół po szczególe. – Chciałabym, aby Niall został z nami aż do końca. Pójdę dopilnować, by przygotowano dla was prowiant na drogę.

Gdy zrobiła wszystko, co mogła, poszła do sypialni Ciana z nadzieją, że uda się jej zachować spokój. Zapukała i otworzyła drzwi, nie czekając na odpowiedź. Zasłony były zaciągnięte i w pokoju panowała absolutna ciemność, więc wyciągnęła dłoń i skierowała strumień mocy na świecę. Z jej palców wystrzelił język ognia, który ostrzegł ją, że wcale nie jest tak spokojna jak myślała.

Cian nie przerwał pakowania torby podróżnej.

– Nic mi nie mówiłeś o swoich planach.

– Nic.

– Miałeś zamiar wyjechać w nocy, bez pożegnania?

– Nie wiem. – Przerwał, by na nią popatrzeć. Nie mógł jej dać wielu rzeczy ani prosić ją o wiele, ale przynajmniej powinien być wobec niej uczciwy. – Na początku tak. Potem pewnej nocy przyszłaś pod moje drzwi i moje plany uległy zmianie. A właściwie przesunęły się w czasie.

– Przesunęły. – Powoli pokiwała głową. – A po Samhainie wyjedziesz bez słowa?

– Słowa będą bezwartościowe, prawda?

– Nie dla mnie. – Poczuła przypływ paniki na myśl, że oto zbliżają się do końca. Jak mogła nie wiedzieć, że strach tylko czekał, żeby ją zaatakować, odebrać jej siłę. – Słowa byłyby dla mnie cenne. Chcesz wyjechać. Widzę to. Chcesz ruszyć.

– Już dawno powinienem był wyjechać. Gdybym był szybszy, zniknąłbym, zanim do mnie przyszłaś. Tak byłoby lepiej dla ciebie. To... ze mną nie jest dla ciebie dobre.

– Jak śmiesz? Jak śmiesz mówić do mnie jak do dziecka, które chce zbyt dużo cukierków? Mam serdecznie dosyć wykładów na temat tego, co powinnam myśleć, czuć mieć, robić. Jeśli chcesz jechać, jedź, ale mnie nie obrażaj.

– Mój wyjazd nie ma nic wspólnego z tym, co jest między nami. Po prostu trzeba to zrobić. Zgodziłaś się, cała reszta też.

– I tak byś pojechał bez naszej zgody.

Patrzył na nią, przypasując miecz. Ból już wycinał w ich duszach głębokie rany. Cian wiedział, że tak będzie, od pierwszej chwili gdy jej dotknął.

– Tak, ale ten sposób jest prostszy.

– Zatem skończyłeś ze mną?

– A jeśli tak?

– Będziesz musiał walczyć na dwóch frontach, sukinsynu. Roześmiał się, nie mógł się powstrzymać. Zdał sobie sprawę, że nie tylko ból ich łączył. Musi o tym pamiętać.

– No to mam szczęście, że z tobą nie skończyłem. Moiro, zeszłej nocy wiedziałaś, że to ty musisz zakończyć egzystencję chłopca, którego znałaś, którego lubiłaś. Ja także to wiedziałem, więc powstrzymałem się od oszczędzenia ci tego. Wiem, że muszę iść sam, bez ciebie. I ty także o tym wiesz.

– Ale wcale nie jest mi łatwiej. Może już nigdy nie będziemy mogli zostać sami, dzielić tego, co było naszym udziałem. Chcę więcej czasu, mieliśmy go zbyt mało, potrzebuję więcej. – Podeszła do niego i mocno się przytuliła. – Nie mieliśmy nawet naszej nocy, nie trwała do rana.

– Ale te godziny są bardzo ważne, każda minuta.

– Jestem zachłanna. I już się zamartwiam, że ty wyjeżdżasz, podczas gdy ja zostaję.

Nie tylko dziś, pomyślał. Oboje wiedzieli, że nie mówiła tylko o tym dniu.

– Czy w Geallii istnieje tradycja, że kobiety posyłają mężczyzn do walki z podarunkiem?

– A co ty byś chciał dostać ode mnie?

– Pukiel twoich włosów. – Te sentymentalne słowa trochę go zaskoczyły i zawstydziły, ale gdy Moira odsunęła się od niego, zobaczył, że ta prośba sprawiła jej przyjemność.

– Zachowasz go? Część mnie?

– Tak, jeśli mi go dasz.

Dotknęła włosów i uniosła dłoń.

– Poczekaj, poczekaj, mam jeszcze coś. Muszę to przynieść. – Usłyszała nawołujące trąbienie smoków. – Och, czekają na ciebie. Przyniosę to na dół. Nie odjeżdżaj. Obiecaj mi, że poczekasz, aż przyjdę powiedzieć ci: do widzenia.

– Poczekam. – Tym razem, dodał w myślach, wybiegając z komnaty.

Na zewnątrz, pod osłoną cienia, przyjrzał się wybranym przez Larkina smokom i ludziom, których razem wyznaczyli.

Zmarszczył brwi na widok kulki błota, podanej przez Glennę.

– Dzięki, ale jadłem już śniadanie.

– Bardzo zabawne. To bomba.

– Ruda, to pecyna błota.

– Tak, kulka ziemi, zaczarowanej ziemi, w środku jest ogień. Jeśli zrzucisz ją z góry – tu machnęła rękami, wydając świszczący dźwięk, a potem wypuściła głośno powietrze, naśladując wybuch bomby – teoretycznie – dodała.

– Teoretycznie.

– Testowałam ją, ale nie z wysokości smoka. Możesz ją dla mnie wypróbować w którymś momencie.

Cian zmarszczył brwi, obracając kulkę w dłoniach.

– Mam ją po prostu upuścić?

– Tak. W jakimś bezpiecznym miejscu.

– A nie wybuchnie mi w rękach i nie zamieni mnie w pochodnię?

– Wymaga dobrego refleksu i siły. Na wszelki wypadek upewnij się, że masz dobrą wysokość, jak będziesz ją rzucał. – Wspięła się na palce i pocałowała go w oba policzki. – Uważaj na siebie. Do zobaczenia za kilka dni.

Wciąż ze zmarszczonymi brwiami Cian schował kulkę do kieszeni uprzęży, którą Blair zrobiła dla Larkina.

– Będziemy was obserwować. – Hoyt położył dłoń na ramieniu brata. – Spróbuj nie pakować się w kłopoty, dopóki do ciebie nie dojadę. I ty też – zwrócił się do Larkina.

– Już mu zapowiedziałam, że skopię mu tyłek, jeśli da się zabić. – Blair pociągnęła Larkina w dół za włosy i pocałowała go w usta, długo i mocno, po czym odwróciła się do Ciana.

– Nie będzie żadnych grupowych uścisków.

Wyszczerzyła zęby w uśmiechu.

– Nie ma mowy. Trzymaj się z dala od ostrych drewnianych przedmiotów.

– Taki mam plan. – Zobaczył ponad głową Blair wybiegającą z zamku Moirę.

– Zajęło mi to dłużej, niż myślałam – wysapała zdyszana. – A więc jesteście gotowi. Larkinie, uważaj na siebie. – Objęła go.

– I ty też. – Wymienili ostatni uścisk. – Na smoki! – zawołał i posławszy Blair olśniewający uśmiech, zmienił postać.

– Mam to, o co mnie prosiłeś. – Moira wyciągnęła srebrny medalion, podczas gdy Blair zakładała Larkinowi uprząż. – Kiedy się urodziłam, ojciec dał go mojej matce, żeby mogła nosić przy sobie pukiel moich włosów. Zostawiłam tamten i dodałam jeszcze jeden.

I tyle magii, ile tylko mogła.

Uniosła się na palce i przełożyła mu łańcuszek przez głowę. Potem, żeby udowodnić coś jemu i wszystkim, którzy patrzyli, ujęła twarz Ciana w dłonie i pocałowała go, długo i czule.

– Czeka cię więcej – powiedziała. – Więc nie rób nic głupiego.

Cian włożył płaszcz, nasunął i zawiązał kaptur. Wsiadł na grzbiet Larkina i popatrzył Moirze w oczy.

– Za dwa dni – powiedział.

I uniósł się w niebo na złotym smoku, a pozostałe ruszyły za nimi, trąbiąc rozgłośnie.

Moira patrzyła na malejące, lśniące punkty i nagle poczuła pewność, że ich szóstka nie wróci z doliny do zamku Geallii jako Krąg.

Za jej plecami Glenna nakazała gestem Hoytowi, by odszedł, po czym objęła Blair i Moirę w pasie.

– No dobrze, dziewczyny, zajmijmy się pakowaniem i prowiantem, żebyście mogły szybko połączyć się znowu z waszymi mężczyznami.

16

Marzył o deszczu. Lub przynajmniej o gęstej powłoce chłodnych chmur, które zablokowałyby promienie słońca. W tym cholernym płaszczu było mu gorąco jak w piekle, na które już dawno został skazany. Po prostu nie był przyzwyczajony do tak ekstremalnych temperatur.

Bycie nieśmiertelnym, pomyślał, mogło rozpuścić człowieka. Szybowanie na smoku okazało się bez wątpienia ekscytującym przeżyciem. Przez pierwsze pół godziny. Przez następnych trzydzieści minut można było podziwiać zielony i sielski krajobraz pod nimi. Ale po godzinie pieprzonej, wełnianej sauny ta wycieczka stała się udręką.

Pewnie gdyby miał cierpliwość i godność Hoyta, leciałby z kamienna twarzą i wyprostowanymi plecami aż do dnia Sądu Ostatecznego. Pomimo nieznośnego żaru topiącego kości. Ale przecież bliźniaków dzieliły znaczne różnice, jeszcze zanim jeden z nich stał się wampirem.

Przypuszczał, że mógłby spróbować medytacji, ale wolał nie ryzykować zapadnięcia w trans. Słońce prażyło, tylko czekając, by usmażyć go jak plasterek bekonu, a magiczna bomba ukryta w uprzęży Larkina mogła w każdej chwili wybuchnąć, ot tak, dla zabawy.

O czym on myślał, kiedy zgodził się na ten idiotyzm?

Ach tak. Obowiązek, honor, miłość, duma – wszystkie owe emocjonalne ciężary, które ciągnęły człowieka na dno bez względu na to, jak bardzo starał się utrzymać głowę nad powierzchnią. Cóż, teraz nie było już odwrotu. Ani z drogi, ani od uczuć, które się w nim kłębiły.

Mój Boże, jak on ją kochał. Moirę uczoną, Moirę królową. Nieśmiałą i odważną, rozsądną i cichą. Kochał ją, choć było to głupie, destruktywne i beznadziejne. I bardziej realne niż cokolwiek, czego zaznał przez tysiąc lat.

Czuł dotyk medalionu, który powiesiła mu na szyi – kolejny ciężar. W jednej chwili nazwała go sukinsynem, a w drugiej podarowała mu jeden ze swoich – czego był absolutnie pewien – najcenniejszych skarbów.

Ale przecież już kiedyś wycelowała strzałę w jego serce, a potem przeprosiła z rozbrajającą szczerością, zarumieniona ze wstydu. Najprawdopodobniej właśnie wtedy się w niej zakochał.

Pogrążony w myślach Cian oglądał krainę pod nimi. Dobry teren pod uprawy, uznał, z żyzną ziemią i delikatnymi wzniesieniami. Strumienie i rzeki rojące się od ryb płynęły przez pełne zwierzyny lasy. Majaczące w oddali góry skrywały bogate pokłady minerałów i marmurów. Głębokie bagna pełne torfu na opał.

Przeniosła przez Taniec pestki pomarańczy. Kto by o tym pomyślał? Musi posadzić je na południu. Czy ona o tym wie? Głupie pytanie, ta kobieta wiedziała wszystko albo znała sposób, żeby się dowiedzieć. Nasiona pomarańczy i poezję Yeatsa. I długopis – widział go na biurku w jej salonie.

Więc wyhoduje swoje sadzonki pomarańczy w oranżerii, a potem posadzi na południu Geallii. Jeśli urosną – a jakże mogłyby jej odmówić? – pewnego dnia będzie miała pomarańczowy gaj.

Nagle zdał sobie sprawę, że chciałby to widzieć. Chciałby zobaczyć, jak z pestek, które zabrała z jego kuchni w Irlandii, rozkwitają kwiaty.

Chciałby zobaczyć, jak piękne oczy Moiry błyskają radością i zadowoleniem, gdy będzie nalewała szklankę pomarańczowego soku, który tak bardzo lubiła.

Lecz jeśli Lilith wygra, nie będzie gaju ani kwiatów, ani w ogóle żadnego życia.

Już dostrzegał ślady śmierci, oznaki spustoszenia. Ze schludnych niegdyś domków i małych chatek zostały sterty gruzów i pogorzeliska. Krowy i owce nadal pasły się na polach, ale pod palącym słońcem leżały gnijące ścierwa pokryte chmarami much.

Bydło zabite przez dezerterów, uznał. Mordowały, gdzie tylko i kiedy mogły.

Będą musieli je wyśledzić i zniszczyć, wszystkie co do jednego. Jeśli przetrwa choćby jeden, będzie zabijał i rozmnażał się. Mieszkańcy Geallii i ich królowa jeszcze długo po Samhainie muszą zachować czujność.

Rozmyślał nad tym, aż w końcu Larkin zaczął schodzić do lądowania.

– Dzięki niech będą wszystkim bogom – wymruczał Cian.

Pod nimi leżało schludne i zadbane gospodarstwo. Żołnierze ćwiczyli, strażnicy lustrowali okolicę. Kobiety trenowały na równi z mężczyznami. Z komina leciał dym, którego zapach powiedział Cianowi, że na piecu od dłuższego czasu perkocze gulasz.

Na ziemi dłonie osłaniały oczy wpatrzone w niebo lub unosiły się w geście powitania.

Otoczyli ich natychmiast, gdy tylko Larkin wylądował. Cian zsiadł i zaczął rozpakowywać zapasy. Niech Larkin i inni odpowiadają i zadają pytania, on potrzebował cienia i ciszy.

– Nie mieliśmy absolutnie żadnych kłopotów. – Isleen zajadała gulasz, za który Cian uprzejmie podziękował. Pomyślał, że poczeka z wyjęciem zapasu krwi, aż zostanie sam.

Larkin zanurzył łyżkę w misce, gdy tylko usiedli przy stole.

– Dzięki – powiedział z pełnymi ustami. – Wyborny gulasz.

– Bardzo proszę. Głównie ja gotuję i myślę, że nasz oddział jada lepiej niż inne. – Uśmiechnęła się, ukazując dołki w policzkach. – Codziennie ćwiczymy i przed zmrokiem zamykamy się na cztery spusty. Odkąd przyjechaliśmy, nie widzieliśmy ani żywej, ani martwej duszy.

– To dobrze. – Larkin wziął puchar, który gospodyni postawiła obok jego miski. – Isleen, kochana, czy mogłabyś coś dla mnie zrobić? Zawołaj Eogana, męża Ceary. Musimy z nim porozmawiać.

– Oczywiście, już po niego idę. Och, możecie spać tutaj albo na górze, jeśli wolicie.

– Niedługo będziemy ruszać do następnej bazy. Zostawimy wam trzech mężczyzn do pomocy.

– Och. Zauważyłam, że jest z wami rudy Marvin – powiedziała jak gdyby nigdy nic, z lekkim uśmiechem. – Zastanawiam się, czy to właśnie jego nam zostawicie.

Larkin wyszczerzył zęby w uśmiechu i nabrał kolejną łyżkę gulaszu.

– Żaden problem. Przyprowadź Eogana, dobrze, złociutka?

– Jadłeś chleb z tego pieca, co? – wymruczał Cian.

– Ja... nie. – Jego złote oczy zabłysły. – Cóż, troszkę, ale można powiedzieć, że to była tylko taka mała przekąska.

– Jak chcesz to załatwić?

– Eogan jest rozsądnym człowiekiem, silnym. Na pewno słyszał już o Tynanie od ludzi, którzy z nami przyjechali. Odpowiem na jego pytania, i chciałbym, żebyś powtórzył mu rozkazy i przypomniał o środkach ostrożności. Potem, jeśli nie usłyszmy nic ponad to, co mówiła Isleen, zostawimy tu Marvina i dwóch innych ludzi i pojedziemy do następnej bazy. Jesteś głodny?

– Bardzo, ale poczekam.

– Ach. – Larkin skinął ze zrozumieniem głową. – Jesteś zaopatrzony w tym temacie?

– Tak. Krowy i konie są bezpieczne.

– Widziałem tę padlinę po drodze. Nie wyglądało to na ucztę armii, ale kilku pojedynczych okazów. Dezerterzy?

– Właśnie tak myślę.

– To dobrze – uznał Larkin – że traci żołnierzy. Ale potem będzie z nimi kłopot.

– Tak, to prawda.

– Coś wymyślimy. – Larkin popatrzył na otwierające się drzwi. – Eogan. Mamy mało czasu i wiele spraw do omówienia.

W następnej bazie także nic się nie działo, ale w trzeciej Lilith pozostawiła swój ślad.

Dwa budynki gospodarcze spłonęły do cna, bydło na polach zamieniono w żywe pochodnie. Strażnicy opowiadali o nocy pełnej ognia, dymu i wrzasków mordowanych zwierząt.

Larkin z Cianem stali, oglądając spaloną ziemię.

– Robi dokładnie to, co przewidzieliście z Blair. Niszczy domy i pola.

– Kamień i drewno. – Larkin potrząsnął głową. – Bydło, zwierzęta domowe. Pot i krew. Ognisko domowe.

- Wszystko to można odtworzyć i odbudować. Wasi ludzie przeżyli oblężenie, nie ponosząc żadnych strat. Walczyli, dotrzymali pola i posłali kilku żołnierzy Lilith prosto do piekła. Twoja szklanka, Larkin, jest jakimś cudem do połowy pełna – pocieszył go Cian.
- Wiem, masz rację. I mam nadzieję, że jeśli Lilith spróbuje wypić to, co zostało, wypali jej trzewia. Ruszajmy dalej.

W następnej bazie czekały na nich świeże groby, spalona ziemia, ranni. Lodowaty strach opuścił wreszcie Larkina, gdy zobaczył swego młodszego brata, Orana, kuśtykającego od strony domu. Podbiegł do niego, po męsku uderzył go mocno w ramię po czym zamknął w braterskim uścisku.

- Nasza matka będzie szczęśliwa, że wciąż jesteś wśród żywych. Jak poważne są twoje rany?
- Zadrapania. Co w domu?
- Mnóstwo pracy. W jednym z obozów widziałem się z Phelanem, jest zdrów i cały.
- Dobrze to słyszeć, naprawdę dobrze. Ale mam złe wieści, Larkinie.
- Wiemy. – Położył dłoń na ramieniu Orana. Gdy wyruszali z domu, jego brat był jeszcze chłopcem, teraz stał przed nim mężczyzna. – Ilu poza Tynanem?
- Trzech. I obawiam się, że czwarty nie przeżyje nocy. Dwóch innych zabrały, nie wiem, czy żywych, czy martwych. Zrobiło to dziecko, Larkinie. Chłopiec-demon zabił Tynana.
- Chodźmy do środka i opowiesz nam o tym.

Usiedli w kuchni, Cian z dala od okna. Rozumiał, dlaczego Larkin słucha całej opowieści, chociaż sporo już wiedzieli lub mogli się domyśleć. Oran musiał to opowiedzieć, zobaczyć jeszcze raz.

- Trzymałem wartę przed nim i spałem, kiedy wszczęto alarm. Dla Tynana było już za późno, Larkinie za późno. Wyszedł na zewnątrz, sam, bo myślał, że ten chłopiec się zgubił, że jest ranny i przerażony. Rozumiesz, tamten go wywabił, dosyć daleko od domu. I pomimo że ludzie czuwali z łukami w dłoniach, kiedy mały się obrócił i rozerwał Tynanowi gardło, było za późno. – Zwilżył usta ciemnym piwem. – Ludzie wybiegli. Cały czas o tym myślę, jako zastępca Tynana powinienem był zabronić im wychodzić. Było za późno, żeby go uratować, ale jak moglibyśmy nie próbować? I ponieważ próbowaliśmy, straciliśmy więcej ludzi.
- On zrobiłby to samo, dla ciebie i dla każdego innego.
- Zabrały jego ciało. – Z młodej twarzy Orana patrzyły bardzo stare oczy. – Szukaliśmy. Następnego ranka szukaliśmy jego i dwóch pozostałych, ale znaleźliśmy tylko krew. Boimy się, że zostali przemienieni.
- Nie Tynan – odezwał się Cian i poczekał, aż Oran zwróci na niego zmęczone oczy. – Nie wiemy, co z pozostałymi dwoma, ale Tynan nie został przemieniony. Jego ciało zostało przywiezione do zamku. Dziś o świcie odbył się pogrzeb.
- Dziękuję bogom przynajmniej za to. Ale kto przywiózł ciało?

Gdy Larkin odpowiedział, rysy Orana znowu stężały.

– Młody Sean. Nie mogliśmy go uratować z tej zasadzki przy drodze. Wyskoczyły spod ziemi jak demony piekieł. Straciliśmy wtedy dobrych ludzi, Seana także. Czy teraz ma spokój? – Popatrzył na Ciana. – Czy teraz, kiedy to, co go zabrało, odeszło, znalazł spokój?

– Nie znam odpowiedzi.

– Cóż. Będę wierzył, że tak, jak Tynan i wszyscy inni, których pochowaliśmy. Nikt nie może winić Seana, ani ludzie, ani bogowie, za to, co z nim zrobiono.

Na noc podwojono straże i, zgodnie z instrukcjami Ciana napełniono małe torebki święconą wodą, żeby przywiązać je do strzał. W ten sposób nawet jeśli ostrze nie dosięgnie serca, spowoduje poważne oparzenia lub nawet śmierć.

Ustawiono więcej pułapek. Mężczyźni, którzy nie mogli spać, zabijali czas, szykując kołki.

– Myślisz, że ona zaatakuje dziś w nocy? – zapytał Larkin Ciana.

Siedzieli w małym salonie, teraz zamienionym na skład broni.

– Pewnie tak, ale którąś z innych baz. Tutaj? Bez sensu, chyba że jest znudzona albo chce poćwiczyć żołnierzy. W tej bazie osiągnęła już wszystko, co chciała. – Byli sami, więc Cian popijał krew z porcelanowego kubka.

– A gdybyś ty był na jej miejscu?

– Wysłałbym małe grupy, żeby odwracały uwagę i nękały przeciwnika, osłabiały odwagę strażników. Jednak twoi ludzie będą stali przy tobie, podczas gdy jej żołnierze, jak wiemy, dezerterują. Tyle że dla was każda strata jest ciosem, a dla niej znaczy mniej niż nic. – Napił się znowu.

– Ale nie jestem nią. Będąc sobą, miałbym dziką satysfakcję, gdyby udało się wytropić oddział i wziąć go z zaskoczenia, zanim dotrze do celu. I zabić tyle wampirów, ile tylko zdołam.

– Czyż to nie interesujące – powiedział Larkin z uśmiechem. – Nie jestem ani tobą, ani Lilith, a dokładnie ta sama myśl przyszła mi do głowy.

– W takim razie na co czekamy?

Powierzyli dowództwo nad bazą Oranowi i po burzliwej długiej dyskusji wyruszyli sami. Jeden smok i jeden wampir, argumentował Cian, mogą przemieszczać się szybko i niepostrzeżenie.

Zdecydowali, że jeśli znajdą oddział wroga, będą walczyli na ziemi, i uprząż Larkina uginała się od broni. Cian zarzucił na plecy kołczan, dołożył do pasa dodatkowe kołki.

– Zobaczymy, jak nam wyjdzie ta batalia.

– Gotowy? – Larkin zmienił postać i stał, złoty i smukły, gdy Cian wkładał mu uprząż.

Ustalili, że akcja musi być szybka i prosta. Będą latali, zataczając coraz szersze koła, w poszukiwaniu śladów oddziału lub obozu. Jeśli zauważą, zaatakują. Szybko i sprawnie.

Lot w stronę księżyca w trzeciej kwadrze był niesamowity. Cian upajał się wolnością nocy. Leciał bez peleryny czy płaszcza, rozkoszując się chłodną ciemnością.

Larkin poruszał się bez wysiłku, jego smocze skrzydła nie wydawały nawet szmeru w powietrzu, tak cienkie, że Cian widział przez nie migocące gwiazdy.

Chmury płynęły, przezroczyste smugi okrywały gwiazdy niczym gaza, żeglujące statki – widma unosiły się nad przybywającym księżycem. Daleko w dole na ziemię zaczynały wypełzać pierwsze palce mgły.

Jeśli nawet nic nie wyjdzie z ich wyprawy, to nocny lot stanowił doskonałe odprężenie po ciężkim dniu. Larkin, jakby to czując, wzniósł się jeszcze wyżej, wykonując leniwe pętle. Przez jedną cudowną chwilę Cian po prostu zamknął oczy i czerpał radość z przejażdżki.

I wtedy to poczuł, jak dotyk na skórze. Zimne, niecierpliwe palce, które wydawały się wnikać w niego i burzyć krew. Usłyszał w głowie szept, cichy syreni śpiew, który wzywał to, co kryło się w ciele człowieka.

A gdy popatrzył w dół, zobaczył dziką ziemię pola bitwy.

Panująca tu śmiertelna cisza wydawała się głośniejsza niż wojenne wrzaski. Paliła Ciana niczym stopiona stal, lśniąca i ciemna, głęboka i pierwotna. Trawa była ostra jak sztylety, kamienie wznosiły się zabójczymi zrębami. Potem nawet one ustępowały miejsca czarnym otchłaniom rozpadlin i jaskiń, gdzie nic nie ważyło się rosnąć.

Przeklęta ziemia, strzeżona przez góry, czekała na krew.

Musiał tylko się pochylić – to tak niewielka odległość – i zatopić kły w szyi smoka, by poczuć smak ludzkiej krwi. Ludzki i bogaty strumień życia, smak, któremu nic innego nie mogło dorównać. Smak, którego odmawiał sobie przez całe wieki. I po co? Żeby być pośród nich, przeżyć, nosząc maskę człowieka?

Byli mu obojętni, znaczyli tak niewiele jak pchły na psie. Nie byli niczym więcej tylko krwią i ciałem, stworzonym, by mógł na nich polować. Głód skręcał mu trzewia, a pragnienie, ta śmiertelna podnieta, uderzała w nim niczym serce.

Słodkie wspomnienie zabójstwa, pierwszego gorącego strumienia życia tryskającego mu w usta.

Cian walczył, trzęsąc się jak narkoman na głodzie. Nie zakończy tego w ten sposób! Nie stanie się na powrót więźniem swojej własnej krwi.

Jest silniejszy niż to, co go przyzywało.

Żołądek skurczył mu się z głodu i nadchodzących torsji, gdy pochylał się nad Larkinem.

– Ląduj. Zostań w tej postaci. Bądź gotów, żeby odlecieć, żeby mnie zostawić, jeśli będziesz musiał. Będziesz wiedział.

Ta przeklęta ziemia go przyciągała, gdy się do niej zbliżali. Szeptała, śpiewała, obiecywała. Kłamała.

Żar trawił go niczym gorączka, gdy zeskakiwał na ziemię. Nie zrobi tego, przysięgał sobie, nie odwróci się i nie zabije przyjaciela tak, jak kiedyś próbował zabić brata.

– To wina tego miejsca. Jest złe.

– Powiedziałem ci, żebyś nie zmieniał postaci. Nie dotykaj mnie!

– Czuję to w środku. – Głos Larkina był spokojny i cichy. – Musi cię palić.

Cian odwrócił się. Miał czerwone oczy, a skórę zlaną potem od toczonej z samym sobą walki.

– Jesteś głupi?

– Nie. – Larkin ani wcześniej, ani teraz nie dobył broni. – Walczysz z tym i zwyciężysz. Bez względu na to, jakie pragnienia budzi w tobie to miejsce, masz w sobie coś jeszcze. To, co kocha Moira.

– Nie znasz tego głodu. – Głęboko w gardle Ciana czaił się warkot. Dudnił mu w uszach, a razem z nim puls Larkina. – Czuję twój zapach, człowieku.

– Czujesz zapach strachu?

Szarpały nim takie dreszcze, że obawiał się, by jego kości nie rozpadły się na kawałki. W głowie słyszał wrzask, który i tak jednak nie mógł zagłuszyć tego dźwięku, podstępnie kuszącego bicia ludzkiego serca.

– Nie. Ale mógłbym go w tobie wzbudzić. Strach tak bardzo ją słodzi. Boże, Boże, jaka chora dłoń stworzyła to miejsce?

Nogi odmówiły mu posłuszeństwa i opadł na kolana, próbując mocniej pochwycić wyślizgującą się siłę woli. Zacisnął palce na medalionie, który Moira zawiesiła mu na szyi.

Mdłości zelżały, jak gdyby ktoś położył chłodną dłoń na rozpalonym gorączką czole.

– Ona przynosi mi światło, to właśnie mi daje. A ja je biorę i czuję się jak człowiek. Ale nim nie jestem. To ma mi o tym przypomnieć.

– Ja widzę człowieka, kiedy na ciebie patrzę.

– Cóż, mylisz się. Ale nie będę dziś pił, nie z ciebie. Nie z człowieka. To mnie dziś nie pokona. I już drugi raz tak mnie nie zaskoczy, teraz, skoro już wiem.

Czerwień znikła z jego oczu, gdy podniósł wzrok na Larkina.

– Byłeś głupcem, że nie sięgnąłeś po broń.

W odpowiedzi Larkin uniósł krzyż, który miał na szyi.

– To mogłoby wystarczyć – uznał Cian. Wytarł spocone dłonie o dżinsy. – Na szczęście dla nas obu, nie musimy tego sprawdzać.

– Zabiorę cię do bazy.

Cian popatrzył na wyciągniętą rękę Larkina. Ludzie, pomyślał, ufni i pełni optymizmu. Ujął jego dłoń i wstał.

– Nie, lećmy dalej. Muszę coś upolować.

Wygrał bitwę, pomyślał, gdy wznosili się w powietrze, ale nie mógł zaprzeczyć, że poczuł ogromną ulgę, gdy oddalili się z tego miejsca.

I mroczne podniecenie, kiedy dostrzegł pod nimi oddział wroga.

Doliczył się dwunastu żołnierzy, poruszali się pieszo z płynną zwinnością właściwą ich gatunkowi. Pomimo prędkości, z jaką maszerowali, nie brakowało im precyzji, a z ustawienia według rang Cian wywnioskował, że mają do czynienia z wyćwiczonym i doświadczonym oddziałem.

Poczuł drgnienie smoka, gdy Larkin także zauważył wampiry, i znowu pochylił się do jego ucha.

– A może wypróbujemy najnowszą broń Glenny? Jak przejdą na następne pole, podleć nad środek oddziału. Mają łuczników, więc umykaj, jak tylko wypuszczę bombę z rąk.

Larkin ruszył przed siebie, a Cian sięgnął do kieszeni uprzęży po kulkę. Jak bardzo smok przypomina samolot? – zapytał sam siebie i przywołał wielowiekowe doświadczenie pilota, by ocenić prędkość i wysokość.

– Zrzucam! – szepnął i rozchylił palce.

Bomba uderzył o ziemię, a żołnierze stanęli i wyciągnęli broń. Cian już miał spisać wynalazek Glenny na straty, gdy nagle zobaczył słup ognia. Wampiry stojące najbliżej zostały zmiecione z powierzchni ziemi, inne stanęły w ogniu.

Wsłuchany w odgłosy paniki i wrzaski, Cian nałożył strzałę na łuk. Kaczki na strzelnicy, pomyślał i wykończył te, które przeżyły wybuch.

Larkin znów wylądował i zmienił postać.

– Cóż. – Kopnął beztrosko kupkę popiołu. – Szybko ci poszło.

– Czuję się lepiej, że coś zabiłem, ale to było zbyt bezosobowe. W stylu ludzi. Nie sprawia takiej przyjemności jak prawdziwe polowanie. Dlatego my nie używamy pistoletów ani żadnej nowoczesnej broni – dodał Cian. – To jest po prostu nudne.

– Przykro mi, że się nudziłeś, ale mnie taki efekt wystarczy. A bomba Glenny doskonale się sprawdziła, prawda?

Larkin zaczął zbierać porozrzucaną na ziemi broń. Gdy tylko się pochylił, nad plecami świsnęła mu strzała i utkwiła w biodrze Ciana.

– Och, cholera jasna! Musiałem jednego zostawić!

– Trzymaj uprząż. – Larkin rzucił ją Cianowi. – I wskakuj.

W błysku światła zamienił się w smoka, a Cian, uznawszy, że strzała spowolni jego ruchy, wskoczył mu na grzbiet. Kolejną strzałę chwycił w powietrzu, zanim dosięgła celu. Larkin już unosił się w górę, nurkował i skręcał.

– Tam, widzę ich. Cały drugi oddział. Pewnie szukają zabłąkanych ludzi lub czegokolwiek na ząb – powiedział Cian.

Znowu użył łuku, zabijając kilka, a reszta rozpierzchła się w poszukiwaniu kryjówki.

– Nie, to żadna zabawa – stwierdził. Wyciągnął miecz i zeskoczył dziewięć metrów w dół.

Gdyby smoki mogły kląć, Larkin zakląłby jak szewc.

Wampiry ruszyły na Ciana ustawione w trójkąt, dwa samce i dwie samice. Cian przeciął na pół mieczem lecącą ku niemu strzałę i odwrócił się błyskawicznie, by zablokować atak zza pleców.

Czuł w sobie resztki głodu, jaki dopadł go na polu bitwy, i z niego teraz czerpał moc. Pragnienie krwi, którą przynajmniej zamierzał przelać, skoro nie mógł jej posmakować. Teraz walczył tylko po to, żeby zranić i poczuć ten bogaty, rdzawy zapach, czerpać z niego siłę, by rąbać i ciąć.

Smok machnął ogonem i zmiótł jedną z samic, która znów uniosła łuk, po czym rozerwał jej pazurami gardło.

Cian, chcąc trochę się zabawić, odskoczył i wymierzył zabójczego kopniaka w twarz przeciwnika. Wampir się zachwiał, a Cian ściął mu głowę, jednocześnie wyciągając strzałę z biodra, aby ją wbić w serce napastnika z lewej strony.

– To wszystko? – zapytał bez tchu Larkin. – Ten był ostatni?

– Według moich obliczeń tak.

– A ostatnim razem tak dobrze policzyłeś. – Wstał i otrzepał się. – Cholerny pył. Czy teraz lepiej się czujesz?

– Jak nowo narodzony. – Cian bezmyślnie potarł przebite biodro. Z rany lała się krew, więc oderwał rękaw koszuli. – Pomóż mi, co? Szybki polowy opatrunek.

– Mam ci zabandażować tyłek?

– To nie tyłek, ty ośle.

– Wystarczająco blisko. – Larkin podszedł, żeby obejrzeć ranę. – W takim razie opuść desusy, kochanie.

Cian popatrzył na niego spode łba, ale posłuchał.

– Jak sądzisz, w jakim nastroju, będzie Lilith, gdy nie powróci ani jeden z jej zwiadowców?

– Będzie wkurzona. – Cian wyciągnął szyję, żeby zobaczyć, co robi Larkin. – I to maksymalnie.

– Przyjemna myśl, prawda? Przez chwilę będziesz miał nielichą dziurę w tyłku.

– W biodrze.

– Dla mnie to wygląda jak twój tyłek. Wszystko jedno, jestem głodny jak wilk. Pora wracać, przekąsić coś i wychylić kielich. No dobrze, to ci wystarczy. Dobrze się spisaliśmy – dodał, gdy Cian podciągnął z powrotem spodnie.

– Tak wyszło. Tam, w dolinie, wszystko mogło potoczyć się inaczej, Larkinie.

Ten ze stoickim spokojem zerwał trochę trawy i wytarł w nią dłonie ubrudzone krwią Ciana.

– Sądzę, że się mylisz. Nic innego nie mogło się wydarzyć. No dobrze, jeśli tyłek za bardzo cię nie boli, to pomóż mi zebrać ten ładny zapasik broni, który dodamy do naszych zasobów.

– Mojego tyłka do tego nie mieszaj.

Razem zaczęli zbierać miecze, łuki, strzały.

– Jestem pewien, że ta część twojej osoby szybko się zagoi. Jeśli nie, Moira czule ci ją wycałuje, jak wrócimy.

Cian popatrzył na Larkina, który gwiżdżąc, pakował broń do uprzęży.

– Zabawny z ciebie facet, Larkin. Cholernie zabawny.

W zamku Moira odeszła od kryształowej kuli i stanęła przy oknie.

– Czy ja się mylę, czy oni mieli tylko sprawdzić bazy i nie podejmować żadnego ryzyka?

– Nie posłuchali – powiedziała Blair. – Ale musisz przyznać, że to była dobra walka. A ta kula ognia zadziałała fantastycznie.

– Małym problemem jest to opóźnienie. – Glenna nadal patrzyła, jak Larkin z Cianem wracają do bazy. – Popracuję nad tym. Jednak bardziej się martwię tym, jak podziałało na Ciana pole bitwy.

– Zwalczył to – przypomniał jej Hoyt. – Wygrał z tym, co usiłowało nim zawładnąć.

– Tak, trzeba mu to przyznać – zgodziła się Glenna. – Ale to była ciężka walka, Hoyt. Musimy o tym pomyśleć. Może uda nam się znaleźć czar, który go ochroni.

– Nie. – Moira nie odwracała się od okna. – On sam to zrobi. Potrzebuje tego. Czyż to nie siła woli czyni go takim, jaki jest?

– Chyba masz rację. – Glenna patrzyła na jej sztywno wyprostowane plecy. – Tak jak musieli wylecieć dziś w nocy i zrobić to, co zrobili.

– Być może. Czy już wrócili?

– Właśnie lądują – odrzekła Blair. – I na zachodzie bez zmian. Cóż, tak naprawdę na wschodzie, ale to nie brzmi tak literacko.

– Na razie spokój. – Moira odwróciła się. – Myślę, że oni zostaną już w bazie i raczej nie zanosi się na kolejny atak, więc my też powinniśmy pójść spać.

– Dobry pomysł. – Glenna wzięła kryształ.

Powiedzieli sobie dobranoc i każdy oddalił się w swoim kierunku. Ale nikt nie poszedł do łóżka. Hoyt i Glenna udali się do wieży, żeby pracować, Blair poszła ćwiczyć do małej sali balowej.

A Moira do biblioteki, gdzie wyciągnęła wszystkie książki, naukowe, historyczne i legendy, o Dolinie Ciszy.

Czytała i analizowała je do samego świtu.

Gdy zasnęła, skulona na wyściełanym parapecie, jak często jej się zdarzało, gdy była dzieckiem, śniła o wielkiej wojnie między bogami i demonami. Wojnie, która szalała od ponad stu lat. Wojnie, w której obie strony przelały tyle krwi, że płynęła niczym ocean.

I ocean przemienił się w dolinę, a dolina w Ciszę.

17

*S*inann, powinnaś jeszcze spać.

Sinann oparła dłonie na brzuchu i pokręciła głową.

– Nie mogłam zostawić mojego ojca bez pożegnania. Ani ciebie. – Potoczyła wzrokiem po dziedzińcu, na którym ludzie, konie i smoki przygotowywali się do wymarszu. – Będzie tu teraz tak pusto, kiedy zostanie nas tak niewielu. – Zdobyła się na uśmiech, widząc, jak ojciec wysoko podnosi swojego wnuka.

– Wrócimy, a wtedy hałas będzie ogłuszający.

– Przyprowadź ich do mnie z powrotem, Moiro. – Teraz w jej głosie i oczach, malowało się cierpienie. – Mojego męża, ojca, braci, przyprowadź ich do mnie.

Moira ujęła Sinann za ramiona.

– Zrobię wszystko, co w mojej mocy.

Kuzynka przycisnęła dłoń Moiry do swojego brzucha.

– Tam jest życie. Czujesz to? Powiedz Phelanowi, że czułaś ruchy jego dziecka.

– Powiem.

– Zajmę się twoimi roślinami i będę trzymała zapaloną świecę, dopóki wszyscy nie wrócicie do domu. Moiro, skąd będziemy wiedzieli? Jak się dowiemy, jeśli wy...

– Dowiecie się – obiecała Moira. – Jeśli bogowie nie przyślą wam znaku zwycięstwa, my to zrobimy. Obiecuję. A teraz idź, ucałuj ojca, a ja ucałuję od ciebie wszystkich twoich mężczyzn, kiedy ich zobaczę.

Moira podeszła do ciotki i dotknęła jej ramienia.

– Rozmawiałam z mężczyznami, których mogę z wami zostawić. Moje rozkazy są jasne i proste i musicie być im absolutnie posłuszni. Bramy mają pozostać zamknięte i nikomu nie wolno opuścić zamku ani w dzień, ani w nocy, dopóki nie dotrze do was wieść o wygranej bitwie. Liczę, że ty, jako głowa rodziny, która tu pozostaje, dopilnujesz wykonania tych rozkazów. Będziesz mnie zastępować do mojego powrotu. A w wypadku mojej śmierci...

– Och, Moiro...

– W wypadku mojej śmierci będziesz służyła Geallii, dopóki nie zostanie wybrany kolejny prawowity władca. – Zdjęła pierścień matki i wcisnęła go Deirdre w dłoń. – To znak twojego autorytetu, w moje imię.

– Będę honorowała twoje życzenia, rozkazy i imię. Przysięgam ci, Moiro. – Chwyciła siostrzenicę za ręce. – Przykro mi, że się pokłóciłyśmy.

– Mnie też.

Pomimo mokrych oczu Deirdre zdobyła się na drżący uśmiech.

– Chociaż każda z nas nadal wierzy, że miała trochę racji.

– To prawda. Ale wcale nie kocham cię przez to mniej.

– Moje dziecko. – Deirdre przytuliła ją mocno. – Moja słodka dziewczynka. Posyłam z tobą każdą modlitwę, jaką znam. Wróć do nas. Powiedz moim synom, że jestem z nimi całym sercem i że jestem z nich dumna.

– Przepraszam. – Blair dotknęła ramienia Moiry. – Wszystko już gotowe.

– Z tobą też chcę się pożegnać. – Deirdre pocałowała Blair w oba policzki. – I wierzę, że utrzymasz mojego najstarszego z dala od kłopotów.

– Zrobię, co w mojej mocy.

– Będziesz musiała. Ten chłopak to same kłopoty. – Otworzyła usta, by jeszcze coś powiedzieć, po czym wzięła głęboki oddech. – Miałam wam radzić, żebyście uważały na siebie, ale wojownik chce usłyszeć coś innego. Dlatego powiem: walczcie dzielnie.

– Możesz na to liczyć.

Bez zbędnych ceregieli wsiedli na konie i smoki. Żegnały ich kobiety, które niczym kwoki pilnowały sporej grupki dzieci. Starcy wspierali się o laski lub na ramionach młodszych.

W ich oczach błyszczały łzy. Patrzyli przez nie na ukochanych, którzy odjeżdżali, ale Moira wiedziała, że także na nią.

„Przyprowadź ich do mnie". Ilu z nich miało w sercach i umysłach to rozpaczliwe błaganie? Nie wszystkim mogła to obiecać, ale zrobi – tak jak przysięgła Sinann – wszystko, co w jej mocy.

I nie opuści jednych ani nie poprowadzi drugich ze łzami w oczach.

Moira dała znak Niallowi, który dowodził oddziałem na ziemi. Gdy zawołał, żeby podniesiono bramy, uniosła wysoko miecz Geallii i, wyprowadzając ostatni oddział z zamku, wystrzeliła łuk ognia w bladobłękitne poranne niebo.

Jeźdźcy na smokach przybyli pierwsi, żeby zmobilizować mieszkańców bazy. Mieli opuścić pierwszą strażnicę i rozpocząć drugi etap marszu na pole bitwy. Spakowano zapasy i broń, a ludzie siedzieli już na koniach i smokach, gdy przybyli pozostali. Piechurzy szli otoczeni przez jeźdźców – w powietrzu i na ziemi.

I tak podróżowali przez ziemie i niebo Geallii.

Na następnym postoju napoili wierzchowce i dali im odpocząć.

– Proszę, napij się herbaty, pani. – Ceara podeszła do Moiry stojącej nad strumieniem, z którego piły smoki.

– Słucham? Och, dziękuję. – Moira przyjęła kubek.

– Nigdy nie oglądałam takiego widoku.

– Ja też nie. – Moira nadal patrzyła na smoki, zastanawiając się, czy jeszcze kiedyś ktokolwiek z nich będzie świadkiem czegoś takiego. – Pojedziesz z mężem, Cearo?

– Tak, pani. Jesteśmy już prawie gotowi.

- Gdzie jest krzyż, który wygrałaś, Cearo? Ten, który masz na szyi, jest miedziany.
- Ja... - Dwórka uniosła dłoń do miedzianego krzyża. - Zostawiłam go matce. Wasza wysokość, chciałam, żeby moje dzieci miały ochronę, na wypadek gdyby...
- Oczywiście. - Zacisnęła palce na nadgarstku Ceary. - Oczywiście. - Odwróciła się do nadchodzącej Blair.
- Pora ruszać. Konie i smoki napiły się i odpoczęły. Spakowano broń i zapasy poza tym, co zostawiamy w bazie do jutra.
- Ostatnie oddziały powinny dotrzeć na miejsce dobrze przed zmierzchem. - Moira popatrzyła w niebo. - Mają wystarczającą ochronę, na wypadek gdyby pogoda uległa zmianie? Naturalną i inną?
- Tak daleko na zachodzie Lilith mogła rozstawić kilku strzelców i szpiegów, ale nasi żołnierze spokojnie sobie z nimi poradzą. Musimy ruszać, Moiro. Takie żabie skoki chronią oddziały w nocy, ale wymagają sporo czasu.
- A my musimy trzymać się planu - zgodziła się Moira. - Wydaj rozkaz i ruszamy.

Było już późne popołudnie, gdy pierwsi żołnierze dotarli do ostatniej bazy. Widząc lecącą na smoku Moirę, ludzie zatrzymywali się i wiwatowali. Zobaczyła Larkina, który wyszedł z domu i uniósł twarz. Nagle zmienił się w smoka i przyłączył do nich.
I widziała ciemną ziemię świeżych grobów.
Larkin wywinął dookoła Moiry ozdobną pętlę, po czym zrównał się z wierzchowcem Blair. Moirze zabrakło tchu, gdy Blair stanęła na grzbiecie konia i wyskoczyła w powietrze. Wiwaty podniosły się z ziemi niczym grzmot, kiedy usiadła na karku Larkina i razem skierowali się ku ziemi.
Jak podczas festynu, pomyślała Moira, gdy inni jeźdźcy popisywali się pętlami i korkociągami. Widać potrzebowali takiego spektaklu i beztroskiej zabawy w tych ostatnich godzinach dnia. Noc i tak zapadnie zbyt szybko.
Chciała zająć się swoim smokiem, tak jak w innych bazach, ale Larkin porwał ją w ramiona, okręcił wokół siebie i pocałował.
- Tym mnie nie przekupisz - powiedziała. - Mam z tobą do pomówienia. Mieliście tylko sprawdzić bazy i zebrać raporty, a nie szukać kłopotów.
- Robimy to, co musimy, kiedy musimy. - Znów ją pocałował. - I wszystko skończyło się dobrze, prawda?
- Tak?
- Tak. Z nim wszystko w porządku. Wejdź do środka. Mnóstwo ludzi może się zająć smokami. Odbyłaś długą podróż. Blair mówiła, że nie mieliście po drodze żadnych kłopotów.
- Nie, żadnych. - Pozwoliła, by zaprowadził ją do domu.
Nad ogniem warzył się kociołek gulaszu, powietrze wypełniał zapach jedzenia, ludzi i błota. Na stole, przy którym zapewne kiedyś zbierała się rodzina, rozpostarto mapy. W oknach wisiały kolorowe zasłony domowej roboty, białe ściany były wyszorowane do czysta.

Przy każdym oknie i drzwiach stała broń.

– Na górze czeka na ciebie pokój, jeśli chcesz odpocząć.

– Nie, dziękuję. Ale tak naprawdę przydałoby mi się trochę whisky, jeśli jakąś macie.

Poznała po jego twarzy, że do środka weszła Blair.

– Wierzchowce oporządzone – zaczęła – zapasy i broń rozpakowane. Hoyt się tym zajmuje. Jak się tu urządziliście?

– Żołnierze śpią w stajniach, stodole, gołębniku, wędzarni i w domu. Mamy tu spory strych, który zamieniliśmy w koszary.

Mówiąc, nalał whisky i popatrzył na Blair, która potrząsnęła przecząco głową.

– Ten salon służy nam za główny arsenał – ciągnął. – W każdym budynku też składujemy broń. Ludzie trzymają straż na zmianę, dzień i noc. W dzień trenujemy. Jak wiesz, mieli tu kilka potyczek, ale żadnej od naszego przyjazdu.

– Już wy o to zadbaliście, co? – zapytała Moira i napiła się whisky.

– O tak i daliśmy Lilith solidnego kopa w dupę. Wczoraj straciliśmy kolejnego człowieka, który został ranny podczas tego ataku, w którym zginął Tynan. Nie miał lekkiej śmierci.

Moira opuściła wzrok na kubek.

– Czy macie więcej rannych?

– Tak, ale mogą chodzić. Koło kuchni jest coś w rodzaju jadalni i tam urządziliśmy szpital polowy.

– Glenna go obejrzy i urządzi tak, jak uzna za najlepsze. No dobrze. – Wypiła do dna. – Jest jasne, że wszyscy żołnierze nie zmieszczą się w budynkach. Dzisiaj mamy ich tu prawie tysiąc, a w ciągu następnych dwóch dni przybędzie jeszcze około pół tysiąca.

– W takim razie lepiej zabierzmy się do rozbijania obozu.

Moira odczuwała pewną dumę, patrząc jak tylu jej ludzi – mężczyzn i kobiet, młodych i starych – pracowało razem. Na polu zaczęły wyrastać namioty, znoszono drewno i torf na ogniska. Rozładowywano wozy pełne zapasów, kopano ziemianki.

– Masz swoją armię – powiedziała Glenna, stając obok niej.

– Mam nadzieję, że pewnego dnia zamiast namiotów wyrośnie tu zboże. Jest ich tak wielu. Nigdy nie myślałam, że mamy aż tylu ludzi. Czy możecie objąć ich wszystkich ochronnym kręgiem?

Na twarzy Glenny odbiła się czysta uraza.

– Piesek Lilith osłonił tarczą całą bazę. Mam nadzieję, że nie sugerujesz, że Hoyt i ja mu nie dorównujemy.

– Nigdy bym nawet tak nie pomyślała.

– Cholernie duży teren – przyznała jednak Glenna. – Słońce jest coraz niżej, musimy zaczynać. Przydałaby się nam twoja pomoc.

– Miałam taką nadzieję.

Oddzielnie obeszli całe pole, od krańca do krańca, zgodnie z instrukcją Glenny, zbierając źdźbła trawy, małe kamyki i grudki ziemi, po czym spotkali się na środku.

Gdy tylko rozeszła się wieść, że będą odprawiali czary, na polu zapadła cisza. Moira usłyszała w niej pierwszy szept mocy.

Wezwali na straż wschód i zachód, północ i południe oraz ich patronkę, Morrigan. Moira śpiewała razem z Hoytem i Glenną.

– Na tym miejscu, o tej porze, wzywamy starożytną moc, niech nam pomoże, niech usłyszy nasze prośby i błagania i wszystkich nas tutaj ochrania. Na tę trawę, ziemię, kamień, tarcza przed złem niech tutaj stanie. Tylko ludzkie życie może w krąg ten wkroczyć i nikt ze złym zamiarem nie może nas zaskoczyć. Przez ten krąg rzucony przez mą dłoń nie przejdzie nieprzyjaciel ani jego broń. Noc i dzień, dzień i noc niech chroni nas tej tarczy moc. Teraz krew nasza zamknie tę osłonę i stworzy krąg na polu na naszą obronę.

Idąc w ślady Hoyta i Glenny, Moira rozcięła rytualnym sztyletem dłoń, po czym zacisnęła ją na ziemi, kamieniach i trawie, które zebrała.

Poczuła w środku pulsujący żar – swój i ich – a wiatr, który wywołali, zataczał coraz szersze kręgi, rozwiewając zasłony namiotów i śpiewając w trawie, aż otoczył całe pole kręgiem światła.

Razem z Hoytem i Glenną Moira rzuciła przesiąkniętą krwią ziemię i poczuła drżenie pod stopami, gdy trzy małe płomienie wystrzeliły i zgasły. Gdy złączyli dłonie, ciało Moiry wygięło się od mocy, która ich połączyła.

– Unieś się i otocz nas murami – zawołała wraz z nimi. – Otocz, zamknij i zabezpiecz przed wrogami. Mieszamy tu ogień i krew, żeby tarczę dał nasz śpiew.

Wokół pola wystrzeliły płomienie, wypaliły w ziemi idealny biały krąg i zniknęły w huku gromu.

Świat zawirował Moirze przed oczami, wszystkie głosy zlały się w jeden, jak gdyby cała ziemia nagle znalazła się pod wodą.

Gdy odzyskała przytomność, klęczała na ziemi, a Glenna potrząsała nią za ramiona, powtarzając jej imię.

– Nic mi nie jest. Nic mi nie jest. Tylko było... tego było tak dużo. Muszę tylko złapać oddech.

– Nie śpiesz się. To był potężny czar, a jeszcze dodaliśmy mu mocy, używając krwi.

Moira opuściła wzrok na rozcięcie na dłoni.

– Wszystko jest bronią – stwierdziła. – Tak jak mówi Blair. Trzeba użyć wszystkiego, co działa.

– Powiedziałbym, że to zadziałało – odezwał się cicho Hoyt.

Moira podążyła oczami za jego wzrokiem i zobaczyła stojącego poza kręgiem Ciana. Miał na głowie kaptur chroniący go przed ostatnimi promieniami słońca, ale i tak widziała, że jest wściekły.

– No dobrze. Niech ludzie skończą budować obóz.

– Oprzyj się na mnie – poradziła jej Glenna. – Jesteś biała jak ściana.

– Nie, nie mogę. – Pomimo że nogi wciąż miała jak z galarety. – Ludzie nie mogą teraz widzieć, jak się słaniam. Jest mi tylko trochę niedobrze, to wszystko.

Gdy ruszyła przez pole, Cian odwrócił się na pięcie i szybkim krokiem poszedł do domu.

Czekał na nich w środku. Dość wyraźnie musiał okazać swój zły humor, bo był sam.

– Próbujecie ją wykończyć, zanim Lilith będzie miała ku temu okazję? – zapytał. – Co wy sobie wyobrażacie, wciągając ją w magię tak silną, że wyczarowaliście sobie własny huragan?

– Była nam potrzebna – odpowiedział z prostotą Hoyt. – Niełatwo jest otoczyć magią taki teren i osłonić tylu ludzi. A skoro ty nie mogłeś wejść, to znaczy, że czar działa.

Czar nie tylko go powstrzymał, ale też przeszył dreszczem niczym prąd. Cian był zdziwiony, że włosy nie stanęły mu dęba.

– Ona nie jest wystarczająco silna, żeby...

– Nie mów mi, na co mam siłę, a na co nie. Zrobiłam to, co musiałam. I czy nie powiedziałbyś mi tego samego, gdybym śmiała cię zapytać o twoją zuchwałą wyprawę do doliny? Jedno i drugie już się stało i nie przyniosło większych strat, skoro teraz tu stoimy i kłócimy się na ten temat. Powiedziano mi, że mam na górze pokój. Czy ktoś wie, gdzie on jest?

– Pierwsze drzwi na lewo – warknął Cian.

Zaklął, gdy poszła, jego zdaniem, dumna i wyniosła, na górę. A potem ruszył za nią.

Siedziała na krześle, z głową między kolanami, przy zimnym kominku.

– I tak kręci mi się w głowie, więc nie musisz dokładać swojego gniewu. Za chwilę dojdę do siebie.

– Według mnie jesteś w pełni sobą. – Nalał wody do kubka i podstawił jej pod nos, żeby mogła zobaczyć. – Wypij to. Jesteś biała jak śmierć. Zostawiałem trupy z mocniejszymi rumieńcami, niż ty masz teraz.

– Jakie to miłe.

– Prawda rzadko bywa miła.

Moira oparła się wygodniej i patrzyła na niego, popijając wodę.

– Jesteś na mnie zły i to się świetnie składa, bo ja jestem na ciebie wściekła. Wiedziałeś, że przyjechałam, ale nie zszedłeś na dół.

– Nie, nie zszedłem.

– Jesteś wielkim głupcem, oto kim jesteś. Myślisz, że się ode mnie odsuniesz, że ja ci na to pozwolę. Zostało nam tylko kilka dni do końca, więc już zacząłeś się wycofywać. Ale ja będę po prostu robiła krok po kroku w twoją stronę, aż przyprę cię do muru. Nauczyłam się nie tylko walczyć, ale też grać nieczysto. – Zadrżała. – Zimno tu. Po tym zaklęciu nie mam już żadnej mocy, żeby rozpalić ogień.

Cian podszedł do kominka, ale zanim schylił się po hubkę i krzesiwo, Moira wzięła go za rękę. I przycisnęła jego dłoń do swego policzka.

To go złamało, pękł jak szkło. Podniósł ją z krzesła, wziął na ręce i wpił się ustami w jej wargi, a Moira, spragniona, przylgnęła do niego całym ciałem.

– Tak, tak lepiej – powiedziała, nie mogąc złapać tchu. – Już mi dużo cieplej. Godziny od twojego wyjazdu wydawały się ciągnąć w nieskończoność. Taki maleńki skrawek czasu, taki maleńki, w porównaniu z wiecznością.

– Popatrz na mnie. Tak, wreszcie twoja twarz. – Przytulił ją mocno, a Moira położyła mu głowę na ramieniu.

– Tęskniłeś za moją twarzą?

– Tak. Nie musisz grać nieczysto, twój obraz już i tak jest wyryty we mnie na wieki.

– Łatwiej jest złościć się na siebie. To mniej boli. – Na chwilę zacisnęła mocno powieki, lecz otworzyła oczy, gdy Cian postawił ją z powrotem na ziemi. – Przywiozłam vielle. Pomyślałam, że może chciałbyś trochę pograć. Powinniśmy mieć muzykę, światło i śmiech, i wszystkie te rzeczy, które przypomną nam, za co jesteśmy gotowi umierać.

Podeszła do okna.

– Słońce zachodzi. Wrócisz dziś w nocy na pole bitwy? – Rozejrzała się dookoła, gdy nie odpowiedział. – Widzieliśmy, jak poleciałeś tam z Larkinem dwie noce temu i jak byłeś tam sam wczoraj w nocy.

– Za każdym razem, gdy odwiedzam to miejsce, staję się trochę silniejszy. Nie przydam się na nic ani wam, ani sobie, jeśli przemieni mnie to, co płynie w tej ziemi.

– Masz rację i dziś w nocy ja pojadę z tobą. Zmarnujesz tylko czas na protesty – dodała, gdy już otworzył usta. – I tak pojadę. W końcu Geallia należy do mnie, każda piędź ziemi i to, co jest pod nią. Od dzieciństwa nie byłam w dolinie, tylko w snach. Muszę ją zobaczyć i to w nocy, taką, jak będzie wyglądała w Samhain. Dlatego pojadę, z tobą albo sama.

– Ale ja chcę iść! Ja chcę! Proszę, mamo, proszę!

Lilith zastanawiała się, czy jej głowa rzeczywiście może eksplodować od jego nieustannych jęków i zawodzenia.

– Davey, powiedziałam „nie". Samhain już niedługo i wychodzenie z domu teraz jest dla ciebie zbyt niebezpieczne.

– Jestem żołnierzem. – Jego dziecięce rysy wykrzywiła złość. – Lucius tak powiedział. Mam miecz.

Wyciągnął krótki mieczyk, który Lilith kazała dla niego zrobić – czego w tej chwili szczerze żałowała – po udanej zasadzce.

– To tylko polowanie – zaczęła.

– Ja chcę polować. Chcę walczyć! – Davey ciął ostrzem powietrze. – Chcę zabijać.

– Tak, tak, tak. – Lilith pomachała ręką, jakby opędzała się od natrętnej muchy. – I będziesz, ku radości nas wszystkich. Po Samhainie. I ani jednego słowa więcej! – warknęła, a kąciki jej oczu zalśniły na czerwono. – Dosyć tych popisów jak na jeden dzień. Jesteś za młody i za mały. Koniec, kropka. A teraz idź do swojego pokoju i pobaw się z tym cholernym kotem, którego tak bardzo chciałeś.

Oczy zalśniły mu na czerwono, a wargi odsunęły się, obnażając kły, i maska dziecięcej niewinności zniknęła bez śladu.

– Nie jestem za mały. Nienawidzę tego kota! I nienawidzę ciebie.

Wybiegł, łomocząc małymi stopami. Machając wściekle mieczem, przebił klatkę piersiową ludzkiego sługi, który nie zdążył odskoczyć.

– A niech to diabli! Spójrz na ten bałagan. – Lilith wyciągnęła ręce w stronę krwi rozbryzganej na ścianach. – Ten chłopak doprowadza mnie do szału!

– Przydałoby mu się dobre lanie, jeśli chcesz znać moją opinię.

Rozjuszona Lilith odwróciła się do Lory.

– Zamknij buzię! Nie mów mi, co mu się przyda. Jestem jego matką.

– *Bien sur.* Nie warcz więc na mnie dlatego, że Davey zachowuje się jak rozpuszczony bachor. – Nadąsana Lora opadła na fotel. Rany na jej twarzy już niemal się zagoiły, ale blizny, które pozostały, paliły ją niczym trucizna.

– Łatwo się domyśleć, skąd wziął to nieznośne usposobienie.

Lilith zacisnęła dłoń w pięść, czerwone paznokcie przypominały szpony.

– Może to ty potrzebujesz dobrego lania.

Wiedząc, że królowa w takim nastroju jest zdolna do czegoś dużo gorszego niż lanie, Lora wzruszyła ramionami.

– To nie ja nękałam cię przez ostatnią godzinę, prawda? Poparłam cię przy Daveyu, a teraz się na mnie wyżywasz. Może i jesteśmy wszyscy u kresu wytrzymałości, ale ty i ja powinnyśmy trzymać się razem.

– Masz rację, masz rację. – Lilith przeczesała palcami włosy. – Wyobraź sobie tylko, naprawdę przyprawił mnie o ból głowy.

– On tylko... jak to się mówi? Szpanował. Jest taki dumny z siebie, że wciągnął tamtego człowieka w zasadzkę.

– Nie mogłam go wypuścić.

– Oczywiście, że nie. – Lora machnęła ręką. – Masz absolutną rację. Straciliśmy oddziały łowców i zwiadowców, a ta okolica nie jest dobrym miejscem dla Daveya. Ale i tak twierdzę, że powinnaś była sprawić mu dobre lanie za to, że tak się do ciebie odzywał.

– Jeszcze może je dostać. Niech ktoś to posprząta. – Wskazała krew i ciało służącego. – A potem upewnij się, że łowcy wyruszyli. Może dziś w nocy będą mieli więcej szczęścia i wytropią jakiegoś zagubionego człowieka. Żołnierze mają dość owczej krwi.

– Och, i jeszcze coś – dodała, gdy Lora ruszyła do wyjścia. – Chcę coś małego na ząb, żeby się uspokoić. Czy zostały nam jakieś dzieci?

– Sprawdzę.

– W każdym razie coś małego. Nie mam apetytu. Każ to zanieść do mojej sypialni. Potrzebuję spokoju.

Gdy została sama, zaczęła miotać się po pokoju niczym drapieżnik w klatce. Nerwy miała napięte do granic możliwości, musiała to przyznać. Tyle na głowie, tak wiele szczegółów! Spoczywała na niej ogromna odpowiedzialność, chociaż to wszystko wreszcie dobiegało końca.

Strata żołnierzy doprowadziła ją do pasji i zmartwiła. Kolejny problem stanowili dezerterzy, ale co noc posyłała strażników, żeby ich odnaleźli i zniszczyli. Niemożliwe, żeby uciekły całe dwa oddziały!

Kolejne ludzkie pułapki? – zastanawiała się. Drogo ją kosztowały, ale ludzi będą kosztowały jeszcze więcej, gdy z nimi skończy.

Nikt nie rozumiał, pod jaką żyła presją, jaka odpowiedzialność na niej spoczywała. Musiała zdziesiątkować światy, takie było jej przeznaczenie, a otaczali ją głupcy i łajdacy.

A teraz jej słodki Davey, jej własny kochany chłopiec, zachowywał się jak rozpuszczony, złośliwy bachor. On naprawdę ją obraził, a nikomu na to nie pozwalała. Nie była pewna, czy powinna być dumna, czy wściekła.

Jednak, pomyślała, wyglądał tak słodko i wojowniczo, gdy machał swoim miniaturowym mieczem. I czyż nie przeciął tego głupiego sługi prawie na pół, a potem nie przeszedł przez niego buńczucznie, nawet nie obejrzawszy się na zwłoki?

Oczywiście zachował się wobec niej skandalicznie, ale jak mogła nie być choć odrobinę dumna?

Wyszła na zewnątrz, chcąc poczuć noc, jak ją otula, przenika. Biedny Davey czuł się uwięziony w tym domu. Tak jak ona. Ale już niedługo...

Oczywiście, oczywiście, ależ była okropną matką! Zorganizuje polowanie tutaj, na osłoniętej ziemi. Tylko dla nich dwojga. To pobudzi jej apetyt, poprawi nastrój. A Davey będzie zachwycony.

Zadowolona z pomysłu wróciła do domu i poszła na górę.

– Davey! Gdzie jest mój niegrzeczny mały chłopiec? Mam dla ciebie niespodziankę.

Otworzyła drzwi do jego pokoju. Najpierw uderzył ją zapach. Wszędzie było pełno krwi, na podłodze, na ścianach, na pościeli, którą kazała mu uszyć z błękitnego jedwabiu.

Dookoła walały się kawałki rozerwanego kota. Przypomniała sobie, że był wyjątkowo duży.

Westchnęła i poczuła, że ma ochotę się roześmiać. Ależ temperament ma jej mały skarb!

– Davey, ty niegrzeczny chłopcze. Wyjdź, gdziekolwiek się chowasz, bo mogę zmienić zdanie co do niespodzianki. – Przewróciła oczami. Bycie matką to naprawdę trudne zadanie. – Kochany, nie jestem zła. Po prostu mam tak wiele na głowie, że zapomniałam, że ty i ja czasem musimy się zabawić.

Mówiąc, przeszukiwała pokój i zmarszczyła brwi, gdy go nie znalazła. Wychodząc, poczuła pierwsze ukłucie niepokoju. Lora ciągnęła jakąś kobietę za kajdany na szyi.

– Nie mamy już dzieci, ale ta też jest mała.

– Nie, nie, nie teraz. Nie mogę znaleźć Daveya.

– Nie ma go w pokoju? – Lora zerknęła do środka. – Ach, pomysłowo. Chowa się gdzieś, bo jesteś na niego zła.

– Czuję coś... – Lilith przycisnęła dłoń do brzucha. – Coś ściska mnie w żołądku. Chcę, żeby go odnaleziono. Natychmiast.

Rozpoczęto poszukiwania. Słudzy przetrząsnęli dom, zabudowania gospodarcze, pola na chronionym terenie. Ucisk w żołądku Lilith zamienił się w żarzące węgle, gdy odkryli, że kucyk także zniknął.

– Uciekł. Uciekł ode mnie. Och, dlaczego nie upewniłam się, że jest w swoim pokoju? Muszę go znaleźć.

– Poczekaj. Poczekaj. – Lora chwyciła ją mocno za nadgarstek. – Nie możemy wyjść poza chroniony teren, to zbyt wielkie ryzyko.

– On jest mój. Muszę go znaleźć.

- Znajdziemy. Znajdziemy. Poślemy najlepszych tropicieli. Użyjemy Midira. Sama wyruszę.

- Nie. – Lilith, walcząc o spokój, zamknęła oczy. – Nie mogę ryzykować, że cię stracę. Lucius. Znajdź Luciusa, niech przyjdzie do komnaty Midira. Pośpiesz się.

Starała się uspokoić krew i serce. Rządzenie wymagało żaru, ale i lodu. To lód był jej potrzebny, żeby zachować siłę, dopóki książę nie będzie znów bezpieczny.

- Luciusie, liczę na ciebie.

- Pani, znajdę go. Daję ci moje słowo i przysięgam, że oddam życie, by bezpiecznie wrócił do domu.

- Wiem. – Położyła mu dłoń na ramieniu. – Nikomu nie ufam bardziej niż tobie. Przyprowadź go do mnie, a dam ci wszystko, o co mnie poprosisz.

Potem obróciła się z furią do Midira.

- Znajdź go! Poszukaj księcia w lustrze!

- Szukam.

Na ścianie wisiało wielkie, owalne zwierciadło. Odbijało postać czarno-księżnika w czarnej szacie i komnatę, w której uprawiał swoją czarną magię, ale żadnego z trójki wampirów, które go obserwowały.

Lustrzaną taflę zasnuł dym. Pełzał i wił się, aż dosięgnął krawędzi zwierciadła. Przez jego zasłonę ujrzeli noc, a w niej cień chłopca na kucyku.

- Och jest, tam jest! – krzyknęła Lilith, łapiąc Lorę za rękę. – Patrzcie, jaki dobry z niego jeździec, jak prosto trzyma się w siodle. Gdzie on jest na tej przeklętej ziemi?

- Za oddziałem łowców – powiedział Lucius, wpatrując się w taflę lustra. – Idą w kierunku pola bitwy. Znam tę ziemię, pani.

- Pośpiesz się, pośpiesz. Uparty bachor – mruknęła. – Tym razem posłucham twojej rady, Loro. Jak wróci, dostanie solidne lanie. Trzymaj go w lustrze, Midirze. Czy możesz posłać mu moją zjawę?

- Prosisz o wiele czarów naraz, wasza wysokość. – Zamiatając połami długiej szaty, odwrócił się do paleniska, machając dłońmi w powietrzu, wydobył z kotła bladozielony dym.

- Potrzebuję więcej krwi.

- Domyślam się, że ludzkiej.

Oczy mu rozbłysły.

- Byłaby najlepsza, ale poradzę sobie z krwią cielęcia lub młodej kozy.

- To książę – powiedziała chłodno. – Zasługuje na wszystko, co najlepsze. Lora, każ przyprowadzić tę, którą miałam zjeść. Niech weźmie ją Midir.

Davey jechał szybko w ciemności. Czuł się silny i dzielny. Czuł się dobrze. Już on im pokaże, pokaże im wszystkim, że jest najlepszym wojownikiem na świecie. Książę Krwi, pomyślał z uśmiechem. Wszystkim każe tak się nazywać. Nawet swojej matce.

Powiedziała, że jest mały, ale to nieprawda.

Zamierzał jechać powoli za łowcami, a potem wejść między nich i rozkazać, żeby oddali mu dowodzenie. Nikt nie odważyłby się zadawać pytań Księciu Krwi. I wreszcie mógłby zabijać.

Ale coś go od nich odciągało, od zapachu własnego gatunku. Coś silnego i kuszącego. Nie musiał trzymać się oddziału, truchtać za nimi jak dziecko. Byli przy nim jak pchły.

Chciał podążyć za muzyką, która grała w jego krwi, za zapachem odwiecznej śmierci.

Teraz jechał jeszcze wolniej i cały buzował z podniecenia. Tam, w ciemności, czekało coś cudownego. Coś, co należało tylko do niego.

W świetle księżyca ujrzał pole bitwy, a jego piękno przeszyło go dreszczem, takim samym, jaki czuł wtedy, gdy matka pozwalała, by zatapiał się w nią i ujeżdżał ją, jakby była kucykiem.

Zapłonął w nim ogień i ujrzał na wzniesieniu postacie. Dwoje ludzi, pomyślał, i smok.

Wszystkich ich zniszczy, zamorduje, osuszy, a głowy rzuci matce do stóp. Już nikt nigdy nie nazwie go małym!

18

Moira czuła ciężar w piersi, jakby ktoś nakładł tam kamieni. Oddychała z trudem, ale stała obok Ciana na skraju ciszy.

– Jak się czujesz? – zapytała go.

– Rozdarty. Nie wolno ci mnie dotykać.

– W jaki sposób rozdarty?

– Łańcuchy na nogach, na szyi, każdy ciągnie w inną stronę.

– Ból.

– Tak. Ale połączony z fascynacją. I pragnieniem. Czuję idący od ziemi zapach krwi. Jest bogaty i gęsty. Słyszę bicie twojego serca, twój zapach.

Jednak jego oczy wciąż były oczami Ciana, pomyślała. Nie płonęły czerwienią jak wtedy, gdy przylecieli tu z Larkinem.

– Będą tu silniejsze niż na jakiejkolwiek innej ziemi.

Popatrzył na Moirę i zdał sobie sprawę, że ona przecież doskonale o tym wie.

– Będą tu silniejsze. Będzie ich więcej, przyciągnie je to, co tkwi w tej ziemi, i władza, którą ma nad nimi Lilith. Śmierć nie oznacza dla nich tego samego, co dla was. Przyjdą tu bez jednej myśli o tym, czy przeżyją.

– Myślisz, że przegramy? Że tu umrzemy, wszyscy?

Prawda, pomyślał, pomoże jej bardziej niż delikatne kłamstwa.

– Myślę, że wasze szanse na zwycięstwo maleją.

– Może masz rację. Opowiem ci, co wiem o tym miejscu. Co przeczytałam i co uznałam za prawdę.

Znów przesunęła wzrokiem po nierównej dolinie zwanej *Ciunas*.

– Dawno, dawno temu, zanim światy się podzieliły, kiedy jeszcze stanowiły jedność, istnieli tylko bogowie i demony. Człowiek dopiero miał przybyć, żeby walczyć z jednymi i drugimi. Oba gatunki były silne, gwałtowne i zachłanne, oba pragnęły rządzić. Jednak bogowie, choć okrutni, nie polowali i nie zabijali swoich współbraci, nie polowali i nie zabijali demonów z głodu ani dla zabawy.

– Margines dobra przeciwko złu?

– Zawsze musi istnieć jakaś linia, choćby tak cienka. Przez całe wieki trwała wojna, aż doprowadziła ich ku temu miejscu. Tu odbyła się ostatnia bitwa. Najbardziej krwawa i okrutna, i najbardziej bezowocna. Nikt nie zwyciężył. Przelano jedynie ocean krwi, która wyżłobiła tę surową dolinę, a po pewnym czasie wsiąkła głęboko, głęboko w ziemię.

- Dlaczego tutaj? Dlaczego akurat w Geallii?

- Myślę, że bogowie, stwarzając Geallię, ofiarowali jej wieki pokoju i dostatku, a ta dolina była ceną, jaką należało za to zapłacić. Dla równowagi.

- I teraz pora spłacić dług?

- To zawsze nad nami ciążyło, Cian. Teraz bogowie wezwali ludzi do walki z demonem, który powstał z człowieka. Wampir przeciwko swemu przodkowi i ofierze. Szale zostaną tu wyrównane lub wszystko zniknie. Ale Lilith nie rozumie, co się wydarzy, jeśli wygra.

- My zginiemy. Mój gatunek. – Pokiwał głową. – Nic nie może przetrwać w chaosie.

Moira milczała przez chwilę.

- Jesteś teraz spokojniejszy, bo myślisz.

Cian roześmiał się niewesoło.

- Masz rację, ale to ostatnie miejsce na ziemi, które wybrałbym na piknik.

- Po Samhainie zrobimy sobie piknik przy świetle księżyca. Larkin i ja mamy takie ulubione miejsce. Jest przy...

Pomimo że wcześniej nie chciał, aby go dotykała, teraz złapał Moirę za nadgarstek.

- Cii. Coś...

Bez słowa sięgnęła do kołczanu na plecach po strzałę.

W cieniu Davey wyszczerzył zęby w uśmiechu i dobył swego cennego miecza. Teraz będzie walczył tak, jak przystało księciu. Będzie ciął, dźgał i kąsał.

I pił, pił, pił.

Pochylił się nisko w siodle, gotów wydać okrzyk wojenny. I nagle zobaczył przed sobą Lilith.

- Davey! Natychmiast zawróć tego konia i wracaj do domu!

Waleczna mina zamieniła się w dziecięcy dąs.

- Poluję!

- Będziesz polował w miejscu i czasie, które ja ci wyznaczę. Nie mam czasu na te bzdury, na takie kłopoty. Muszę wygrać tę wojnę.

Teraz zrobił zaciętą minę, a jego oczy rozbłysły w ciemności.

- Będę walczył, zabijał ludzi i wtedy przestaniesz traktować mnie jak dziecko.

- Ja cię stworzyłam i ja mogę cię zniszczyć. Zrobisz dokładnie to, co... jakich ludzi?

Wskazał ich mieczem. Gdy się obróciła i zobaczyła, o kim mówił, poczuła prawdziwy strach. Sięgnęła po wodze kucyka, ale jej dłoń przeniknęła przez jego szyję.

- Posłuchaj mnie, Davey. Tylko jedno z nich jest człowiekiem. Ten mężczyzna to Cian. Jest bardzo potężny, bardzo silny i stary. Musisz uciekać. Niech ten kucyk biegnie tak szybko, jak może. Nie powinieneś tu być. Żadne z nas nie powinno tu teraz przebywać.

- Jestem głodny. – Jego oczy zmieniły kolor, oblizał językiem kły i wargi. – Chcę zabić tego starego. Chcę pić krew samicy. Oni są moi, są moi. Jestem Księciem Krwi!

– Davey, nie!

Ale silne kopnięcie piętami popędziło kucyka do przodu.

Wszystko działo się tak szybko, pomyślała Moira. Ułamki sekund. Srebrny błysk miecza, kiedy Cian zasłonił ją własnym ciałem. Gdy z ciemności wystrzelił jeździec, ona już miała gotowy łuk i strzałę.

I wtedy zobaczyła, że to dziecko, chłopiec na silnym dereszowatym kucyku. Serce w niej zamarło, całe ciało przeszedł dreszcz. Jej strzała chybiła celu.

Dziecko krzyczało, wyło, warczało. Szczenię wilka na polowaniu.

Za kucykiem frunęła Lilith, szmaragdowa, rozjuszona zjawa z zaciśniętymi pięściami i obnażonymi kłami.

Druga strzała Moiry przeniknęła serce zjawy i zniknęła w ciemności.

– Ona nie jest prawdziwa! – krzyknął Cian. – Ale on tak. Zabieraj smoka i uciekaj.

Sięgnęła po trzecią strzałę, ale Cian odepchnął ją na bok i skoczył na atakującego kuca.

Mały chłopiec, pomyślała Moira. Mały chłopiec z płonącymi czerwienią oczami i błyszczącymi kłami. Wymachiwał krótkim mieczem, ściągając jednocześnie wodze. Wrzaski Lilith cięły umysł Moiry jak sztylety z lodu, gdy chłopiec spadł z konia i całym ciałem gruchnął o kamienistą ziemię.

Moira zauważyła, że krwawił tam, gdzie się uderzył i podrapał o skały. Zapłakał, jak każdy chłopiec, który się przewrócił.

Wstrzymała oddech, nie wierząc własnym oczom, gdy Cian biegł z widmem Lilith wczepionym w niego nierealnymi palcami. Poczuła mdłości i opuściła łuk.

Drugi jeździec wypadł z rozświetlonej księżycem nocy niczym furia. Już nie chłopiec, lecz mężczyzna, uzbrojony do walki, ciął powietrze pałaszem. Cian przykucnął i odparł atak.

Zadźwięczały ostrza, ich śmiertelna muzyka wypełniła dolinę. Cian skoczył, zrzucając przeciwnika z konia zabójczym kopniakiem w gardło.

Moira nie miała czystej linii strzału, cisnęła więc łuk i wyciągnęła miecz. Zanim zdążyła podbiec, by walczyć u boku Ciana, chłopiec dźwignął się na czworakach. Uniósł wzrok, wpatrując się w nią błyszczącymi oczami.

Warknął.

– Nie. – Moira cofnęła się o krok, gdy Davey przyczaił się do skoku. – Nie chcę cię skrzywdzić.

– Rozszarpię ci gardło. – Obnażył kły, zataczając wokół niej koło. – I będę pił, i pił. Powinnaś uciekać. Najbardziej lubię, kiedy próbują uciekać.

– Nie będę uciekała. Ale ty powinieneś.

– Davey, uciekaj! Uciekaj natychmiast!

Obrócił głowę w stronę zjawy Lilith i warknął jak wściekły pies.

– Chcę się bawić! W berka! Uciekaj, ja gonię!

– Nie będę się bawić. – Moira krążyła wraz z nim, próbując go odgonić pchnięciami miecza.

Davey zgubił swój miecz podczas upadku, ale Moira przysięgła sobie, że użyje swojego, jeśli dzieciak na nią skoczy. Nie był bezbronny. Żaden wampir nigdy nie jest. Jego kły lśniły, groźne i ostre.

Obróciła się i kopnęła nisko, celując w brzuch, aż chłopiec poleciał do tyłu.

Zjawa Lilith przykucnęła nad nim i syknęła:

– Zabiję cię za to. A zanim to zrobię, obedrę cię ze skóry. Lucius!

Lucius rzucił się z mieczem na Ciana. Obaj byli zakrwawieni, mieli czerwone oczy. Skoczyli na siebie, zderzając się mocno w powietrzu.

– Uciekaj, Davey! – krzyknął wampir. – Uciekaj!

Mały zawahał się i nagle coś pojawiło się na jego twarzy. Przez chwilę Moirze wydawało się, że w ułamku sekundy widziała dziecko, którym kiedyś zawładnął demon. Lęk, niewinność, brak zrozumienia.

Pobiegł tak, jak biegają dzieci, kuśtykając na podrapanych nóżkach. I nabierając prędkości, lotnej gracji swego gatunku, pognał do walczących mężczyzn.

Moira upuściła miecz i chwyciła łuk. Sekundę za późno, bo Davey już skoczył Cianowi na plecy, atakując go pięściami i kłami. Jeśliby teraz wystrzeliła, strzała mogłaby przebić chłopca i ugodzić Ciana.

Kolejne sekundy. Chłopiec wyleciał w powietrze, odrzucony potężnym ciosem. Przyciskał piąstki do płonących oczu i z płaczem wzywał mamę.

– Lucius, książę! – zawołała znowu Lilith. – Pomóż księciu!

Lojalność i lata służby drogo go kosztowały. Gdy Lucius odwrócił się lekko w stronę Lilith, Cian ściął mu głowę jednym ciosem rozśpiewanego miecza.

Davey podniósł się z ziemi z wyrazem absolutnej paniki na twarzy.

– Załatw go! – zawołał Cian, gdy malec zaczął biec. – Zabij!

Teraz czas zwolnił. Dzikie wrzaski i rozdzierający szloch rozniosły się echem w gęstym powietrzu. Postać dziecka, biegnącego na zakrwawionych, zmęczonych nóżkach. Lilith z twarzą pełną paniki i zgrozy, stojąca między chłopcem a Moirą, z ramionami rozłożonymi w obronie lub błaganiu.

Moira zamglonymi oczami popatrzyła wprost w źrenice Lilith, po czym z rozdartym sercem mrugnęła, by odzyskać ostrość widzenia, i wypuściła strzałę w powietrze.

Usłyszała potwornie ludzki wrzask, gdy strzała przeniknęła przez Lilith. Wrzask trwał i trwał, i trwał, gdy poleciała dalej, wprost w serce tego, co niegdyś było małym chłopcem, baraszkującym w ciepłym morzu razem ze swoim ojcem.

I nagle Moira stała sama z Cianem na skraju doliny, która domagała się więcej krwi.

Cian pochylił się i podniósł miecze.

– Musimy stąd iść, natychmiast. Na pewno już posłała następnych.

– Ona go kochała. – Głos Moiry zabrzmiał obco w jej własnych uszach. – Kochała to dziecko.

– Ludzie nie mają wyłączności na miłość. Musimy iść.

Oszołomiona Moira próbowała skupić się na Cianie.

– Jesteś ranny.

– I nie zamierzam zostawiać tu ani jednej kropli krwi więcej. Wsiadaj.

Skinęła głową i zebrała własną broń, a potem wspięła się na smoka.

– Zabiła go – wyszeptała, gdy Cian usiadł za jej plecami – ale go kochała.

Nie powiedziała już ani słowa więcej, gdy odlatywali z pola bitwy.

* * *

Gdy tylko wrócili, Glenna przejęła dowodzenie i poprowadziła ich do prowizorycznego punktu opatrunkowego.

– Nie jestem ranna – upierała się Moira, ale usiadła ciężko. – Nawet mnie nie dotknęli.

– Po prostu usiądź. – Glenna zaczęła rozpinać koszulę Ciana. – Rozbieraj się, przystojniaku, zobaczymy twoje wojenne rany.

– Kilka cięć, parę dziur. – Próbował się nie skrzywić, gdy zdejmowała mu koszulę z ramion. – Przeciwnik dobrze władał mieczem i był szybki.

– Powiedziałabym, że ty byłeś lepszy i szybszy. – Blair wręczyła mu kubek whisky. – Na łopatce masz paskudne ugryzienie. Co, ten koleś walczył jak dziewczyna?

– Zrobił to chłopiec – powiedziała Moira, zanim Cian zdążył się odezwać. Potrząsnęła przecząco głową, gdy Blair zaoferowała jej whisky. – Ten, którego Lilith nazywała Daveyem. Wypadł na nas na małym kucyku, machając mieczem wielkości zabawki.

– To nie był chłopiec. – Głos Ciana był wyprany z emocji.

– Wiem, czym był. – Moira zamknęła oczy.

– Wampirzy dzieciak tak cię poharatał? – zdziwiła się Blair.

– Nie. – Zirytowany Cian popatrzył na nią spode łba. – Za kogo ty mnie masz? Zrobił to żołnierz, wyćwiczony i doświadczony, którego Lilith musiała posłać za gówniarzem. Tylko ugryzienie jest dziełem dzieciaka.

– Jak mam je opatrzyć? – zapytała go Glenna. – Ugryzienie wampira na wampirze?

– Jak każdą inną ranę. Na pewno możesz sobie darować święconą wodę. Moje skaleczenia goją się szybko, jak u wszystkich wampirów.

– Postąpiliście bardzo nierozsądnie, żeście tam poszli – zauważył Hoyt.

– Musieliśmy – odparł Cian. – Ja musiałem. A dobra wiadomość jest taka, że cokolwiek sprawuje kontrolę nad tym miejscem, nie może mnie powstrzymać przed wykończeniem innego wampira. Moiro – Cian poczekał, aż uniosła powieki i popatrzyła mu w oczy – musieliśmy to zrobić. Za tym, którego nazywała Luciusem, mogły iść następne. Gdybym musiał gonić małego, straciłbym czas i zostawiłbym ciebie samą. Nie był od ciebie słabszy tylko dlatego, że był mniejszy.

– Wiem, czym był – powtórzyła. – Zamordował Tynana, próbował zabić Larkina. Zabiłby nas oboje, gdyby sprawy potoczyły się inaczej. Jednak ja zobaczyłam jego twarz, pod tym, czym był, niewinną i słodką. Widziałam twarz Lilith, matki przerażonej losem swojego dziecka. Przeszyłam go strzałą, gdy biegł, wzywając z płaczem mamę. Wiem, że bez względu na to, co jeszcze się stanie, nigdy nie będę musiała zrobić nic gorszego. I wiem, że potrafię z tym żyć.

Wydała drżące westchnienie.

– Chyba jednak napiję się whisky. Zabiorę ją na górę, jeśli nie macie nic przeciwko temu, jestem zmęczona.

Cian odczekał, aż Moira wyjdzie z pokoju.

– Lilith będzie próbowała ją dopaść. Pewnie fizycznie nie może dostać się do domu, ale zaatakuje we śnie, w myślach.

Hoyt wstał.

– Upewnię się, że Moira ma odpowiednią ochronę.

– Ona teraz nie będzie chciała ze mną rozmawiać – wyszeptał Larkin – ani z żadnym z nas – dodał, patrząc porozumiewawczo na Ciana. – Będzie musiała przetrawić to przez chwilę. I nauczy się z tym żyć, dokładnie tak, jak powiedziała. – Usiadł naprzeciwko niego.

– Powiedziałeś, że ten, którego zabiłeś, nazywał się Lucius?

– Tak.

– Ja też z nim walczyłem, i z chłopcem też, wtedy, w jaskiniach. Można powiedzieć, że zabiłeś jednego z najlepszych żołnierzy Lilith. Generała. Dzięki tobie i Moirze to będzie ciężka noc dla Lilith.

– Więc teraz zaatakuje jeszcze zacieklej. Zniszczyliśmy lub zraniliśmy jej najbliższych i napadnie na nas jak furia.

– Niech napada – powiedziała mściwie Blair.

Napadłaby, bez chwili wahania czy zwłoki, tak wielka była jej wściekłość, jej rozpacz. Musiało ją trzymać sześciu strażników i magia Midira, żeby Lora mogła wlać jej w gardło krew z lekiem uspokajającym.

– Zabiję was wszystkich! Zamorduję każdego z was! Zabierzcie swoje łapy, zanim je obetnę i rzucę wilkom na pożarcie!

– Trzymajcie ją! – rozkazała Lora i siłą wlała do gardła Lilith więcej krwi. – Nie możesz iść do ich bazy dziś w nocy. Nie możesz zebrać armii i zaatakować. Straciłabyś wszystko, nad czym pracowałyśmy, zniweczyłabyś nasze plany.

– Wszystko stracone. Ona przebiła go strzałą! – Lilith szarpnęła głową, błysnęła kłami i zatopiła je w jednej z trzymających ją dłoni. Jej własne krzyki zmieszały się z wyciem ugryzionego.

– Puśćcie ją, a stracicie więcej niż tylko dłoń – ostrzegła Lora. – Nic już nie możesz dla niego zrobić, kochana, najdroższa.

– To sen. Tylko sen. – Po twarzy Lilith spłynęły krwawe łzy. – On nie mógł zginąć!

– No już, już. – Dając innym znak, by się odsunęli, Lora utuliła ją w ramionach. – Zostawcie nas. Wszyscy. Wynoście się!

Usiadła na podłodze, kołysząc Lilith i przemawiając do niej czule, a ich łzy mieszały się ze sobą.

– On był mi najdroższy – szlochała Lilith.

– Wiem. Wiem, mnie też.

– Chcę, żeby znaleziono tego kucyka. I zaszlachtowano.

– Tak, oczywiście. No już, już.

– On tylko chciał się bawić. – Szukając pocieszenia, ukryła twarz na ramieniu Lory. – Za kilka dni mogłabym dać mu wszystko. A teraz... Obedrę ją ze skóry, przeleję jej krew do srebrnej wanny. Będę się w niej kąpała, Loro. Przysięgam.

– Razem się w niej wykąpiemy, popijając z tego zdrajcy, który zabił Luciusa.

– Lucius, Lucius. – Kolejne strumienie łez. – Oddał wieczność, próbując ratować Daveya. Wybudujemy mu pomnik, dla nich obu. Zetrzemy na proch ludzkie kości i z ich pyłu wzniesiemy im pomnik.

– To by sprawiło im przyjemność. A teraz chodź ze mną. Musisz odpocząć.

– Jestem taka słaba, taka zmęczona. – Z pomocą Lory podniosła się na nogi. – Każ zabić i wypić wszystkich ludzi, których mamy. Nie, nie, torturować i wypić. Powoli. Chcę słyszeć ich wrzaski przez sen.

Moira nie śniła. Zapadła się w nicość i tam pozostała. Musi podziękować Hoytowi za te godziny spokoju, pomyślała po przebudzeniu. Godziny spokoju, podczas których nie widziała dziecięcej twarzyczki pod maską demona.

Teraz musiała zabierać się do pracy. Miesiące przygotowań skurczyły się do dni, które można było liczyć w godzinach. Gdy królowa wampirów pogrążyła się w żałobie, królowa Geallii zrobi, co do niej należy.

Obróciła się i usiadła. Zobaczyła Ciana siedzącego w fotelu przy pełgającym w kominku ogniu.

– Jeszcze daleko do świtu – powiedział. – Możesz jeszcze spać.

– Już mi wystarczy. Od jak dawna mnie pilnujesz?

– Nie liczyłem czasu. – Spała jak zabita, pomyślał teraz. Nie liczył czasu, ale liczył uderzenia jej serca.

– Jak twoje rany?

– Goją się.

– Miałbyś ich mniej, ale byłam słaba. To już się nie powtórzy.

– Kazałem ci uciekać. Nie wierzyłaś, że sam sobie z nimi poradzę, zwłaszcza gdy jeden z nich był ponad połowę mniejszy ode mnie?

Oparła się o poduszki.

– Bardzo sprytnie, próbujesz z mojego braku silnej woli zrobić brak zaufania do twoich umiejętności wojennych.

– Gdybyś miała mniej silnej woli, a więcej rozumu, odleciałabyś, kiedy ci kazałem.

– Bzdury. Czas ucieczki już minął, a ja nigdy bym cię nie zostawiła. Kocham cię. Powinnam była przebić go mieczem, od razu, jednak zawahałam się i próbowałam go odgonić, żebym to nie ja musiała odebrać mu życie. Ta chwila słabości mogła nas oboje wiele kosztować. Wierz mi, już to przebolałam.

– A bezsensowne poczucie winy?

– Może potrwać trochę dłużej, ale też minie. Zostały nam tylko dwa dni. Dwa dni. – Popatrzyła w okno. – Jak cicho. Ta chwila, zaraz przed świtem, jest taka spokojna. Ona zabiła małego chłopca i pokochała to, co z niego zrobiła.

– Tak. Ale przez to żadne z nich nie przestało być potworem.

– Dwa dni – powtórzyła Moira prawie szeptem. Coś w niej już umierało. – Jeśli wygramy, ty ode mnie odejdziesz, a jeśli nie, wrócisz do swojego świata przez Taniec. Już nigdy cię nie zobaczę ani nie dotknę, ani po przebudzeniu nie ujrzę, jak patrzysz na mnie w ciemności.

– Odejdę – powiedział tylko.

– Chodź do mnie, przytul mnie, zanim wzejdzie słońce.

Wstał i podszedł do Moiry. Usiadł na łóżku i przytulił ją, położył jej głowę na swoim ramieniu.

– Powiedz, że mnie kochasz.

– Jak nigdy nikogo nie kochałem.

Uniosła twarz i ich usta się spotkały.

– Dotknij mnie. Posmakuj. – Położyła się na nim, drżąc cała. – Bierz ode mnie.

Jaki miał wybór? Otaczała go, przenikała jego zmysły, budząc palące pożądanie. Ofiarowywała tak samo wiele, jak żądała, przyciskając jego usta do swej piersi.

– Weź więcej. Więcej i więcej.

Wargi miała gorące i spragnione, gdy zerwała z siebie ubranie, skubiąc jego brodę ostrymi zębami, rozgrzewając go drżącym oddechem.

Teraz żyła, płonęła i żyła, cała pragnęła go aż do bólu. Jak mogłaby to odrzucić? Miłość, żar, życie?

Jeśli sądzone jej umrzeć w walce, zaakceptuje swój los. Ale jak mogłaby żyć – dzień po dniu, noc po nocy – jeśli zabiorą jej serce?

Usiadła na nim, chcąc poczuć więcej, wziąć więcej. Więcej wiedzieć.

Oczy jej zabłysły niemal szaleństwem, gdy nie odrywając wzroku od jego twarzy, pochyliła się nad nim, a jej włosy zakryły ich niczym zasłona, więżąc go zapachem i blaskiem.

– Kochaj mnie.

– Kocham.

Wbił palce w jej biodra, gdy ujeżdżała go aż do kresu.

– Dotknij mnie, smakuj, weź mnie! – Z jękiem przycisnęła gardło do jego ust, aż poczuł na wargach tę miękką skórę z bijącą pod nią krwią. – Przemień mnie. Zrób mnie tym, czym ty jesteś. Daj mi wieczność u twego boku.

– Przestań. – Wciąż drżąc, zepchnął ją z siebie z taką siłą, że omal nie zsunęła się na podłogę. – Chcesz użyć tego, czym jestem, przeciwko mnie?

– Tak. – Gardło paliło ją od łez, które kipiały w jej głosie. – Nie zawaham się przed niczym. Dlaczego mielibyśmy odkryć to i teraz stracić? Dwa dni, zostały tylko dwa dni. Chcę więcej.

– Nie możemy mieć więcej.

– Możemy. Lilith kochała to, co stworzyła, widziałam. Ty już mnie kochasz, a ja ciebie. Nasze uczucia nie zmienią się po przemianie.

– Nie masz pojęcia, o czym mówisz.

– Mam. – Chwyciła go za rękę, gdy zerwał się z łóżka. – Przeczytałam wszystko. Jak moglibyśmy po prostu odwrócić się do siebie plecami i odejść? Dlaczego miałabym wybrać śmierć na polu bitwy zamiast śmierci z twojej ręki? To nie będzie prawdziwy kres, jeśli mnie przemienisz.

Wyrwał dłoń i westchnął. Ujął twarz Moiry w dłonie z delikatnością, której nie dostrzegła w jego oczach.

– Gdybyś mnie kochał...

– Słaby kobiecy wybieg. Nie przystoi tobie. Gdybym kochał cię mniej, zrobiłbym właśnie to, o co mnie prosisz. Już kiedyś zrobiłem.

Podszedł do okna. Wstał już świt, ale Cian nie musiał zaciągać zasłon, bo poranek przyniósł deszcz.

– Kiedyś, bardzo dawno temu, zależało mi na pewnej kobiecie. I ona mnie kochała albo przynajmniej tego, za kogo mnie uważała. Przemieniłem ją, bo chciałem ją zatrzymać. – Odwrócił się do Moiry, która szlochała bezgłośnie, klęcząc na łóżku. – Była piękna, wesoła i bystra. Stanowilibyśmy niezłą parę, pomyślałem. I stanowiliśmy, niemal przez dziesięć lat, zanim nie weszła w drogę dobrze wymierzonej pochodni.

– Z nami będzie inaczej.

– Była dwa razy bardziej krwiożercza niż ja. Najbardziej lubiła niemowlęta. Była piękna, wesoła i bystra, i pozostała taka po przemianie. Tyle że gdy już stała się taka jak ja, wykorzystywała te cechy, żeby wabić dzieci.

– Ja bym nigdy nie mogła...

– Mogłabyś – powiedział głucho. – I na pewno byś zrobiła. Nie obrócę najjaśniejszego światła mojego życia w potwora.

– Nie widzę potwora, kiedy patrzę na ciebie.

– Stałbym się nim znowu, gdybym to zrobił. Nie tylko ty uległabyś przemianie, Moiro. Czy po raz drugi chciałabyś skazać mnie na potępienie?

Przycisnęła dłonie do oczu.

– Nie. Nie. Zostań. – Opuściła ręce. – Więc zostań ze mną, tak jak jesteśmy teraz. Albo zabierz mnie ze sobą. Gdy Geallia będzie już bezpieczna, będę mogła zostawić ją pod opieką wuja lub...

– I co? Będziesz żyła ze mną w ciemności? Nie mogę dać ci dzieci. Nie mogę dać ci prawdziwego życia. Jak będziesz się czuła za dziesięć lat, za dwadzieścia, gdy ty się zestarzejesz, a ja nie? Kiedy popatrzysz w lustrze na naturalne oznaki upływającego czasu, których nigdy u mnie nie dostrzeżesz? Już ukradliśmy te tygodnie. Muszą ci wystarczyć.

– A tobie wystarczą?

– To więcej niż kiedykolwiek miałem lub myślałem, że będę miał. Nie mogę być człowiekiem, Moiro, nawet dla ciebie. Ale można mnie zranić i ty właśnie to robisz.

– Przepraszam. Przepraszam. Czuję się, jakby wszystko we mnie w środku zacisnęło się w węzeł. Moje serce, płuca. Wiem, nie miałam prawa cię o to prosić. Wiedziałam o tym nawet wtedy, gdy poprosiłam. Wiedziałam, że jestem samolubna i okrutna. I słaba – dodała – zaraz po tym, jak przysięgłam, że już nigdy nie okażę słabości. Wiem, że to niemożliwe, rozumiem to. Ale nie wiem, czy możesz mi wybaczyć.

Cian znów podszedł do łóżka i usiadł obok Moiry.

– Kobieta, którą przemieniłem, do końca nie wiedziała, czym jestem. Ty wiesz. Poprosiłaś, bo jesteś człowiekiem. Jeśli ja nie potrzebuję prosić cię, byś wybaczyła mi to, czym jestem, ty nie musisz prosić mnie o wybaczenie za to, kim jesteś.

19

*P*rzez większość dnia Moira pracowała z Glenną, przygotowując ogniste bomby. Mniej więcej co godzinę dwóch lub trzech ludzi przychodziło do domu i zabierało gotowe kule, by złożyć je w magazynie na zewnątrz.

– Nigdy nie sądziłam, że to powiem – zaczęła Moira po czwartej godzinie bezustannej pracy – ale magia potrafi być nużąca.

– Hoyt powiedziałby, że to, co tu robimy, to raczej nauka niż magia. – Glenna otarła ramieniem spoconą twarz. – Ale owszem, może być nudna jak flaki z olejem. Jednak z twoją pomocą idzie szybciej i możemy zrobić więcej bomb. Hoyt pewnie zamknął się z Cianem i ślęczą przez cały dzień nad mapami i strategią.

– Co jest chyba tak samo nudne.

– Założę się, że jeszcze bardziej.

Po raz kolejny Glenna ruszyła wzdłuż linii utwardzonych kul, które razem zrobiły, z wyciągniętymi rękami i skupionym wzrokiem, recytując zaklęcia. Moira nawet ze swego miejsca przy stole widziała, że takie wykorzystywanie mocy odbija się na przyjaciółce.

Cienie pod oczami Glenny wydawały się pogłębiać z każdą godziną, a jej policzki stawały się bledsze, jak tylko znikały wywołane przez nieznośny żar rumieńce.

– Powinnaś przerwać na chwilę – powiedziała Moira, gdy Glenna dotarła do końca linii. – Zaczerpnąć trochę powietrza, coś przegryźć.

– Chcę skończyć tę partię, ale chyba rzeczywiście chwilę odsapnę. Śmierdzi tu siarką. – Podeszła do okna i zaczerpnęła spory haust świeżego, chłodnego powietrza. – Och. Ale widok. Chodź, popatrz. Smoki kołują nad namiotami.

Moira stanęła obok niej i zobaczyła smoki, większość z jeźdźcami na grzbietach, którzy uczyli je nurkować i skręcać na komendę. Zwierzęta szybko pojmowały rozkazy i stanowiły piękny, jasny widok na zachmurzonym niebie.

– Tak bardzo chciałabym zrobić im zdjęcie lub przynajmniej je narysować.

– Spędzę następnych dziesięć lat, rysując to wszystko, co widziałam przez ostatnie miesiące.

– Tak bardzo będę za wami tęskniła, kiedy to wszystko się skończy.

Glenna objęła Moirę ramieniem i pocałowała ją we włosy.

– Wiesz, że jeżeli jest jakiś sposób, żebyśmy cię odwiedzili, zrobimy to. Mamy klucz, mamy portal i jeśli tym, co zrobiliśmy, nie zasłużyliśmy na błogosławieństwo bogów, to nikt na nie nie zasługuje.

– Wiem. Ostatnie miesiące były tak okropne pod wieloma względami, ale dały mi tak wiele. Ciebie i Hoyta i Blair. I...

– Ciana.

Moira nie spuszczała wzroku ze smoków.

– On nie wróci tutaj, bez względu na błogosławieństwo bogów.

– Nie wiem.

– Nie wróci, nawet gdyby mógł, nigdy mnie nie odwiedzi. – Powtarzająca się śmierć, pomyślała każdej godziny, każdego dnia. – Przez cały czas o tym wiedziałam. Moje życzenia nie mogą zmienić tego, co jest lub co nie może się stać. To o tym mówiła mi Morrigan, gdy nazwała ten etap czasem wiedzy. Kazała mi użyć serca i głowy. I w głowie, i w sercu wiem, że nie możemy być razem. Gdybyśmy spróbowali, to by nas rozdzierało tak długo, aż oboje byśmy zginęli. Próbowałam temu zaprzeczyć, poniżając siebie i raniąc jego.

– W jaki sposób?

Zanim Moira zdążyła odpowiedzieć, do pokoju wpadła Blair.

– Co jest? Babskie pogaduszki? O czym? O modzie, jedzeniu czy facetach? Aha – dodała, gdy zobaczyła ich twarze. – Widzę, że o chłopakach, a ja przyszłam bez czekoladek. Słuchajcie, już znikam, chciałam wam tylko powiedzieć, że nadchodzą ostatnie oddziały. Będą tu w ciągu godziny.

– To dobre wieści. Nie, zostań na chwilę, dobrze? – poprosiła ją Moira.

– Obie powinnyście wysłuchać mojego wyznania. Obie włożyłyście w to wszystko serce, poświęciłyście krew. Jesteście najlepszymi przyjaciółkami, jakie kiedykolwiek miałam, jakie będę miała...

– Uderzyłaś w poważną nutę, Moiro. Co zrobiłaś? Postanowiłaś przejść na ciemną stronę mocy i przyłączyć się do Lilith?

– Niewiele się mylisz. Poprosiłam Ciana, żeby mnie przemienił.

Blair podeszła bliżej i pokręciła głową.

– Nie widzę na twojej szyi żadnych śladów ukąszeń.

– Dlaczego nie jesteś zła ani nawet zaskoczona? Żadna z was nie jest.

– Myślę – powiedziała powoli Glenna – że ja na twoim miejscu mogłabym zrobić to samo. Wiem, że musiałabym tego pragnąć. Jeśli stąd odejdziemy, Blair i ja będziemy ze swoimi mężczyznami. Ty nie możesz. Chcesz, żebyśmy potępiły cię za to, że próbowałaś to zmienić?

– Nie wiem. Może byłoby mi lżej, gdybyście się oburzyły. Wykorzystałam uczucie, którymi on mnie darzy, jako broń. Prosiłam, błagałam go, żeby stworzył mnie podobną do siebie, gdy byliśmy w najbardziej intymnej sytuacji.

– Przez rozporek – stwierdziła Blair. – Gdybym ja miała to zrobić, też wybrałabym taką metodę. Odmówił ci, co pokazuje, że nie ma wątpliwości, ile dla niego znaczysz. Jeżeli chodzi o mnie, czułabym się lepiej, wiedząc, że on będzie tak samo nieszczęśliwy i samotny jak ja, gdy będzie musiał dać nogę.

Moira roześmiała się zaskoczona.

– Nie mówisz tego serio.

– Powiedziałam to, żeby trochę rozluźnić atmosferę, ale tak w głębi serca? Nie wiem. Może. Przykro mi, że tak cierpisz. Naprawdę.

– Ach, cóż, może będę miała trochę szczęścia i zginę jutro w walce. Wtedy nie będę musiała żyć samotna i nieszczęśliwa.

– Pozytywne myślenie. O to chodzi. – I Blair uściskała ją, nie mogąc pocieszyć jej czekoladą. A nad ramieniem Moiry pochwyciła wzrok Glenny.

Moira wiedziała, że było ważne, by w ostatnich godzinach przed wymarszem królowa powitała przybywające oddziały i pokazała się tak wielu poddanym, jak to tylko możliwe. Zapadał zmierzch, a ona spacerowała między namiotami, tak jak wszyscy inni członkowie rodziny królewskiej. Rozmawiała, z kim tylko mogła, ubrana w strój wojenny, z płaszczem zapiętym prostą broszą w kształcie claddaugh i mieczem Geallii u boku.

Było już dobrze po zmierzchu, gdy wróciła do domu, na ostatnie spotkanie Kręgu dotyczące strategii.

Wszyscy zebrali się przy długim stole, tylko Larkin stał z boku i zachmurzony patrzył w ogień. Coś nowego, pomyślała, czując lekki ucisk w żołądku. Jeszcze coś.

Odpięła płaszcz, studiując twarze, które poznała tak dobrze.

– Co planujecie, że Larkin tak się martwi?

– Usiądź – poprosiła ją Glenna. – Hoyt i ja mamy pewien pomysł. Jeśli się powiedzie – ciągnęła, gdy Moira podeszła do stołu – wygramy.

Moira słuchała, a lekki ucisk w żołądku zamienił się w bryłę lodu. Tak wielkie ryzyko, myślała, tyle uwarunkowań i niebezpieczeństw. Przede wszystkim dla Ciana.

Ale gdy popatrzyła mu w oczy, zrozumiała, że podjął już decyzję.

– Plan opiera się przede wszystkim na tobie – zwróciła się do niego. – Czas... jeśli cokolwiek przesunie się choć o sekundy...

– Opiera się na nas wszystkich. Wszyscy wiedzieliśmy, jakie podejmujemy ryzyko, kiedy pakowaliśmy się w to wszystko.

– Nikt z nas nie powinien ryzykować więcej niż pozostali – wtrącił Larkin. – Może niepotrzebnie poświęcimy jednego z nas, bez...

– Myślisz, że łatwo mi to proponować? – zapytał cicho Hoyt. – Już raz straciłem brata, potem go odnalazłem, i otrzymałem jeszcze więcej, niż mieliśmy kiedyś. Teraz, robiąc to, do czego mnie wybrano, mogę stracić go po raz drugi.

– Nie słyszę tu wiary w moje możliwości. – Cian nalał gorzkiego piwa do stojącego na stole pucharu. – Najwidoczniej przeżycie dziewięciuset lat nie jest mocnym punktem mojego CV.

– Ja bym cię zatrudniła – powiedziała Blair, wyciągając swój puchar. – Tak, to jest ryzykowne, dużo zależy od zbiegu w czasie, ale jeśli się uda, zakończymy tę imprezę z hukiem. Myślę, że dasz radę. – Stuknęła się kielichem z Cianem. – Ja jestem za.

– Nie jestem strategiem – zaczęła Moira – i mam ograniczone zasoby magii. Czy możecie to zrobić? – zapytała Hoyta.

– Myślę, że tak. – Sięgnął po dłoń Glenny.

– Tak naprawdę to wpadliśmy na ten pomysł po czymś, co powiedziałaś w zamku – wyjaśniła jej Glenna. – I użyjemy symboli Geallii, wszystkich. To będzie silna magia i, moim zdaniem, czysta, bo oparta na krwi.

– Wierzę, że każde z nas z osobna ma więcej mocy niż Midir. – Hoyt powiódł wzrokiem po twarzach przyjaciół. – Razem zmiażdżymy i jego, i całą resztę.

Moira odwróciła się do Ciana.

– A gdybyś ty pozostał na tyłach? Dałbyś nam sygnał, kiedy już wszystko przygotujesz...

– Najważniejsza jest krew Lilith na polu bitwy. Królowa musi zostać przynajmniej zraniona przez kogoś z naszej szóstki. A ona jest moja – powiedział Cian bez emocji. – Czy przejdę przez to czy nie, ona należy do mnie. Za Kinga.

Za Kinga, pomyślała Moira, i za siebie. Kiedyś on także był niewinny. Kiedyś stał się ofiarą i odebrano mu życie. Wypiła jego krew, kazała mu pić swoją. Teraz to, co ich łączyło, mogło stanowić o losach ludzkości.

Wstała, czując ciężar na barkach, i podeszła do Larkina.

– Już podjęliście decyzję. – Popatrzyła na czwórkę siedzącą przy stole. – Cztery głosy na sześć, więc zrobimy to bez względu na zdanie Larkina i moje. Ale najlepiej byłoby, gdybyśmy byli jednomyślni. Krąg musi być zgodny, bez wątpliwości. – Wzięła Larkina za rękę. – Tak będzie najlepiej.

– Dobrze, dobrze. – Larkin kiwnął głową. – W takim razie jesteśmy jednomyślni.

– Jeżeli możemy, powtórzmy to jeszcze raz. – Moira wróciła do stołu. – Najpierw w szczegółach, potem wybierzemy dowódców szwadronu.

To będzie jak brutalny i krwawy taniec, pomyślała, a miecz, poświęcenie i magia zagrają do rytmu. I krew, oczywiście. Zawsze musi być krew.

– W takim razie rano rozpoczniemy przygotowania. – Wstała, by nalać wszystkim whisky. – Potem zrobimy, co do nas należy, i z pomocą bogów położymy temu kres. I to przy użyciu symboli Geallii. Zatem za nas i do diabła z nimi!

Gdy wypili, poszła po vielle.

– Zagrasz? – poprosiła Ciana. – Powinniśmy mieć dziś muzykę. Poślemy ją w noc. Mam nadzieję, że ona nas usłyszy i zadrży.

– Ty nie umiesz grać... – zaczął Hoyt.

– Dawno temu nie mówiłem też po kantońsku. Wszystko się zmienia. – Mimo to Cian poczuł się dziwnie, gdy usiadł z instrumentem i wypróbował struny.

– Co to jest? – zdziwiła się Blair. – Podobne do skrzypiec.

– Ich przodek. – Zaczął grać, powoli, znajdując drogę od wojny do muzyki. Uczucie obcości zniknęło wraz z cichymi, rzewnymi tonami.

– Jak pięknie – powiedziała Glenna. – Chociaż smutno.. – Nie mogła się powstrzymać i poszła po papier i węgiel, żeby naszkicować tę scenę.

Na zewnątrz zaczęły grać flety, łącząc się z muzyką Ciana. A każda nuta, pomyślała Moira, przypominała łzę.

– Masz do tego dryg – powiedział Larkin, gdy przebrzmiały ostatnie tony. – I serce do muzyki, naprawdę. Ale może znasz coś trochę żywszego? No wiesz, coś z rytmem?

Larkin wziął flet i zagrał kilka wesołych dźwięków, chcąc zagłuszyć radością melancholijne echo. Z obozu napłynęła muzyka bębnów i piszczałek i Cian zaczął grać w ich rytm. Larkin krzyknął z aprobatą i zaczął wybijać rytm stopą, Moira klaskała.

– No chodź! – Larkin rzucił piszczałkę Blair i złapał Moirę za ręce. – Pokażmy tej bandzie, jak się tańczy w Geallii.

Roześmiana Moira rzuciła się w wir tańca, który – jak zauważył Cian – przypominał współczesny taniec irlandzki. Szybkie ruchy stóp, nieruchome ramiona, mnóstwo pasji. Pochylił się nad vielle, uśmiechając do siebie na myśl o wytrwałości ludzkiego serca.

– Nie pozwolimy, żeby byli lepsi od nas. – Hoyt porwał Glennę do tańca.

– Ja nie umiem.

– Oczywiście, że umiesz. To ma się we krwi.

Podłoga drżała od uderzeń stóp, a muzyka, taniec i śmiech uniosły się w nocne powietrze. To takie ludzkie, pomyślał Cian, nie tylko znajdują w tym radość, ale wyciskają ją do ostatniej kropli.

Oto jego brat, czarnoksiężnik, który cenił swą godność tak samo jak magię, wiruje z seksowną rudą czarodziejką, chichoczącą jak nastolatka ucząca się kroków.

„Skopię-ci-tyłek" łowczyni demonów dodaje do ludowego tańca trochę hip-hopu z dwudziestego pierwszego wieku, wywołując szeroki uśmiech na twarzy swego zmieniającego postać kowboja.

I królowa Geallii, lojalna, oddana, dźwigająca na barkach ciężar swego świata, zarumieniona i promieniejąca radością z tego tańca.

Mogą jutro umrzeć, każde z nich, ale na bogów, dzisiaj tańczą. Lilith, mimo wszystkich przeżytych lat, siły i ambicji, nigdy by ich nie zrozumiała. Ich magia i światło mogą naprawdę pomóc im przetrwać.

Po raz pierwszy uwierzył, że bez względu na to, czy oni przeżyją, czy nie, ludzkość zwycięży. Nie można jej unicestwić, nawet sama siebie nie może zniszczyć, choć zbyt wiele razy widział, jak próbowała.

Było zbyt wielu takich jak ta piątka, którzy będą walczyć, oddając krew i pot. I tańczyć.

Grał dalej, gdy Hoyt przystanął, żeby napić się piwa.

– Poślij to do niej – wyszeptał Cian.

– Popatrz na moją Glennę, tańczy, jakby była do tego stworzona. – Hoyt zmarszczył czoło i zamrugał. – Co powiedziałeś?

Cian podniósł wzrok, ale już się nie uśmiechał, mimo że melodia, którą grał, była pełna radości.

– Poślij Lilith tę muzykę, niech ją usłyszy, tak jak powiedziała Moira. Możesz to zrobić. Utrzyj jej tego cholernego nosa.

– Dobrze. – Hoyt położył dłoń na ramieniu brata. – Utrzemy jej nosa. Cian poczuł ciepło wysyłanej magii i grał, grał i grał.

Lilith stała w ciemności i patrzyła, jak jej żołnierze staczają kolejną ćwiczebną bitwę. Tak daleko, jak mogła sięgnąć wzrokiem – a wzrok miała bystry – wampiry, półwampiry i ludzcy słudzy ustawili się w armię, którą budowała od setek lat.

Jutro, pomyślała, zaleją ludzi jak powódź, aż dolina zamieni się w morze krwi.

A ona utopi w nim tę dziwkę, która nazywała siebie królową Geallii, za to, co zrobiła Daveyowi.

Lora stanęła obok niej i objęły się w pasie.

– Wrócili zwiadowcy – powiedziała przyjaciółka. – Pokonaliśmy wroga trzy do jednego. Midir już idzie, jak rozkazałaś.

– Dobry stąd widok. Daveyowi by się spodobał.

– Jutro o tej porze zostanie pomszczony.

– O tak. Ale jutrzejsza bitwa to jeszcze nie koniec. – Poczuła, że Midir wspina się na dach, na którym obie stały. – Wkrótce się zacznie – powiedziała, nie odwracając się do czarnoksiężnika. – Jeśli mnie zawiedziesz, osobiście poderżnę ci gardło.

– Nie zawiodę.

– Jutro, kiedy to się zacznie, będziesz na miejscu. Chcę, żebyś stał na wysokiej grani na zachodzie, żeby wszyscy mogli cię widzieć.

– Wasza wysokość...

Teraz się odwróciła i popatrzyła na niego lodowatobłękitnymi oczami.

– Myślałeś, że pozwolę ci tu zostać, w domu, pod tarczą ochronną? Będziesz robił, co ci każę, i pójdziesz, gdzie ci każę, Midirze. I będziesz stał na tej skale, aby żołnierze nasi i tamci mogli widzieć twoją moc. Taka zachęta i dla nich, i dla ciebie – dodała. – Lepiej, żeby twoja magia była dość silna albo zapłacisz najwyższą cenę, w bitwie lub po niej.

– Służę ci od wieków i wciąż mi nie ufasz.

– Między nami nie ma zaufania, Midirze. Tylko ambicja. Oczywiście wolałabym, żebyś przeżył. – Uśmiechnęła się cierpko. – Mam dla ciebie zajęcie, nawet po swoim zwycięstwie. W zamku pozostały dzieci, są chronione. Chcę mieć je wszystkie. Spośród nich wybiorę sobie następnego księcia. Z innych przygotuję wspaniałą ucztę. Będziesz stał na tej skale – powtórzyła, odwracając się znowu – i rzucał złowrogi cień. Nie masz się czym martwić, przecież widziałeś wynik bitwy w dymie. Sam mi to powtarzałeś niezliczoną ilość razy.

– Bardziej przydałbym ci się tutaj, z moim...

– Cisza! – warknęła, machając ręką. – Co to za dźwięk? Słyszycie?

– To brzmi jak... – Lora zmarszczyła brwi. – Muzyka?

– Przesyła ją ich czarnoksiężnik. – Midir uniósł dłonie i twarz. – Czuję w powietrzu jego moc, słabą i bladą.

– Zatrzymaj to! Nie będą ze mnie drwić przed samą bitwą. Nie pozwolę na to. Muzyka! – Wypluła te słowa. – Ludzkie śmieci.

Midir opuścił ramiona i złożył ręce.

– Mogę zrobić, co chcesz, moja królowo, ale oni próbują tylko cię zdenerwować. Popatrz na swoich żołnierzy, jak ćwiczą, szykując się do bitwy. A co twoi wrogowie robią w te ostatnie godziny? – Pstryknął palcami, z których wystrzelił ogień. – Bawią się jak beztroskie dzieci. Marnują ten krótki czas, który im pozostał, na muzykę i taniec. Ale jeśli chcesz...

– Poczekaj. – Znów uniosła dłoń. – Niech sobie mają swoją muzykę. Niech tańczą w drodze na śmierć. Wracaj do swojego kotła i dymu. I bądź gotów, by jutro zająć swoje miejsce i je utrzymać. Inaczej uczczę zwycięstwo twoją krwią.

– Jak sobie życzysz, wasza wysokość.

– Zastanawiam się, czy mówił prawdę – powiedziała Lora, gdy znowu zostały same – czy też bał się zmierzyć swoją moc z ich magią.

– To nie ma znaczenia. – Lilith nie mogła pozwolić, by to miało znaczenie, gdy była tak blisko spełnienia swoich marzeń. – Kiedy wszystko zakończy się tak, jak tego chcę, gdy zmiażdżę tych ludzi i wypiję krew ich dzieci, on już nie będzie mi potrzebny.

– *Certainement.* I może użyć swojej mocy przeciwko tobie, gdy sam już dostanie tego, kogo chce. Co zamierzasz z nim zrobić?

– Zrobię z niego obiad.

– Podzielisz się?

– Tylko z tobą.

Lilith dalej stała, patrząc na swoją armię, ale muzyka, ta okropna muzyka, popsuła jej humor.

Było późno, gdy Cian położył się obok Moiry. W tych ostatnich godzinach ich Krąg podzielił się na trzy części. Widział blask ognia i świec i wiedział, że Hoyt i Glenna są razem.

Tak jak on z Moirą. I, jak sądził, Larkin z Blair.

– Zawsze tak miało być – powiedziała Moira cicho. – Nasz szóstka musiała stworzyć wspólnotę, mieliśmy zacieśnić też więzy między sobą. Żeby się połączyć, uczyć od siebie. Poznać miłość. I dziś w nocy ten dom jaśnieje od miłości. To jeszcze jeden rodzaj magii, tak samo potężny jak inne. Należy do nas, bez względu na to, co się wydarzy.

Uniosła głowę, żeby popatrzeć na Ciana.

– Zdradziłam cię, prosząc o to, o co cię prosiłam.

– Nie musimy o tym mówić.

– Nie, chcę ci powiedzieć, czego się nauczyłam. Zdradziłam ciebie, siebie, innych i wszystko, czego dokonaliśmy. Ty byłeś silniejszy i teraz ja też jestem. Kocham cię całym sercem. To dar dla nas obojga. Nikt nie może nam tego odebrać ani zmienić.

Uniosła medalion, który nosił na szyi. Zamknęła w nim więcej niż tylko pukiel włosów. Zamknęła w nim całą swoją miłość.

– Zabierz to ze sobą, gdy odejdziesz. Chcę wiedzieć, że zawsze będziesz go nosił.

- Nigdy go nie zdejmę. Masz na to moje słowo. Kocham cię wszystkim tym, czym jestem i czym nie mogę być.

Położyła medalion na jego sercu i przyłożyła dłoń do nieruchomej piersi. Oczy miała pełne łez, ale nie pozwoliła im popłynąć.

- Niczego nie żałujesz?

- Niczego.

- Ja też nie. Kochaj się ze mną jeszcze raz – wyszeptała. – Kochaj się ze mną ostatni raz przed świtem.

Kochali się długo, czule, smakując każde dotknięcie. Długie, czułe pocałunki były niczym lek na każdy ból, jedwabiste pieszczoty jak balsam na rany, które musieli odnieść. Moira powiedziała sobie, że jej serce biło dostatecznie mocno, by wystarczyło dla nich obojga, ten ostatni raz.

Nie odrywała wzroku od jego twarzy i widziała, że razem osiągnęli szczyt rozkoszy.

- Powiedz mi – wyszeptała. – Jeszcze raz.

- Kocham cię. Na całą wieczność.

Potem leżeli razem w ciszy. Wszystkie słowa zostały już wypowiedziane.

Wstali godzinę przed świtem, cała szóstka, by przygotować się do ostatecznej rozprawy.

Żołnierze jechali konno, na smokach, pieszo, wozami. Niebo nad nimi było zachmurzone, ale przez chmury przebijało słońce, zalewając ich lśniącymi promieniami przez całą drogę do Ciszy.

Pierwsi, którzy dotarli na miejsce, zakładali pułapki w cieniu i w jaskiniach, strzegli ich jeźdźcy na koniach i smokach, wypatrując ewentualnego ataku.

Znaleźli też pułapki zastawione na nich. Pod stopami ludzi otwierały się nagle kałuże krwi, wciągając ich do środka. Muliste, czarne jak smoła, przeżerały obuwie i wypalały kości.

- Robota Midira – splunął Hoyt, gdy inni rzucili się na ratunek towarzyszom.

- Zablokuj go – rozkazał Cian. – Wybuchnie panika, zanim w ogóle zaczniemy.

- Półwampiry – ostrzegła Blair, podlatując na smoku. – Około pięćdziesięciu. Pierwszy szereg, za mną. – Zanurkowała, żeby poprowadzić atak.

Strzały fruwały, miecz brzęczał o miecz. W pierwszej godzinie armia Geallii straciła piętnastu ludzi. Ale dotrzymała pola.

- Chciały nam tylko pokazać, co nas czeka. – Blair, z twarzą zbryzganą krwią, zsiadła ze smoka. – Już my im pokażemy.

- Trzeba się zająć martwymi i rannymi. – Nakazując sobie spokój, Moira popatrzyła na leżących, po czym odwróciła wzrok. – Hoyt odpycha czar Midira. Ile energii go to kosztuje?

- Dostarczymy mu wszystko, czego będzie potrzebował. Lecę jeszcze raz, zrobię kilka kółek. Zobaczę, czy przygotowała dla nas jeszcze jakieś niespodzianki. – Blair wskoczyła z powrotem na smoka. – Trzymajcie zwarty front.

- Nie byliśmy wystarczająco przygotowani na pułapki i atak w ciągu dnia. – Chowając zakrwawiony miecz do pochwy, Larkin podszedł do Moiry. – Teraz pójdzie nam lepiej.

Położył jej dłoń na ramieniu i odciągnął ją na bok, tak żeby nikt ich nie słyszał.

– Glenna powiedziała, że niektóre już tu są, pod ziemią. Hoyt nie może jej teraz pomóc, ale Glenna uważa, że razem z Cianem mogą znaleźć przynajmniej kilka i wyeliminować.

– Dobrze. Nawet kilka mniej oznacza zwycięstwo. Muszę powstrzymać łuczników.

Słońce weszło w zenit, potem zaczęło schodzić. Dwa razy Moira widziała, jak ziemia otwiera się pod wierzbową różdżką Glenny, a potem płonie, gdy na czyhające pod powierzchnią demony padały promienie słońca.

Ile jeszcze, pomyślała. Sto? Pięćset?

– Wycofał się. – Hoyt wytarł dłonią spoconą twarz. – Zamknąłem pułapki Midira.

– Pobiłeś go?

– Tego nie wiem. Może zajął się czymś innym, ale na razie się wycofał. Ta ziemia przenika mnie dreszczem. Wylewa uwięzione w sobie zło, aż braknie tchu w piersi. Pomogę Cianowi i Glennie.

– Nie, musisz odpocząć przez chwilę, odzyskać energię. Ja im pomogę.

Wiedząc, że musi odzyskać siły, Hoyt kiwnął głową. Ale twarz miał ponurą, gdy przesunął wzrokiem po dolinie, po pracujących Cianie i Glennie.

– Ni uda im się znaleźć wszystkich. Nie na tej ziemi.

– Nie. Ale każdy znaleziony to o jednego mniej.

Moira podeszła do Glenny i dostrzegła, że już widać po niej, ile straciła energii. Przyjaciółka była blada, na jej czole perlił się pot.

– Musisz odpocząć – powiedziała Moira. – Odzyskać siły. Teraz ja popracuję.

– Ty masz za mało mocy. Ledwo starcza mi mojej. – Glenna z wdzięcznością przyjęła od Moiry bukłak z wodą. – Odkryliśmy tylko tuzin. Jeszcze kilka godzin...

– Ona musi przerwać. Ty też – zwróciła się do Ciana.

– Jesteś na skraju wyczerpania, dobrze o tym wiesz. Na co nam się przydasz, jeśli nie będziesz miała sił o zmierzchu? – Cian wziął Glennę pod ramię.

– Wiem, że jest ich więcej. Dużo więcej.

– I będziesz gotowa, gdy ta ziemia je wyrzuci. Idź. Hoyt cię potrzebuje. Sam jest ledwie żywy – poparła go Moira.

– Dobra strategia – pochwalił ją Cian, gdy Glenna odeszła. – Wykorzystać Hoyta.

– Tak, ale mówiłam prawdę. Oboje są wyczerpani. I ty też – dodała. – Słyszę w twoim głosie, jaki jesteś zmęczony, dlatego mówię ci to, co ty powiedziałeś jej. Na co się nam przydasz, jeśli o zmierzchu nie będziesz miał sił?

– Ten cholerny płaszcz mnie wykańcza, jednak druga możliwość nie jest zbyt kusząca. Muszę coś zjeść – przyznał.

– W takim razie idź na górę i zajmij się tym. Zrobiliśmy już prawie wszystko, co mogliśmy, co mieliśmy do tej pory zrobić.

Zobaczyła Blair, Larkina, Hoyta i Glennę. Może wszyscy razem, cała szóstka, będą potrafili dodać sobie sił w promieniach zachodzącego słońca. Przeszli przez kamienistą ziemię, pokonali stos zwalonych kamieni i zaczęli się wspinać na strome zbocze.

Wszystko w niej zadrżało, gdy stanęli na zrębie. Nawet bez czarów Midira ta ziemia jak gdyby wsysała ją w siebie.

Cian wyjął bukłak, w którym – jak wiedziała – miał krew.

– Czekaliśmy na was – zaczęła Blair. – Ludzie się denerwują.

– Jeśli chcesz powiedzieć, że nie staną do walki...

– Nie unoś się tą swoją geallijską dumą. – Blair uniosła dłoń w geście pokoju. – Musisz do nich przemówić, dodać im odwagi. Potrzeba im przemowy z dnia Świętego Kryspina.

– A co to jest?

Blair uniosła brwi i popatrzyła na Ciana.

– Chyba opuściłaś „Henryka V"*, jak myszkowałaś w bibliotece Ciana.

– Tam było mnóstwo książek.

– Chodzi o to, żebyś podniosła im morale – wyjaśniła Glenna. – Żeby byli gotowi do walki, na śmierć. Musisz im przypomnieć, dlaczego tu są, dać inspirację.

– I ja mam to wszystko zrobić?

– Nikt inny nie zrobi na nich takiego wrażenia. – Cian zakręcił bukłak. – Ty jesteś królową i chociaż nas można nazwać generałami, to ciebie słuchają ludzie.

– Nie wiem, co miałabym powiedzieć.

– Coś wymyślisz, a przez ten czas my z Larkinem zbierzemy twoją armię. Dodaj trochę „Braveheart" do „Henryka" – powiedział do Blair. – Wsadź ją na konia.

– Świetny pomysł. – Blair poszła po wierzchowca Ciana.

– Co ten Henryk mógł im powiedzieć? – zastanawiała się Moira.

– To, co chcieli usłyszeć jego żołnierze. – Glenna uścisnęła jej dłoń. – I ty też to powiesz.

* William Szekspir „Dzieje żywota króla Henryka Piątego"

20

*M*am zupełną pustkę w głowie.

– Słowa nie przyjdą z głowy. W każdym razie nie tylko z niej. – Glenna podała Moirze diadem. – Głowa i serce, pamiętasz? Słuchaj obu, a wtedy wszystko, co powiesz, będzie odpowiednie.

– W takim razie wolałabym, żebyś to ty wygłosiła tę mowę. Głupio z mojej strony, że boję się do nich przemówić – powiedziała Moira ze słabym uśmiechem. – O wiele mniej boję się z nimi umrzeć.

– Załóż to. – Blair podała Moirze pelerynę. – Będzie dobrze wyglądała, łopocząc na wietrze. I mów głośno, dziewczyno. Musisz dotrzeć do tych w oślich ławkach.

– Później cię zapytam, co to znaczy. – Moira wypuściła ze świstem powietrze i wsiadła na konia. – No to do dzieła.

Ruszyła do przodu, a serce biło jej jak oszalałe. Oto jej żołnierze, więcej niż tysiąc, stali, mając dolinę za plecami. Zachodzące słońce odbijało się w mieczach i kopiach, oświetlało ich twarze, twarze ludzi, którzy przyszli tu gotowi umrzeć.

I nagle głowa zrozumiała słowa serca.

– Ludu Geallii!

Wiwatowali, gdy ruszyła stępa wzdłuż pierwszego szeregu. Nawet ranni wykrzykiwali jej imię.

– Ludu Geallii, jestem Moira, królowa-wojowniczka. Jestem waszą siostrą, jestem waszym sługą. Przyszliśmy tu, na to miejsce, z rozkazu bogów i żeby im służyć. Nie znam twarzy was wszystkich ani waszych imion, ale wszyscy jesteście mi bliscy, każda kobieta i każdy mężczyzna.

Wiatr rozwiał poły jej płaszcza, gdy przesunęła wzrokiem po ich twarzach.

– Dziś, gdy zajdzie słońce, poproszę was, byście stanęli do walki na tej niegościnnej ziemi, która już posmakowała naszej krwi. Proszę was o to, ale nie walczycie dla mnie. Nie walczycie dla królowej Geallii.

– Walczymy dla królowej Moiry! – zawołał ktoś i znowu zaczęto wiwatować i wykrzykiwać jej imię.

– Nie, nie walczycie dla mnie! Nie walczycie dla bogów. Nie walczycie dla Geallii, nie dzisiaj. Nie dla siebie ani nawet nie dla waszych dzieci. Nie dla mężów ani dla żon, matek i ojców.

Uciszyli się, gdy jechała wzdłuż szeregów, patrząc im w oczy.

- Nie dla nich przyszliście do tej srogiej doliny, wiedząc, że wasza krew może zalać tę ziemię. Przyszliście tu dla całej ludzkości. Stoicie tu w obronie całej ludzkości. Zostaliście wybrani. Jesteście błogosławieni. Wszystkie światy i każde serce, które w nich bije, jest dzisiaj waszym sercem, waszym światem. My, wybrani, stanowimy jeden świat, jedno serce, mamy jeden cel.

Jej peleryna łopotała na wietrze, gdy koń stanął dęba, a słońce zabłysło złotem w jej koronie, na mieczu.

- Tej nocy wygramy. Nie możemy przegrać, bo kiedy jeden z nas upadnie, drugi podniesie miecz, kopię, będzie walczyć pięścią i kołkiem z zarazą, która zagraża ludzkości i całemu istnieniu. A jeśli następny też padnie, przyjdzie kolejny i jeszcze jeden, i jeszcze, bo to my jesteśmy światem, a nasz wróg nigdy nie znał takich jak my.

Jej oczy nabrały koloru piekielnego dymu, twarz zajaśniała, a głos płynął w powietrzu, słowa dzwoniły czysto i głośno.

- Tutaj, na tej ziemi, poślemy je dalej niż do samego piekła - ciągnęła, przekrzykując wiwaty, które wznosiły się niczym fala. - Dziś w nocy nie ustąpimy, nie poniesiemy klęski, lecz będziemy stali i triumfowali. Jesteście sercem, którego one nigdy nie będą mieć. Jesteście oddechem i światłem, którego one nigdy już nie zaznają. Wszystkie pokolenia, jakie przyjdą po nas, będą śpiewały o tej nocy, o Samhainie, o Bitwie w Dolinie Ciszy. Ludzie będą siedzieć przy ogniu i opowiadać o chwalebnych czynach, jakich dokonaliśmy. Tej nocy. Słońce zachodzi.

Dobyła miecza i wskazała nim czerwieniejącą na zachodzie kulę.

- Gdy nadejdzie ciemność, uniesiemy przeciw nim miecz, serce i myśl. I, bogowie mi świadkiem, przysięgam, zapalimy słońce!

Posłała płomień po ostrzu miecza i wystrzeliła go w niebo.

- Nie najgorzej - powiedziała Blair do Ciana, gdy powietrze wypełniła burza oklasków. - Twoja dziewczyna ma niezłą gadkę.

- Ona jest... fantastyczna. - Nie spuszczał wzroku z Moiry. - Jak one mogą wygrać z takim światłem?

- Powiedziała prawdę - zauważył Hoyt. - Nigdy nie widziały kogoś takiego jak my.

Dowódcy szwadronów podzielili oddziały i poprowadzili je na pozycje. Moira wróciła do przyjaciół i zsiadła z konia.

- Już czas - oznajmiła i wyciągnęła ręce.

Na chwilę Krąg po raz ostatni utworzył koło.

- Do zobaczenia na górze. - Blair błysnęła olśniewającym uśmiechem. - Bierz ich, kowboju. - Wskoczyła na smoka i wzbiła się w niebo.

Larkin także wsiadł na swojego.

- Ostatni w pubie stawia kolejkę! - Wzniósł się w powietrze w odwrotnym kierunku niż Blair.

- Niech Bóg wam błogosławi. I skopcie im tyłki. - Hoyt i Glenna ruszyli na swoje miejsca, ale Glenna widziała spojrzenie, jakie Hoyt wymienił z bratem. - Co się dzieje z Cianem? Tylko nie kłam tak blisko nocy, w której wszyscy możemy umrzeć.

- Poprosił, żebym dał mu słowo. Jeśli uda nam się rzucić ten czar, poprosił, żebym dał mu słowo, że nie będziemy na niego czekali.
- Ależ nie możemy...
- To była jego ostatnia prośba. Módl się, żebyśmy nie musieli dokonywać takiego wyboru.

Za ich plecami Moira została z Cianem.

- Walcz dzielnie - powiedziała - i żyj kolejnych tysiąc lat.
- Moje najszczersze życzenie. - Próbował ukryć kłamstwo, ujmując jej dłonie i przyciskając do ust. - Walcz dzielnie, ma chroi, i żyj.

Zanim zdążyła odpowiedzieć, wskoczył na konia i pogalopował przed siebie.

Blair wykrzykiwała rozkazy z powietrza, przeczesując wzrokiem ziemię w oczekiwaniu na to, co miało nadejść wraz z nocą. Słońce schowało się za horyzont, pogrążając ziemię w ciemności, i nagle dolina eksplodowała. Wampiry wylewały się spod ziemi, ze skał, z rozpadlin, w ilościach zbyt wielkich, by dało się je policzyć.

- Show time - wyszeptała Blair do siebie, skręcając na południe nad deszczem strzał Moiry i jej łuczników. - Zatrzymaj ich, jeszcze nie. - Zerknęła na wznoszące okrzyki wojenne oddziały Nialla i wiedziała, że czekają tylko na sygnał.

Jeszcze chwila, jeszcze troszeczkę, pomyślała, gdy wampiry zalewały dolinę pod deszczem strzał.

Wypuściła ogień z miecza i zanurkowała. Ludzie ruszyli do ataku, a ona pociągnęła za sznurek przy uprzęży i upuściła pierwszą bombę.

Wybuchł ogień, wystrzeliły płonące odłamki, rozległy się wrzaski uwięzionych w potrzasku wampirów. Jednak wciąż wypełzały spod ziemi, wystawiając nowe szeregi przeciwko geallijskiej armii.

Cian, uwolniony od peleryny, siedział na koniu, unosząc miecz, by powstrzymać ludzi za swoimi plecami. Bomby wybuchały ogniem, paląc wroga i ziemię, ale demony wciąż nadchodziły, skradały się i ślizgały, pełzały i skakały. Z okrzykiem wojennym Cian przeciął powietrze mieczem i powiódł oddziały wprost w morze ognia.

Błyskając podkowami i tnąc żelazem, wybił dziurę w pierwszych szeregach wroga. Zamknęły się za nim, otaczając go i jego ludzi.

Wrzask zalał ich ogłuszającą falą.

Na pochyłym płaskowyżu Moira złapała berdysz. Serce podeszło jej do gardła, gdy zobaczyła, jak wampiry przerywają szeregi jej armii na wschodzie. Ruszyła do ataku w tym samym momencie co Hoyt tak, że wpadli ze swymi żołnierzami w powódź żelaza i kołków, osaczając wroga z obu stron.

Ponad wrzaskami, brzękiem metalu i ogniem rozległo się trąbienie smoków. Lilith posłała następne oddziały do walki.

- Strzały! - krzyknęła Moira, gdy opróżniła swój kołczan i ktoś rzucił jej pod stopy drugi, pełny.

Naciągała cięciwę i puszczała, naciągała i puszczała, aż powietrze stało się tak gęste od dymu, że łuk zrobił się bezużyteczny.

Uniosła płonący miecz i rzuciła się ze swymi oddziałami w sam środek szarej mgły.

To, co wydobyło się ze smrodu i dymu, było gorsze niż wszystko, czego się bała, co widziała w zesłanych przez bogów wizjach. Krwawa miazga ciał kobiet i mężczyzn, popiół unicestwionych potworów pokrywały kamienistą ziemię niczym cuchnący śnieg. Krew, tryskająca jak wodospad, malowała na czerwono pożółkłą trawę. Wrzaski ludzi i wampirów odbijały się echem w ciemności pod bladym księżycem.

Zablokowała cios miecza, a jej ciało poruszało się z instynktem nabytym podczas długich godzin ćwiczeń, gdy obracała się i uchylała, zatrzymując następne ciosy. Podskoczyła, czując pod stopami wiatr rozpędzonego miecza, i z wrzaskiem podcięła przeciwnikowi gardło.

Przez mgłę widziała, jak smok Blair, z bokiem przebitym strzałą, opada spiralami w dolinę. Ziemia była usłana kołkami, więc chwyciła jeden, rzuciła się przed siebie i wbiła go w plecy wampira, który zaatakował Blair.

– Dzięki. Unik. – Blair odepchnęła Moirę na bok i odcięła uzbrojone w miecz ramię drugiego napastnika. – Larkin.

– Nie wiem. Jest ich coraz więcej.

– Pamiętaj o swojej reklamie przed przedstawieniem. – Blair podskoczyła, kopnęła, po czym przebiła następnego wampira kołkiem.

I już zniknęła za zasłoną dymu, a Moira znowu sama walczyła o życie.

Blair wyrąbywała sobie drogę przez szeregi wroga, które zamykały się wokół niej. Walczyła mieczem, kołkiem, żeby utrzymać się na powierzchni. I nagle była zupełnie mokra. Napastnicy wrzeszczeli pod prysznicem święconej wody, a Larkin na smoku wynurzył się z dymu, złapał ją za rękę i posadził sobie za plecami.

– Dobra robota – pochwaliła go. – Podrzuć mnie tam, na tę wielką, płaską skałę.

– To ty mnie podrzuć. Teraz moja kolej na zabawę tam, na dole. Nie ma już wody, ale zostały dwie bomby. Teraz atakują mocno z południa.

– Już ja im dopiekę.

Zeskoczył, a Blair uniosła się w powietrze.

Hoyt przeczesywał pole bitwy wzrokiem i za pomocą magii. Czuł dotyk ciemnej mocy Midira, ale wokół było tyle czerni i tyle zimna, że nie był pewien, z której strony nadchodzi.

Wtedy zobaczył Glennę, wspinającą się na skałę, na której stał Midir niczym czarny kruk. Przerażony Hoyt patrzył, jak spomiędzy kamieni wyłania się dłoń i chwyta Glennę za nogę. W głowie słyszał jej krzyk, gdy kopała i chwyciła się ziemi, by dłoń nie wciągnęła jej w otchłań. Wiedział, że jest za daleko, ale rzucił się w morze mieczy i biegł nawet wtedy, gdy szarpiąca Glennę dłoń stanęła w ogniu, który wystrzelił z koniuszków palców.

Midir wyczuł jego moc i cisnął czarną jak smoła błyskawicę, która wyrzuciła Glennę w powietrze.

Oszalały ze strachu Hoyt walczył jak lew, ignorując ciosy i rany, torował sobie drogę do żony. Widział krew na jej twarzy, gdy odpowiedziała na błyskawicę Midira białym ogniem.

* * *

Kołek minął serce Ciana o skrzydło motyla, ból podciął mu kolana. Upadając, wyrzucił miecz w górę, przecinając napastnika na pół. Zdążył przetoczyć się na bok, zanim ktoś wbił lancę w kamienistą ziemię, gdzie przed chwilą leżał. Złapał ją, i pchnął, przebijając kolejne serce. Wyskoczył w górę i kopnięciem posłał przeciwnika na jeden z drewnianych pali, które Geallijczycy powbijali w ziemię.

Za zasłoną dymu unoszącego się z bomb, w deszczu strzał, zobaczył Blair. Wybił się w powietrze, złapał za uprząż smoka i wskoczył na niego, na sekundę przedtem, nim zrzuciła kolejną bombę.

– Nie widziałam cię! – zawołała.

– Zauważyłem. Moira?

– Nie wiem. Przejmij stery, ja wracam na dół.

Zeskoczyła na płaską skałę. Cian widział, jak wirowała, miotając kołkami z obu rąk, zanim zniknęła w dymie. Zawrócił smoka, wycelował miecz i posłał po nim język ognia. Ziemia wciąż go przyciągała, odurzający zapach strachu i krwi budził w nim głód równie śmiertelny jak naostrzony kołek.

Wtedy zobaczył Glennę wspinającą się z trudem po stromej skale, a za nią trzech napastników. Jej berdysz płonął, ale za każdym razem, gdy zabiła wroga, następny podpełzał w jej stronę.

A gdy zobaczył na szczycie skały czarną postać, zrozumiał, dlaczego tyle wampirów chce dopaść jedną kobietę.

Moc Kręgu pokonała głód, gdy Cian przeciął powietrze, by ocalić żonę brata.

Jedno machnięcie smoczego ogona zrzuciło trzy demony ze skały, prosto na zaostrzone pale i w kałuże święconej wody. Mieczem zabił jeszcze dwa, podczas gdy Glenna płonącym ostrzem obracała kolejne potwory w proch.

– Podwieźć cię? – Zapikował, objął ją w talii ramieniem i posadził na smoku.

– Midir. Sukinsyn.

Rozumiejąc, o co jej chodzi, Cian wzbił się w powietrze, ale gdy próbował zaatakować czarnoksiężnika, smoczy ogon odskoczył, jakby uderzył o skałę.

– Osłonił się. Tchórz. – Glenna oddychała szybko, urywanie, przesuwając wzrokiem po ziemi w poszukiwaniu Hoyta. I poczuła, jak ucisk w jej sercu zelżał, kiedy zobaczyła go walczącego na zboczu.

– Podrzuć mnie na grań i pędź.

– Już lecę.

– Tak trzeba, Cian. To magia przeciwko magii, dlatego tutaj jestem. Znajdź pozostałych, przygotujcie się. Bo na wszystkich bogów i boginie, zrobimy to.

– Dobrze, Ruda. Ja stawiam na ciebie.

Podfrunął nad skałę i poczekał, aż zsiadła. I zostawił ją twarzą w twarz z czarnoksiężnikiem.

– A więc ruda czarownica przyszła tu po śmierć.
– Na pewno nie przyszłam dla towarzystwa.

Uniosła rękę i przecięła powietrze berdyszem. Po rozszerzonych źrenicach Midira widziała, że ten ruch go zaskoczył. Płonące ostrze przecięło osłonę, ale nie dosięgło celu. Glenna poleciała do tyłu, w powietrze, po czym rąbnęła ciężko o ziemię.

Pomimo że sięgnęła po własną moc, palący żar jego czarnej błyskawicy poparzył jej dłonie. Wyciągnęła je i z trudem podniosła się na nogi.

– Nie możecie wygrać – stwierdził Midir, a ciemność lśniła wokół jego postaci. – Widziałem koniec i waszą śmierć.

– Widziałeś to, co chciał ci pokazać diabeł, któremu się sprzedałeś. – Cisnęła wiązkę płomieni i mimo że zmienił ich kierunek ruchem nadgarstka, Glenna wiedziała, że oparzyła go tak samo jak on ją. – Koniec będzie zależał od nas.

Z twarzą wykrzywioną wściekłością sprowadził ostry wiatr, który ciął jej skórę jak noże.

Trzymali się, pomyślała Blair. Wierzyła, że się trzymali, ale na każdym metrze ziemi, który zdobywali Geallijczycy, roiło się od wampirów.

Przestała już liczyć, ile zabiła. Co najmniej tuzin mieczem i kołkiem i przynajmniej drugie tyle z powietrza. I wciąż było za mało. Surową ziemię zaścielały ciała i nawet jej zaczynało brakować sił.

Muszą wyciągnąć królika z cylindra, pomyślała i wrzasnęła, zabijając potwora, który przykucnął, żeby nakarmić się krwią nieboszczyków.

Wirując, tnąc dookoła, zobaczyła Glennę i Midira na wysokiej grani i starcie białego ognia z czarnym.

Wyrwała kopię z martwej dłoni i cisnęła nią jak oszczepem. Ostry koniec przebił dwa wampiry walczące plecami do siebie, drewno przeszyło serca.

Coś skoczyło na nią z góry. Wyczuła atak na granicy zmysłów i instynkt kazał jej wybić się wysoko. Lądując, ciachnęła mieczem i skrzyżowała ostrze z Lorą.

– Tutaj jesteś. – Lora przesunęła ostrze w dół, aż utworzyło z mieczem Blair literę V. – Szukałam cię.

– Byłam w okolicy. Masz coś na twarzy. Och! Kurczę, czyżby to była blizna? Czy ja to zrobiłam? Nieładnie z mojej strony.

– Wkrótce ja zjem twoją twarz.

– Wiesz, że to tylko pobożne życzenia, prawda? Do tego wyglądasz odrażająco. Wystarczy już pogaduszek?

– Bardziej niż wystarczy.

Miecze zaśpiewały, gdy się rozdzieliły. Potem muzyka wzrosła w crescendo, ostrze dźwięczało o ostrze.

Po chwili Blair zrozumiała, że spotkała najlepszego przeciwnika w całej swej karierze. Lora, ubrana w obcisłą czarną skórę, może i wyglądała jak domina z filmu klasy B, ale ta francuska suka potrafiła walczyć.

I przyjąć cios, pomyślała, gdy wreszcie udało jej się walnąć wampirzycę pięścią w twarz. Blair poczuła, że palą ją kłykcie, w miejscu, gdzie kły przecięły jej skórę.

Skoczyła na poszarpaną skałę i chciała zaatakować w dół, ale pchnęła mieczem powietrze, kiedy Lora uniosła się nad ziemię, jakby miała skrzydła. Miecz Lory świsnął przy twarzy Blair, rozcinając jej policzek.

– Och, czy zostanie ci po tym blizna? – Lora wylądowała na skale. – Nieładnie z mojej strony.

– Zagoi się. Po tobie nic nie zostanie.

Za pierwszą krew pragnęła krwi, więc rozcięła ramię Lory i posłała po mieczu strumień ognia.

Ale miecz Lory poczerniał tylko od płomienia i odtrącił ostrze na bok. Ogień wystrzelił i zgasł.

– Hej, dlaczego wszyscy wasi żołnierze nie mają takich mieczy jak ty?

– Blair znów wybiła się w górę, kopiąc Lorę, ale wampirzyca także poszybowała w powietrze, tnąc mieczem.

Blair uniosła swój, żeby zablokować cios, i nie zauważyła sztyletu, który wystrzelił z drugiej ręki Lory. Potknęła się z szoku i bólu, gdy ostrze przeszyło jej bok.

– Popatrz tylko na tę krew. Jak z ciebie tryska. Mniam. – Lora roześmiała się perliście, gdy Blair opadła na kolana. Jej oczy zalśniły czerwienią i uniosła miecz, by zadać śmiertelny cios.

Złoty wilk zaatakował z dzikim skowytem. Pazury i kły zabłysły, gdy skoczył nad wzniesionym mieczem, lecz kiedy szykował się do skoku na gardło Lory, Blair zaklęła.

– Nie! Ona należy do mnie. Dałeś mi słowo. – Oddech miała świszczący, wciąż klęczała ze sztyletem wbitym w bok. – Idź sobie, wilczku. Idź do diabła.

Wilk zamienił się w człowieka i Larkin odstąpił krok do tyłu.

– W takim razie bierz się do roboty – warknął. – I przestań się bawić.

– Pod pantofelkiem kociaka, co? – Lora krążyła wokół nich, by mieć oboje na oku – krwawiącą kobietę i nieuzbrojonego mężczyznę. – Ale ma rację, naprawdę powinnyśmy przestać się bawić. Mam mnóstwo spraw do załatwienia.

Opuściła miecz, a Blair uniosła swój. Mięśnie w jej ramieniu zawyły z wysiłku, a z boku polała się krew.

– Nie jestem kociakiem – sapnęła. – A on nie jest pod pantoflem. Za to ty jesteś skończona.

Wyrwała sztylet ze swego boku i wbiła aż po zakrwawioną rękojeść w brzuch Lory.

– Boli, ale to tylko żelazo.

– To także. – Zebrawszy resztki sił, Blair odepchnęła miecz Lory i wbiła własny w jej pierś.

– Teraz zaczynasz mnie wkurzać. – Lora opuściła miecz. – I kto tu jest skończony?

– Ty – powtórzyła Blair, gdy miecz, z ostrzem wciąż zatopionym w piersi Lory, stanął w płomieniach.

Płonąc i wrzeszcząc, wampirzyca zaczęła osuwać się ze skały. Blair wyrwała miecz, zamachnęła się i odcięła płonącą głowę.

– Cholernie dobra robota. – Potknęła się, zachwiała i byłaby upadła, gdyby Larkin nie skoczył, żeby ją podtrzymać.

– Jak bardzo cię zraniła? Jak bardzo? – Przycisnął dłoń do krwawiącej rany.

– Ostrze chyba przeszło na wylot i nie uszkodziło żadnych organów wewnętrznych. Szybki plasterek, żeby przestało krwawić, a potem wracam do gry.

– Zobaczymy. Wskakuj.

Przemienił się w smoka, a Blair wpełzła na jego grzbiet. Gdy lecieli, zobaczyła Glennę, pojedynkującą się na grani z Midirem. I widziała, jak przyjaciółka upadła.

– Och, Boże, dostała. Trafił ją. Jak szybko możesz się tam dostać?

W głowie smoka Larkin odpowiedział: nie tak szybko, jak trzeba.

Glenna poczuła w ustach smak krwi. Jeszcze więcej sączyło się z dziesiątek płytkich ran na jej ciele. Wiedziała, że ona też go zraniła, osłabiła jego tarczę, ciało, nawet moc.

Ale czuła, jak jej własna magia wycieka razem z krwią.

Zrobiła wszystko, co mogła, lecz to nie wystarczyło.

– Twój ogień słabnie. Został już tylko żar. – Midir podszedł bliżej do miejsca, gdzie leżała na wypalonej i zakrwawionej ziemi. – Ale może zadam sobie trud i zabiorę ze sobą tę marną resztkę, która została z twojego życia.

– Stanę ci kością w gardle. – Z trudem chwytała powietrze. On krwawi, pomyślała. Zrosiła ziemię jego krwią. – Przysięgam.

– Połknę cię na raz. W końcu masz takie małe serce. Widzisz tam, na dole? To, co ja pomagałem stworzyć, obłazi was jak szarańcza. Tak, jak zostało przepowiedziane. A gdy wy będziecie ginąć, jeden po drugim, moja moc będzie wzrastać. Teraz nic jej nie powstrzyma.

– Ja to zrobię. – Zakrwawiony i poobijany Hoyt przeskoczył przez krawędź grani.

– Oto mój mężczyzna – powiedziała z trudem Glenna, zaciskając zęby z bólu. – Hoyt, zmiękczyłam go dla ciebie.

– O, jeszcze jedna przekąska. – Midir okręcił się i wystrzelił czarną błyskawicę, która zaskwierczała i wyplula krwawe płomienie, gdy uderzyła o oślepiającą biel Hoyta. Siła starcia odrzuciła do tyłu obu, rozrywając powietrze między nimi. Glenna odturlała się od płonącej linii i wsparła na kolanach i łokciach.

Zebrała wszystko, co miała, i posłała Hoytowi. Zaciskając drżące palce na krzyżu na szyi, przelała w niego całą moc i w identyczny krzyż wiszący na szyi Hoyta.

Zaczęła śpiewać zaklęcia, a czarnoksiężnicy – czarny i biały – walczyli na zasnutej mgłą grani i w brudnym powietrzu ponad nią.

Ogień, który uderzył Hoyta, był zimny jak lód, miał odebrać mu moc, szarpał go i ranił, a powietrze błyskało i huczało od magii, zatapiając księżyc w gęstym dymie. Ziemia drżała pod stopami Hoyta, pękając od ogromnego nacisku.

Każdy oddech rozsadzał mu płuca, serce waliło jak młotem, ale nie zwracał uwagi na te dolegliwości ciała, ignorował bolące rany i pot, który zalewał je solą. Teraz był mocą. Odpłacał im za tę chwilę na początku podróży, gdy przez sekundę wahał się na granicy dobra i zła. Teraz, na tej grani, przekroczył odwagę człowieka, poświęcenie i wściekłość i stał się białym płomieniem mocy.

Krzyż, który miał na szyi, rozbłysnął srebrem, kiedy Glenna przelała w niego swoją magię. Hoyt jedną dłonią sięgnął po jej dłoń, splótł mocno palce z jej palcami, pomagając jej wstać, a drugą uniósł miecz płonący śnieżnobiałym ogniem.

– To my zakończymy twoje istnienie – powiedział Hoyt i wystrzelił piorun z miecza. – My, którzy stoimy tu w obronie czystości magii, serca ludzkości. To my cię pokonamy, zniszczymy, poślemy cię w ogień na wieczne potępienie.

– Bądźcie przeklęci! – krzyknął Midir i unosząc obie dłonie, cisnął dwa bliźniacze pioruny. Strach odbił się na jego twarzy, gdy Glenna machnęła ręką i zamieniła oba w popiół.

– Nie. To ty bądź przeklęty. – Hoyt opuścił miecz. Z ostrza wyskoczył biały płomień i wbił się w serce przeciwnika niczym żelazo.

Ziemia stała się czarna w miejscu, gdzie upadł i skonał Midir.

Na górę, pomyślała Moira. Musi wrócić na górę i przegrupować łuczników. Słyszała krzyki ostrzegające, że ich front znów został przerwany na północy. Płonące strzały odepchną wroga, dadzą żołnierzom czas na zwarcie szyków. Szukała w chaosie konia lub smoka, żeby zabrał ją tam, gdzie – jak wiedziała – była najbardziej potrzebna.

Uniosła wzrok i zobaczyła Hoyta i Glennę, skąpanych w lśniącej poświacie, w pojedynku z Midirem. W przypływie nadziei pobiegła przed siebie. Ziemia wydawała się chwytać ją za stopy, ale Moira odpierała mieczem ataki wroga. Rana, którą odniosła, spowalniała jej ruchy i gdy już miała uderzyć, Riddock zabił wampira od tyłu.

Z diabolicznym uśmiechem ruszył z grupką żołnierzy na przerwany odcinek frontu. Żyje, pomyślała. Jej wuj żyje. Chciała pobiec za nim, lecz ziemia usunęła jej się spod stóp.

Podniosła się i popatrzyła wprost w martwe oczy Isleen.

– Nie. Nie. Nie.

Isleen miała rozerwane gardło, rzemyk, na którym nosiła krzyż, był porwany i zakrwawiony. Moirę ogarnęła taka rozpacz, taki ból, że wzięła ciało w ramiona.

Wciąż ciepłe, pomyślała, kołysząc je jak dziecko. Wciąż ciepłe. Gdyby była szybsza, może ocaliłaby jej życie.

– Isleen. Isleen.

– Isleen. Isleen. – Lilith sparodiowała szyderczo jej głos, wyłaniając się z dymu.

Na bitwę ubrała się w czerwień i srebro, na głowie miała diadem podobny do tego, który nosiła królowa Geallii. Jej miecz kapał od krwi aż po wysadzaną kamieniami rękojeść. Na jej widok Moira poczuła taką wściekłość i strach, że zerwała się na równe nogi.

– Popatrz tylko na siebie. – Wdzięk i zwinność, z jaką Lilith machnęła mieczem, ostrzegł Moirę, że królowa wampirów zna dobrze sztukę walki. – Mała i nieważna, pokryta błotem i zalana łzami. Jestem zdumiona, że spędziłam tak wiele czasu, planując twoją śmierć, skoro to takie proste.

– Nie wygrasz. – Królowa z królową, pomyślała Moira, blokując pierwszy próbny cios Lilith. Życie przeciwko śmierci. – Spychamy was. Nigdy nie ustąpimy.

– Och, proszę. – Lilith machnęła lekceważąco dłonią. – Twoje szeregi kruszą się jak glina, a ja mam w rezerwie jeszcze dwustu żołnierzy. Ale to sprawa pomiędzy tobą i mną.

Nawet nie mrugnąwszy okiem, Lilith wyciągnęła rękę i złapała za gardło mężczyznę, który ją zaatakował. I skręciła mu kark. Rzuciła go niedbale na ziemię, nie przestając krzyżować miecza z płonącym ostrzem Moiry.

– Midir czasem się przydaje – powiedziała, gdy ogień zgasł. – Nie chcę się z tobą śpieszyć, ty ludzka dziwko. Zabiłaś mojego Daveya.

– Nie, to ty go zabiłaś. I mam nadzieję, że niewinne dziecko teraz cię przeklina, kiedy zniszczyłam to, co z niego zrobiłaś.

Lilith wysunęła dłoń, szybką jak kły węża, i przeorała szponami policzek Moiry.

– Tysiące ran. – Oblizała zakrwawione palce. – Tyle ci ich zadam. Tysiące ran, podczas gdy moja armia będzie wyjadała ci brzuch.

– Więcej jej nie dotkniesz. – Cian jechał na swym wierzchowcu tak wolno, jakby czas się zatrzymał. – Nigdy więcej jej nie dotkniesz.

– Przyszedłeś uratować swoją dziwkę? – Lilith wyciągnęła zza paska złoty kołek. – Polerowane drewno. Kazałam zrobić go dla ciebie, bo ja położę ci kres, tak jak cię stworzyłam. Powiedz mi, czy ta cała krew cię nie podnieca? Kałuże ciepłej krwi, jeszcze nieostygłe ciała czekające, by ktoś je wyssał. Wiem, że to, co jest w tobie, pragnie tego smaku. Ja cię takim stworzyłam i znam cię tak samo, jak znam siebie.

– Nigdy mnie nie znałaś. Odejdź – rozkazał Moirze.

– Tak, biegnij sobie. Znajdę cię później.

Podfrunęła do Ciana, po czym odskoczyła na odległość ostrza, żeby machnąć mieczem znad głowy. Gdy uderzyła, ostrze natrafiło jedynie na powietrze, bo on odskoczył, o milimetry mijając obcasami podkutych butów jej twarz.

Poruszali się z tak niewiarygodną prędkością, że Moira widziała jedynie plamy i słyszała brzęk mieczy przypominający srebrny grzmot. Wiedziała, że to będzie jego pojedynek, jedyny, jaki mógł stoczyć. Ale nie zamierzała go opuszczać.

Wskoczyła na konia i poprowadziła Vlada po śliskim od krwi zboczu, aż stanęła nad ich głowami. Tam wystrzeliła płomień z miecza, żeby odepchnąć żołnierzy Lilith, którzy próbowali dostać się do królowej. Moira przysięgła sobie, że ona i miecz Geallii będą bronić ukochanego aż do końca.

Cian wiedział, że Lilith umie walczyć, w końcu miała całe wieki, żeby nauczyć się tej sztuki, tak samo jak on. Jej siła i prędkość były równie imponujące jak jego. Być może większe. Blokowała, odpychała go, unikała siły jego ataku.

Wiedział, że ta ziemia wciąż należała do niej. Tą doliną władała ciemność, a Lilith karmiła się nią tak, jak on się nie ważył. Czerpała siłę z wrzasków, rozbrzmiewających w powietrzu, i z krwi, która zalewała ziemię niczym deszcz.

Toczył pojedynek z nią i z samym sobą, z tym, co próbowało się uwolnić i upajać tym, czym był. Czym ona go zrobiła. Wykorzystując przewagę, odtrąciła jego ostrze i w ułamku sekundy, gdy był odsłonięty, wbiła mu kołek w serce.

Uderzyła z siłą, która odrzuciła go do tyłu. Ale jej krzyk triumfu ucichł, a Cian nadal stał, cały i zdrowy.

– Jak? – zapytała tylko, patrząc na niego z osłupieniem.

Poczuł pieczęć medalionu Moiry na sercu i słodki ból.

– Magia, której ty nigdy nie poznasz. – Machnął mieczem, rozcinając jej bliznę w kształcie pentagramu. Krew, która wypłynęła z rany, była czarna i gęsta jak smoła.

Ból i wściekłość obudziły w niej demona, zabarwiły czerwienią oczy. Wrzasnęła, nacierając na niego z nową, nieposkromioną siłą. Zamachnął się jeszcze raz i znów ją zranił, rozszalały tak jak ona, a medalion na jego piersi zdawał się bić niczym serce.

Rozdarła mu ostrzem ramię, wytrącając broń z ręki.

– Najpierw ty! Potem twoja dziwka!

Gdy zaatakowała, Cian chwycił ją zakrwawioną ręką za nadgarstek. Lilith uśmiechnęła się do niego.

– Może być w ten sposób. Tak będzie bardziej poetycko.

Obnażyła kły, gotowa zatopić je w jego gardle. A wtedy wbił w jej serce kołek, który zrobiła dla niego.

– Powiedziałbym, żebyś poszła do diabła, ale nawet tam cię nie przyjmą.

Otworzyła szeroko oczy, które stały się błękitne. Cian poczuł, jak jej ręka rozpływa się pod jego palcami, a mimo to te oczy patrzyły nań jeszcze przez chwilę.

A potem u jego stóp leżał jedynie popiół.

– Zabiłem cię – powiedział – tak jak ty zabiłaś mnie wieki temu. To jest czysta poezja.

Ziemia pod jego stopami zaczęła drżeć. A więc nadchodzi, pomyślał.

Czarny koń zeskoczył ze skały, wzniecając tumany popiołu.

– Zrobiłeś to. – Moira zeskoczyła z siodła wprost w ramiona Ciana. – Pokonałeś ją. Wygrałeś.

– To mnie uratowało. – Wyciągnął medalion i pokazał jej głębokie wgniecenie w srebrze. – Ty mnie ocaliłaś.

– Cian. – Skała za ich plecami pękła jak skorupka jajka i Moira odsunęła się od niego blada niczym śmierć. – Szybko. Uciekaj. Pośpiesz się. Jej krew, jej kres, to już koniec. Zaczęli czar.

– To ty ją zwyciężyłaś, ty wygrałaś. Pamiętaj o tym. – Złapał ją w ramiona, przycisnął wargi do jej ust, po czym wskoczył na konia i zniknął.

Wszystko wokół Moiry pogrążyło się w chaosie. Krzyki i wrzaski we mgle, jęki rannych, uciekający wróg.

Przez to wszystko przebił się złoty smok z Blair na grzbiecie. Ziemia rozstępowała się pod jej stopami, gdy Moira uniosła ramiona, żeby Larkin mógł chwycić ją pazurami. Leciała nad drżącą ziemią ku wysokiej skale.

Na górze Hoyt schwycił ją za rękę.

– Teraz.

– Cian. Nie mamy pewności...

– Dałem mu słowo. Musimy zrobić to teraz. – Uniósł ich połączone dłonie i razem wznieśli twarze, głosy, ku niebu.

– W tym miejscu niegdyś przeklętym wzywamy moc i władamy nią w tę noc. Na tej ziemi krwi spływały obfitości, nasza dla światła, ich dla ciemności. Czarna magia i demon zabite naszą ręką i my przejmiemy tę ziemię przeklętą. Teraz wzywamy po wszystkich naszych czynach, niech słońce tutaj wstanie w nocnych godzinach. Niech jego blask wroga zabije, niech na tej ziemi światło odżyje.

Ziemia drżała, wiatr dął jak oszalały.

– Wzywamy słońce! – krzyknął Hoyt. – Wzywamy światło!

– Wzywamy świt! – przyłączyła się do niego Glenna, a moc stała się jeszcze potężniejsza, gdy Moira chwyciła jej dłoń. – Wypal się, nocy!

– Powstań na wschodzie – śpiewała Moira, patrząc przez dym, który otoczył ich, gdy Larkin i Blair dołączyli się do kręgu. – Rozsnuj się na zachód!

– Nadchodzi! – krzyknęła Blair. – Patrzcie, patrzcie na wschód!

Nad cieniem gór niebo zajaśniało, a światło rosło i rosło, aż zrobiło się widno jak w dzień.

Pod nimi uciekające wampiry wypaliły się do cna.

Na kamienistej poranionej ziemi rozkwitły kwiaty.

– Widzieliście to? – Larkin ścisnął dłoń Moiry, głos miał przejęty, pełen czci. – Trawa robi się zielona.

Moira widziała, jak słodkie białe i żółte kwiaty rozpostarły się na dywanie z trawy. Teraz ciała umarłych leżały na łące w dolinie pełnej bujnej zieleni, skąpanej w słońcu.

Ale nigdzie nie widziała Ciana.

21

Pomimo wygranej bitwy wciąż mieli pełne ręce roboty. Moira z Glenną zajmowały się rannymi, Blair i Larkin zebrali grupę i ruszyli na poszukiwanie wampirów, które mogły schronić się gdzieś przed słońcem i ocaleć, a Hoyt pomagał w transporcie lżej rannych do bazy.

Moira po raz kolejny zmyła krew z dłoni i wyprostowała się. Zauważyła Cearę, snującą się jak w transie, i podbiegła do niej.

– Chodź, chodź, jesteś ranna. – Moira przycisnęła dłoń do rany na ramieniu dwórki. – Pozwól, opatrzę cię.

– Mój mąż. – Jej wzrok wędrował od posłania do posłania, nawet gdy ciężko wsparła się o Moirę. – Eogan. Nie mogę znaleźć mojego męża. On jest...

– Tutaj. Jest tutaj. Zaprowadzę cię do niego. Pytał o ciebie.

– Ranny? – Ceara zachwiała się. – Jest...

– Nie śmiertelnie. Przysięgam ci. A gdy cię zobaczy, poczuje się jeszcze lepiej. Tam, tam dalej, widzisz? On...

Moira urwała, bo Ceara krzyknęła i, potykając się, pobiegła przed siebie, po czym opadła na kolana obok leżącego na trawie męża.

– Ten widok jest jak balsam na serce.

Odwróciła się i uśmiechnęła do wuja. Riddock, z obandażowaną ręką i nogą, siedział na skrzyni.

– Chciałabym, żeby wszyscy kochankowie mogli się odnaleźć tak jak oni. Ale... straciliśmy tak wielu. Ponad trzystu jest rannych i ta liczba wciąż wzrasta.

– A ilu przeżyło, Moiro? – Widział rany na jej ciele, a w oczach te, które zostały zadane jej duszy. – Uczcij umarłych, ale ciesz się z żyjącymi.

– Będę. Będę. – Przesunęła wzrokiem po rannych, ale lękała się tylko o jednego. – Masz wystarczająco dużo siły na podróż do domu?

– Pojadę ostatni. Zabiorę do domu naszych zmarłych, Moiro. Zostaw to mnie.

Skinęła głową, uścisnęła wuja i wróciła do swoich obowiązków. Pomagała jednemu z żołnierzy napić się wody, gdy Ceara odnalazła ją po raz drugi.

– Jego noga, noga Eogana... Glenna mówi, że jej nie straci, ale...

– W takim razie nie straci. Nie okłamywałaby ani ciebie, ani jego.

Ceara wzięła głęboki oddech i pokiwała głową.

– Mogę pomóc, chcę pomóc. – Dotknęła bandażu na ramieniu. – Glenna się mną zajęła i powiedziała, że nic mi nie będzie. Widziałam Dervil. Wyszła prawie bez szwanku, ma tylko siniaki i zadrapania.

– Wiem.

– Widziałam twojego kuzyna Orana i powiedział, że Phelan, mąż Sinann, pojechał już do zamku. Nie znalazłam jeszcze Isleen. Widziałaś ją? Moira ułożyła delikatnie głowę rannego żołnierza i wstała.

– Ona nie przeżyła.

– Nie, pani, musiała przeżyć. Po prostu jej nie widziałaś. – Po raz kolejny Ceara przeszukała wzrokiem posłania rozłożone na całym szerokim polu. – Jest ich tak wielu.

– Widziałam ją. Zginęła w walce.

– Nie. Och, nie. – Ceara ukryła twarz w dłoniach. – Powiem Dervil. – Łzy spływały jej po twarzy, gdy opuściła ręce. – Ona właśnie próbuje znaleźć Isleen. Powiem jej i razem... Nie mogę tego pojąć, pani. Nie mogę.

– Moira! – Glenna zawołała z drugiego krańca pola. – Jesteś mi tu potrzebna!

– Powiem Dervil – powtórzyła Ceara i odeszła śpiesznie.

Moira pracowała, aż słońce znów zaczęło chylić się ku zachodowi, po czym wyczerpana i chora ze zmartwienia poleciała na Larkinie do obozowiska na farmie, w którym mieli spędzić noc.

On tam będzie, powtarzała sobie. Będzie w domu. Ukryty przed słońcem, pomaga organizować zapasy, transport, opiekę nad rannymi. Oczywiście, że on tam jest.

– Już prawie ciemno – powiedział Larkin, stając obok niej. – I dziś w nocy w Geallii na polowanie wyruszą tylko zwierzęta stworzone przez naturę.

– Nic nie znaleźliście, nie przetrwał ani jeden wampir?

– Popiół, tylko i wyłącznie popiół. Nawet w jaskiniach i głębokim cieniu. Jak gdyby promienie słońca przebiły się przez wszystko i spaliły je bez względu na to, gdzie się ukrywały.

Już i tak blada twarz Moiry zrobiła się szara i Larkin złapał ją za ramię.

– Wiesz, że z nim jest inaczej. Miał pelerynę. Na pewno dotarł do niej na czas. Nie możesz wierzyć, że jakakolwiek magia, która wyszła spod naszej ręki, mogłaby skrzywdzić jednego z naszych.

– Nie, oczywiście, że nie. Masz rację. Po prostu jestem zmęczona, to wszystko.

– Zjedz coś, a potem idź się położyć. – Poprowadził ją do domu.

Hoyt stał z Glenną i Blair. Na widok wyrazu ich twarzy pod Moirą ugięły się kolana.

– Nie żyje.

– Nie. – Hoyt podbiegł i złapał ją za ręce. – Nie, przetrwał.

Łzy, które powstrzymywała od wielu godzin, wytrysnęły z jej oczu i zalały policzki.

– Przysięgasz? Nie umarł. Widziałeś go, rozmawiałeś z nim?

– Przysięgam.

- Usiądź, Moiro, jesteś wyczerpana.

Ale ona pokręciła tylko głową, nie spuszczając oczu z twarzy Hoyta.

- Na górze? Jest na górze? - Zadrżała, gdy zrozumiała wyraz jego oczu.

- Nie - powiedziała powoli. - Nie ma go na górze. Ani w domu, ani w Geallii. On odszedł. Wrócił do siebie.

- Czuł się... A niech to diabli, Moira, tak bardzo mi przykro. Był tak zdeterminowany, uparł się, żeby od razu jechać. Dałem mu swój klucz i poleciał na smoku do Tańca. Powiedział...

Hoyt wziął ze stołu zalakowany list.

- Prosił, żebym ci to oddał.

Patrzyła na list, aż w końcu skinęła głową.

- Dziękuję.

Wszyscy milczeli, gdy wzięła papier i poszła sama na górę.

Zamknęła się w pokoju, który przedtem dzieliła z Cianem, i zapaliła świece. Potem usiadła i przycisnęła list do serca, aż zebrała w sobie wystarczająco dużo sił, by złamać pieczęć.

Moiro,

tak będzie najlepiej. Rozsądna strona Twojej natury to rozumie. Gdybym został, tylko przedłużyłbym ból, a zaznaliśmy go i tak wystarczająco dużo. Zostawiając Cię, dokonuję aktu miłości. Mam nadzieję, że to także rozumiesz.

Mam w głowie tak wiele Twoich obrazów. Jak siedzisz na podłodze w mojej bibliotece, otoczona książkami, zatopiona w nich. Jak śmiejesz się z Kingiem lub Larkinem wtedy, w tych pierwszych tygodniach, gdy tak rzadko śmiałaś się ze mną. Pełna odwagi w walce lub zatopiona w myślach. Nigdy nie widziałaś, jak często Cię obserwuję i jak bardzo pragnę.

Widzę Cię w porannej mgle, gdy wydobywasz z kamienia lśniący miecz, i jak lecisz na smoku, a łuk śpiewa strzałami w Twoich rękach.

Widzę Cię w blasku świec, jak wyciągasz do mnie ramiona, zabierasz mnie do światła, którego nigdy wcześniej nie znałem i nigdy więcej nie zaznam.

Ocaliłaś swój świat i mój, i wszystkie, które istnieją. Miałaś rację, gdy mówiłaś, że przeznaczone nam było się odnaleźć, być ze sobą, żeby wykuć siłę, moc potrzebną do ocalenia tych światów.

Teraz pora się rozstać.

Proszę Cię, żebyś była szczęśliwa, odbudowała swój świat i życie, i cieszyła się nimi. Gdybyś postąpiła inaczej, zniszczyłabyś to, co było między nami. To, co mi dałaś.

Z Tobą w jakiś cudowny sposób znów byłem człowiekiem.

Ten człowiek kochał Cię ponad miarę. To, czym jestem, kochało Cię pomimo wszystko. Kochałem Cię przez wszystkie wieki. Jeśli i Ty mnie kochałaś, zrobisz to, o co proszę.

Żyj dla mnie, Moiro. Choć dzielą nas światy wiem, że zrobisz to i będziesz szczęśliwa.

Cian

Będzie płakać. Ludzkie serce nie potrafiło pomieścić tak bezdennego morza łez. Leżąc na łóżku, na którym kochali się po raz ostatni, przycisnęła list do serca i pozwoliła im płynąć.

Nowy Jork
Osiem tygodni później

Dużo czasu spędzał w ciemności i w towarzystwie butelki whisky. Ktoś, kto miał przed sobą wieczność, mógł spędzić dekadę lub dwie na użalaniu się nad sobą. Może nawet wiek, skoro właśnie porzucił miłość swego cholernego niekończącego się życia.

Oczywiście dojdzie do siebie. Na pewno. Wróci do interesów. Będzie podróżował. Ale najpierw jeszcze trochę popije. Rok czy dwa lata picia do nieprzytomności jeszcze nigdy nie skrzywdziło żadnego nieżywego.

Wiedział, że Moira ma się dobrze, pomaga swoim ludziom odzyskać siły, planuje budowę pomnika w dolinie na wiosnę. Pochowali zmarłych, a ona sama odczytała każde imię – było ich prawie pięćset – na pogrzebie.

Wiedział, bo inni też już wrócili i uszczęśliwiali go szczegółami, o które wcale nie pytał.

Przynajmniej Blair i Larkin pojechali do Chicago i nie będą go zamęczać, żeby z nimi porozmawiał lub się spotkał. Przecież ludzie, którzy spędzili z nim tyle czasu, powinni wiedzieć, że nie był obecnie w towarzyskim nastroju.

Do cholery, on teraz ma zamiar użalać się nad sobą. Zdaniem Ciana, cała gromadka będzie już dawno martwa, zanim skończy.

Nalał sobie whisky. Przynajmniej miał jeszcze tyle klasy, żeby nie pić z butelki.

I jeszcze Hoyt, i Glenna mordowali go, żeby spędził z nimi święta. Boże Narodzenie, do wszystkich diabłów. A co go obchodziły święta? Marzył, żeby wrócili w cholerę do Irlandii, do domu, który im podarował, i zostawili go w spokoju.

Czy w Geallii mają Boże Narodzenie? – pomyślał, przesuwając palcami po wgniecionym medalionie, który dzień i noc nosił na szyi. Nigdy o to nie zapytał – bo niby po co. Pewnie mają jakieś swoje święto z płonącymi polanami i muzyką. To i tak nie miało już dla niego żadnego znaczenia.

Ale ona, Moira, powinna świętować. Rozświetlić zamek tysiącem świec. Rozwiesić ostrokrzew i zaprosić cholernych muzykantów.

Kiedy, do diabła, ten ból zelżeje? Ile oceanów whisky trzeba wypić, żeby go przytępić?

Usłyszał szum windy i popatrzył groźnie na drzwi. Zabronił temu cholernemu portierowi wpuszczać kogokolwiek na górę, prawda? Powinien skręcić temu idiocie kark jak zapałkę.

Ale nieważne, rozmyślał, zamykając drzwi od wewnątrz. To ostateczna linia obrony.

Wjadą na górę, ale nie wejdą do środka.

Ledwo stłumił przekleństwo, gdy drzwi stanęły otworem i zobaczył Glennę wchodzącą w ciemność.

– Och na litość boską. – Głos miała niecierpliwy i sekundę później rozbłysło światło.

Poraziło mu oczy i tym razem jego przekleństwa rozbrzmiały wyraźnie i głośno.

– Spójrz tylko na siebie. – Postawiła duże, elegancko opakowane pudełko, które ze sobą przyniosła. – Siedzisz w ciemności jak...

– Wampir. Idź sobie.

– Śmierdzi tu whisky. – Czując się jak u siebie, poszła do kuchni i zabrała się do parzenia kawy. Włączyła ekspres i wróciła do pokoju, gdzie Cian nawet nie zmienił pozycji.

– Tobie także wesołych świąt. – Przechyliła głowę. – Musisz się ogolić, ostrzyc... Pewnego dnia, kiedy skończysz już użalać się nad sobą, zapytam, jak sobie z tym radzisz. Golenie – powtórzyła – strzyżenie i, ponieważ nie tylko whisky tu śmierdzi, kąpiel.

Oczy miał wciąż zachmurzone, ale uniósł kąciki ust w ponurym uśmiechu.

– A zrobisz mi ją, Ruda?

– Jeśli będzie trzeba. A może doprowadzisz się do porządku, Cian, i pojedziesz ze mną? Zostało mnóstwo jedzenia ze świątecznego obiadu. Mamy Boże Narodzenie – przypomniała, gdy popatrzył na nią tępo. – Jest prawie dziewiąta wieczorem pierwszego dnia świąt, a ja zostawiłam mojego męża samego w domu, bo Hoyt jest tak samo uparty jak ty i nie wróci tu bez twojego zaproszenia.

– W takim razie coś osiągnąłem. Nie chcę jedzenia. Ani kawy, którą tam robisz. – Uniósł szklankę. – Mam wszystko, czego mi potrzeba.

– Świetnie. Siedź sobie pijany i nieszczęśliwy. Ale może tego także ci potrzeba.

Wzięła pudełko i rzuciła mu na kolana.

– Otwórz.

Patrzył na prezent bez zainteresowania.

– Ale ja nie mam nic dla ciebie.

Ukucnęła obok niego.

– Uznamy, że zrobisz mi prezent, otwierając mój. Proszę. To dla mnie ważne.

– Pójdziesz sobie, jeśli go otworzę?

– Wkrótce.

Żeby ją udobruchać, Cian uniósł pokrywkę pudełka owiniętego srebrnym papierem i przewiązanego fikuśną kokardą. Odsunął warstwę błyszczącej bibułki.

I popatrzył prosto w twarz Moiry.

– Ach, niech cię diabli, niech cię diabli, Glenna. – Ani whisky, ani silna wola nie mogły stłumić uczuć, od których drżał mu głos, kiedy Cian wyjął jej portret. – Jest piękny. Ona jest piękna.

Glenna namalowała Moirę w chwili, gdy wyciągnęła miecz z kamienia. Scena jak ze snu: zielone cienie, srebrna mgła i nowa władczyni stojąca z lśniącym mieczem wycelowanym w niebo.

– Myślałam, miałam nadzieję, że to ci przypomni, jak jej pomogłeś. Nie stałaby tam bez ciebie. Bez ciebie nie byłoby Geallii. Bez ciebie ja nie stałabym tutaj. Żadne z nas nie przetrwałoby bez pozostałych. – Przykryła jego dłoń swoją. – Wciąż stanowimy Krąg, Cian. Zawsze nim będziemy.

– Zrobiłem to, co należało, opuszczając ją. Dobrze postąpiłem.

– Tak. – Ścisnęła jego dłoń. – Dobrze zrobiłeś, dokonałeś ogromnego i czystego aktu miłości. Ale świadomość, że postąpiłeś słusznie, nie ukoi bólu.

– Nic go nie ukoi. Nic.

– Powiedziałabym, że zrobi to czas, ale nie wiem, czy to prawda. – Głos i oczy miała pełne współczucia. – Powiem, że masz rodzinę i przyjaciół, którzy cię kochają i są przy tobie. Są ludzie, Cian, którzy cię kochają, cierpią razem z tobą.

– Nie wiem, jak przyjąć to, co chcesz mi dać, jeszcze nie. Ale to... – Przesunął palcem po ramie. – Dziękuję ci za to.

– Proszę bardzo. Są tam też fotografie. Te, które zrobiłam w Irlandii. Pomyślałam, że chciałbyś je mieć.

Zaczął odsłaniać kolejne warstwy bibułki, po czym cofnął dłoń.

– Potrzebuję chwili...

– Pewnie. Pójdę po kawę.

Gdy został sam, wyjął dużą kopertę, otworzył ją.

W środku był tuzin zdjęć. Jedno Moiry wśród jego książek i przed domem, z Larkinem. Jedno Kinga królującego w kuchni i Blair o skupionym spojrzeniu i lśniącej od potu skórze, unoszącej miecz w bojowej pozycji. Jedno jego samego i Hoyta – nawet nie wiedział, kiedy i jak zostało zrobione.

Przyglądał się uważnie każdej fotografii, a smutek i radość zalewały go na zmianę jak rzeka.

Gdy w końcu podniósł wzrok, zobaczył Glennę opartą o drzwi, z kubkiem kawy w ręce.

– Jestem ci winien więcej niż prezent.

– Nic nie jesteś mi winien. Cian. Na Nowy Rok jedziemy do Geallii. Wszyscy.

– Ja nie mogę.

– Nie – powiedziała po chwili i wyraz zrozumienia w jej oczach niemal rozdarł mu serce. – Wiem, że nie możesz. Ale jeśli chciałbyś przekazać jakąś wiadomość...

– Nie mogę. Zbyt wiele byłoby do powiedzenia, Glenno, i wszystko już zostało powiedziane. Jesteś pewna, że możecie wrócić?

– Tak, mamy klucz Moiry i zapewnienie samej Morrigan. Nie poczekałeś na podziękowania od bogów.

Podeszła i postawiła kubek obok niego na stole.

– Jedziemy dopiero po południu, jeśli zmienisz zdanie. W sylwestra. Jeśli się jednak nie zdecydujesz, Hoyt i ja będziemy potem w Irlandii. Mamy nadzieję, że nas odwiedzisz. Blair i Larkin zatrzymają się w moim mieszkaniu.

– Wampiry Nowego Jorku, strzeżcie się.

– Cholerna racja. – Pochyliła się i pocałowała go w policzek. – Wesołych świąt.

Nie wypił kawy, ale też nie pił już whisky. Zawsze jakiś postęp. Zamiast tego siedział wpatrzony w portret Moiry, a godziny mijały, aż nadeszła północ. Błysk światła poderwał go z fotela. Pod ręką miał butelkę whisky, ścisnął ją w ręce jako broń. Nie był na tyle pijany, by mieć halucynacje, więc uznał, że bogini stojąca w jego mieszkaniu musi być prawdziwa.

– Cóż, ależ mamy święto. Ciekawe, czy ktoś taki jak ty złożył kiedykolwiek wizytę czemuś takiemu jak ja.

– Jesteś jednym z Sześciorga – powiedziała Morrigan.

– Byłem.

– Jesteś. Mimo to znowu się od nich odsuwasz. Powiedz mi, wampirze, dlaczego walczyłeś? Przecież nie dla mnie ani dla mojego gatunku.

– Nie, nie dla bogów. A dlaczego pytasz? – Wzruszył ramionami i teraz napił się z butelki, żeby zamanifestować swój brak szacunku. – Zawsze to jakieś zajęcie.

– Bez sensu, żeby ktoś taki jak ty udawał przed kimś takim jak ja. Wierzyłeś, że postępujesz słusznie, że warto walczyć, a nawet zaryzykować własne życie. Znam twój ród, odkąd pierwszy z was wyczołgał się z krwi. Żaden z nich nie zrobiłby tego, co ty.

– Przysłałaś tu mojego brata, żebym był posłuszny.

Bogini uniosła brew, słysząc jego ton, po czym przechyliła głowę.

– Przysłałam twojego brata, żeby cię odnalazł. Ty sam podjąłeś decyzję. Kochasz tę kobietę. – Wskazała na portret Moiry. – Tego człowieka.

– Myślisz, że my nie możemy kochać? – Głos Ciana był przepełniony bólem i wściekłością. – Myślisz, że nie jesteśmy zdolni do miłości?

– Wiem, że jesteście, a chociaż ta miłość może być głęboka, to wasz egoizm jest jeszcze głębszy. Ale nie w twoim wypadku. – Podeszła do portretu.

– Poprosiła cię, żebyś zamienił ją w to, czym jesteś, ale ty odmówiłeś. Gdybyś zrobił to, o co cię prosiła, mógłbyś ją zatrzymać.

– Jak jakieś słodkie zwierzątko? Zatrzymać ją? Skazałbym ją na potępienie, oto co bym zrobił, zabił ją, zgasił światło, które w sobie nosi.

– Dałbyś jej wieczność.

– Pełną ciemności i pragnienia krwi tego, kim kiedyś sama była. Skazałbym ją na życie, które wcale nie jest życiem. Ona nie wiedziała, o co mnie prosi.

– Wiedziała. Ma tak wielkie serce, bystry umysł i tyle odwagi, a mimo to poprosiła, choć wiedziała, gotowa była oddać ci swoje życie. Dobrze sobie poradziłeś, prawda? Masz bogactwa, obycie, liczne umiejętności. Piękne domy.

– Masz rację. Nie zmarnowałem swojej śmierci. A dlaczego miałbym zmarnować?

– I czerpiesz z tego przyjemność – o ile nie siedzisz w ciemności, użalając się nad tym, co nie może się wydarzyć. Czego nie możesz mieć. Czerpiesz radość z wiecznego życia, swojej młodości, siły i wiedzy.

Cian prychnął, przeklinając bogów.

– Wolałabyś, żebym bił się w piersi za mój los? Bez końca użalał się nad swoim przeznaczeniem? Czy tego żądają bogowie?

– My niczego nie żądamy. Poprosiliśmy, a ty dałeś. Dałeś więcej, niż kiedykolwiek się spodziewaliśmy. Nie byłoby mnie tu, gdyby było inaczej.

– Świetnie. Teraz więc możesz już iść.

– Ani – ciągnęła tym samym spokojnym tonem – nie dałabym ci tego wyboru. Żyj dalej, gromadząc jeszcze większe bogactwa. Wiek za wiekiem, bez przybywających lat, bez chorób, z błogosławieństwem bogów.

– Mam już to wszystko, bez waszego błogosławieństwa.

Jej oczy zabłysły lekko, ale Cian nie wiedział – i nic go to nie obchodziło – czy złością czy humorem.

– Ale ja ci teraz daję prawo wyboru, jedynemu z twojego gatunku. Ty i ja wiemy więcej o śmierci niż jakikolwiek człowiek. I bardziej się jej boimy. Możesz jej uniknąć. Lub możemy ci ją ofiarować.

– Co? Bogowie przebiją mnie kołkiem? – Parsknął śmiechem i pociągnął kolejny długi łyk z butelki. – Spalony boskim ogniem? Oczyszczenie mojej przeklętej duszy?

– Możesz stać się tym, kim byłeś przedtem, i otrzymać życie, które dobiegnie kresu jak wszystkie. Możesz żyć, starzeć się i chorować, a pewnego dnia poznać śmierć jak każdy człowiek.

Butelka wysunęła się z jego palców i uderzyła z hukiem o podłogę.

– Co?

– Taki masz wybór – powiedziała Morrigan, unosząc obie dłonie wnętrzem do góry. – Wieczność z naszym błogosławieństwem lub kilka ludzkich lat. Co wybierasz, wampirze?

* * *

W Geallii spadł cichy śnieg, zasnuwając cienkim woalem ziemię. Lśniły na nim promienie porannego słońca, błyszczały na lodzie okrywającym drzewa.

Moira oddała Sinann jej maleństwo.

– Każdego dnia jest ładniejsza, mogłabym na nią patrzeć całymi godzinami. Ale nasi goście przyjadą po południu, a ja jeszcze nie skończyłam przygotowań.

– Przyprowadziłaś ich do domu. – Sinann głaskała córeczkę. – Wszystkich, których kocham. Tak bym chciała, żebyś i ty mogła mieć obok siebie wszystkich, których kochasz, Moiro.

– Przez kilka tygodni przeżyłam całe życie. – Pocałowała dziecko po raz ostatni i spojrzała zaskoczona na Cearę, która wpadła do komnaty.

– Wasza wysokość. Ktoś jest... na dole, jest ktoś, kto chce się z tobą zobaczyć.

– Kto?

– Ja... Powiedziano mi tylko, że na dole czeka gość, który przybył z daleka, żeby z tobą pomówić.

Moira uniosła brwi, gdy Ceara tak samo szybko wypadła na korytarz.

– Ktokolwiek to jest, wzbudził w niej wielkie emocje. Zobaczymy się później.

Wyszła, wycierając dłonie o spodnie. Sprzątali od wielu dni, przygotowując zamek na sylwestra i wizytę najbardziej oczekiwanych gości. Znowu ich zobaczy, pomyślała, znów będzie z nimi rozmawiać. Patrzeć, jak Larkin śmieje się do najmłodszej siostrzenicy.

Czy przywiozą jakieś wieści o Cianie?

Zacisnęła usta, upominając się, by nie okazywała swojego smutku. Teraz był czas świętowania, radości. Nie zasnuje Geallii żałobnym kirem po tym wszystkim, co zrobili, żeby przetrwać.

Gdy zaczęła schodzić ze schodów, poczuła jakieś drżenie pod skórą. Dreszcz wspiął się w górę kręgosłupa aż do karku, gdzie często całował ją kochanek.

Potem poczuła trzepotanie w sercu i zaczęła biec. Drżące serce łomotało jak oszalałe. A potem niemal wzbiło się w powietrze.

Stało się to, w co nigdy nie wierzyła, że się stanie; oto on tam był, patrzył na nią z dołu schodów.

– Cian. – Radość wybuchła w niej niczym muzyka. – Wróciłeś! – Rzuciłaby się mu w ramiona, ale patrzył na nią z taką intensywnością, tak dziwnie, że nie była pewna, czy może sobie na to pozwolić. – Wróciłeś.

– Zastanawiałem się, co ujrzę na twojej twarzy. Czy możemy pomówić na osobności?

– Oczywiście, tak. My... – Podniecona rozejrzała się dookoła. – Chyba jesteśmy sami. Wszyscy wyszli. – Co ma zrobić z rękami, żeby go nie dotknąć? – Jak wróciłeś? Jak...

– Dziś ostatni dzień starego roku – powiedział, patrząc na nią. – Koniec starego, początek nowego. Chciałem cię zobaczyć na progu tej przemiany.

– Ja też chciałam cię zobaczyć, bez względu na to, gdzie i kiedy. Pozostali przyjadą za kilka godzin. Zostaniesz. Proszę, powiedz, że zostaniesz na uczcie.

– To zależy.

W gardle ją paliło, gdy przełknęła.

– Cian! Wiem, że to, co napisałeś w liście, to prawda, ale było mi tak ciężko ze świadomością, że już cię nie zobaczę. Że naszą ostatnią chwilę spędziliśmy na ziemi skąpanej we krwi. Chciałam... – Łzy napłynęły jej do oczu i niemal przegrała walkę, by je powstrzymać. – Chciałam tylko jedną chwilę więcej. Teraz ją mam.

– Czy wzięłabyś więcej niż chwilę, gdybym mógł ci dać?

– Nie rozumiem. – Uśmiechnęła się i stłumiła łkanie, gdy wyjął spod koszuli medalion, który mu podarowała. – Wciąż go nosisz.

– Tak. Wciąż go noszę. To jeden z moich największych skarbów. Ja nic ci nie zostawiłem. Teraz pytam cię, czy przyjmiesz więcej niż tę chwilę, Moiro? Czy przyjmiesz to? – Uniósł jej dłoń i przycisnął do swego serca.

– Och, bałam się, że nie będziesz chciał mnie dotknąć. – Westchnęła z ulgą. – Cianie, przecież wiesz, musisz wiedzieć...

Jej dłoń pod jego ręką zadrżała, Moira otworzyła szeroko oczy ze zdumienia.

– Twoje serce. Twoje serce bije!

– Kiedyś ci powiedziałem, że gdyby mogło bić, biłoby dla ciebie. I tak jest.

– Czuję puls – wyszeptała. – W jaki sposób?

– Dar bogów na koniec roku. Oddali mi to, co mi kiedyś zabrano. – Wyciągnął srebrny krzyż, który nosił na szyi razem z medalionem. – Stoi przed tobą człowiek, Moiro.

– Człowiek – wyszeptała. – Ty żyjesz!

– To człowiek cię kocha. – Pociągnął ją do drzwi i otworzył je szeroko, aż zalały ich promienie słońca. A ponieważ wciąż było dla niego cudem, uniósł twarz, zamknął oczy i pozwolił, by go pieściło.

Teraz nie mogła już powstrzymać łez, rozdzierającego szlochu.

– Jesteś żywy. Wróciłeś do mnie i żyjesz!

– Stoi przed tobą człowiek – powtórzył. – Ten człowiek cię kocha. Człowiek pyta cię, czy zechcesz dzielić z nim życie, które mu dano. Czy weźmiesz mnie takim, jaki jestem, i podzielisz ze mną życie? Geallia będzie moim światem, tak jak jesteś nim ty. Będzie moim sercem, jak ty jesteś. Jeśli mnie zechcesz.

– Byłam twoja od pierwszej chwili i będę twoja do ostatniej. Wróciłeś do mnie. – Położyła jedną dłoń na jego, a drugą na swoim sercu. – I moje serce znów zaczęło bić.

Otoczyła go ramionami, a ci, którzy zebrali się na dziedzińcu i schodach, wiwatowali, gdy królowa Geallii całowała swego ukochanego w promieniach zimowego słońca.

– I tak żyli – zakończył starzec – i kochali się. Krąg obrastał w siłę i tworzył nowe kręgi niczym kamień rzucony w wodę. Dolina, w której niegdyś panowała cisza, rozbrzmiewała muzyką letniego wiatru w zielonej trawie, rykiem bydła. Dźwięczała muzyką fujarek i harf, śmiechem dzieci.

Pogłaskał po głowie malca, który wdrapał mu się na kolana.

– Geallia kwitła pod rządami Moiry, królowej-wojowniczki i jej księcia. Dla nich słońce świeciło nawet w środku nocy.

– I tak opowieść o czarnoksiężniku, czarodziejce, wojowniku, uczonym, jednym w wielu postaciach i wampirze zatacza własny krąg.

Poklepał malca po pupie.

– No już, zmykaj, wszystkie zmykajcie, póki jest jeszcze słońce, przy którym możecie się bawić.

Dzieci pokrzykiwały i dokazywały, a starzec uśmiechnął się, słysząc kłótnię, kto ma być czarnoksiężnikiem, a kto królową.

Cian wciąż miał wyostrzone zmysły, więc uniósł dłoń i przykrył nią rękę Moiry, którą oparła o fotel za jego plecami.

– Pięknie to opowiedziałeś.

– Łatwo opowiadać o tym, co się przeżyło.

– Łatwo zniekształcić to, co było. – Obeszła fotel. – Ale ty prawie nie mijałeś się z prawdą.

- Czyż prawda nie była wystarczająco dziwna i magiczna?

Włosy miała białe jak śnieg, a uśmiechniętą twarz pomarszczoną niczym jabłuszko. I piękniejszą niż kiedykolwiek widział.

- Przejdź się ze mną, zanim zapadnie zmrok. - Pomogła mu wstać i wzięła go pod rękę. - Jesteś gotów na inwazję? - zapytała, opierając mu głowę na ramieniu.

- Przynajmniej gdy nadejdzie, przestaniesz ciągle o niej mówić.

- Już się nie mogę doczekać, kiedy ich wszystkich zobaczę. Nasz pierwszy krąg i te, które sami stworzyli. Spotkania raz do roku to stanowczo za rzadko, nawet z krótkimi wizytami pomiędzy. A wspólne wspominanie przeszłości tak bardzo wszystko odświeża, prawda?

- To prawda. Niczego nie żałujesz?

- Nigdy niczego nie żałowałam, jeśli chodzi o ciebie. Jakże cudowne mieliśmy życie, Cianie. Wiem, że jesteśmy w jego zimie, ale nie czuję chłodu.

- Cóż, ja czuję, kiedy w nocy dotykasz stopami mojego tyłka.

Roześmiała się i odwróciła, by go pocałować z całym ciepłem, całą miłością sześćdziesięciu lat małżeństwa.

- Oto nasza wieczność, Moiro - powiedział Cian, wskazując na ich wnuki i prawnuki. - Nasze „na zawsze".

Spacerowali ze splecionymi dłońmi w miękkich promieniach zachodzącego słońca. Pomimo że ich kroki były ostrożne i spowolnione przez wiek, szli przez dziedzińce i ogrody, i na zewnątrz, przez bramę, a śmiech dzieci rozbrzmiewał za ich plecami.

Wysoko nad nimi, na wieżach zamku, łopotały trzy symbole Geallii: *claddaugh*, smok i słońce - złote na białym tle.